Bevrijdend lied

Opgedragen aan:

Donald, mijn prins op het witte paard
Kelsey, mijn geliefde dochter
Tyler, mijn prachtige zoon
Sean, mijn lieve jongen
Josh, mijn aardige zoon met leiderschapskwaliteiten
EJ, mijn uitverkorene
Austin, mijn teerhartige zoon
God Almachtig, onze Schepper.

Karen Kingsbury

Bevrijdend lied

Roman

vertaald door Rika Vliek

Bevrijdend lied is het verhaal dat in de serie *Het witte doek* wordt verfilmd door filmmakers Keith, Chase en Dayne.

Postbus 13288, 3507 LG Utrecht
www.kok.nl

Oorspronkelijk verschenen onder de titel *Unlocked* bij Zondervan, Grand Rapids, Michigan 49530, USA.

Vertaling Rika Vliek
Omslagillustratie Zondervan, Bill Tucker Studio
Omslagontwerp Bas Mazur
ISBN 978 90 297 2051 9
ISBN e-book 978 90 297 2052 6
NUR 302

Proloog

Tracy Harris trok haar blauwe Walmartschort recht en keek op haar horloge. Nog vijf minuten, dan was haar werktijd om. De zeurende pijn in haar rug negerend, probeerde ze rechtop te gaan staan. Een jonge moeder duwde glimlachend haar boodschappenkar in de richting van Tracy's kassa. De aandacht van de klant werd volledig in beslag genomen door haar zoontje, dat in het zitje van de kar zat en zijn benen heen en weer liet zwaaien. Tracy keek eerst naar de peuter; hij kwam haar bekend voor – en daarna keek ze in de kar. Fijn, er zaten niet veel boodschappen in. Dit zou vandaag haar laatste klant zijn.

'Gaan we thuis spelen, mama?'

Het jongetje was drie, hooguit drie en een half. Hij had zandkleurig haar en klemde een felgeel met blauwe rugbybal stevig in zijn knuistjes. Zijn gezicht straalde van levenslust.

Met één hand haalde de vrouw de boodschappen uit haar kar en haar andere hand legde ze tegen de bolle wang van het jongetje. 'Afgesproken.' Ze boog zich naar hem toe om hem recht aan te kunnen kijken. 'Maar dan moet je wel eerst je groente opeten.'

'Mama…' Hij haalde zijn schouders op. 'Ik vind koekjes lekker. Papa zegt dat hij koekjes ook lekker vindt.'

'Ja, dat zal best.' Ze lachte luchtig, ongedwongen. Het was het onbezorgde lachen van een vrouw met een kerngezond, levendig kind.

Tracy's middag vrolijkte helemaal op van hun ongedwongen gebabbel. Toen de vrouw haar aankeek zei ze: 'Wat een schatje… uw zoontje.'

'Dank je.' Ze blies een losgeraakte haarlok uit haar gezicht. 'Hij praat aan één stuk door.'

Dat deed Holden ook altijd, dacht Tracy. Glimlachend om de herinnering vroeg ze: 'Hebt u alles gevonden wat u moest hebben?'

'Ja.' En grinnikend voegde ze eraan toe: 'Alles behalve de drie uur die ik iedere dag tekortkom, maar dat geeft niet.' Ze legde de laatste boodschappen op de lopende band. 'Dit is een prettige supermarkt en je kunt als klant ook té veeleisend zijn.'

Terwijl ze haar pinpas alvast in het apparaat schoof, vertelde de vrouw dat ze leuke knoppen had gevonden voor de kasten die ze in hun garage aan het bouwen waren. Ook had ze hier precies het goede beddengoed voor hun logeerkamer gezien. Haar zoontje leverde ondertussen voortdurend commentaar. 'Beddengoed, mama!' Hij keek zijn moeder strak aan. De scherpe blik in zijn heldere ogen leek precies op de blik die Holden had gehad. Het kind wees naar het pakket. 'Mooi beddengoed voor oma!'

'Ja, lieverd.' Ze grinnikte en liet haar blik op haar zoontje rusten.

Tracy deed haar best om hen niet aan te staren. Het jongetje was net zoals Holden vroeger was geweest.

'Cornflakes!' Hij hield de bal boven zijn hoofd en lachte toen twee dozen cornflakes op de loopband langs gleden op hun weg naar de kassa. Hij was slim en er ontging hem niets; alles wat zijn moeder deed, zag hij en elk artikel dat ze van de band pakte, noemde hij op. Hij stopte de bal naast zich in het zitje. 'Na het eten gaan we met de bal spelen, mama! Ik kan heel hoog springen... hoger dan u!'

'Echt waar?' Ze lachte opnieuw. 'Dat wil ik zien!' Ze ontfutselde hem de bal, gooide hem speels in de lucht, ving hem op en gaf hem terug. 'Ik weet het niet, lieverd. Mama kan heel goed springen, hoor.'

'Ik ook, hoor!' Hij stak beide armen hoog in de lucht, terwijl hij met één hand de bal stevig vasthield. '*Touchdown*, jongens! Zie je dat, mama? Dat is een vangbal.'

'Je kent toch zo'n leuk liedje om het team aan te moedigen?' Het pinbonnetje rolde de printer uit. 'Zing dat maar.'

Het jongetje begon uit volle borst te zingen. Daarbij zwaaide hij met zijn armen, alsof hij er zittend een dansje bij uitvoerde.

Terwijl hij aan het zingen was, bleef hij oogcontact houden met zijn moeder. Oogcontact. Dat vond Tracy het moeilijkste, terwijl ze genoot van haar klant en haar zoontje. Door dat oogcontact werd de rest van de wereld voor een moment buitengesloten en hadden alleen zij tweeën oog voor elkaar. Dat miste Tracy het meest: die momenten dat zij Holden in het hart keek en tegelijkertijd wist dat hij in háár hart keek. Tracy bleef naar het tweetal kijken. Het leek alsof ze naar videobeelden zat te kijken van hoe Holden en zij heel lang geleden samen hadden gespeeld. Wat er ook met Holden was gebeurd, wat precies de verandering teweeg had gebracht, ze hádden ooit met elkaar gespeeld. En telkens wanneer ze samen waren, had Holden gelachen, gezongen en haar recht aangekeken.

Terwijl de vrouw haar bon aanpakte, probeerde Tracy nog even die herinneringen vast te houden. Jonge moeders met kleine jongetjes waren voor haar altijd het moeilijkst. De vrouw zette twee tassen in haar boodschappenkar. 'Ik ben blij dat ik niet in de rij heb hoeven staan. Mijn hulp moet haar geld nog krijgen.' Ze glimlachte even naar Tracy. 'Schoonmaken is niets voor mij.'

Een hulp in de huishouding en opknapbeurten in huis... een spraakzaam kind en een gezellige woning. Tracy glimlachte en wilde dat ze dat zelf allemaal had. 'Fijne dag nog.'

'Dank u wel.' De vrouw zette de laatste boodschappen in haar kar.

'Uit, mama!' Haar zoontje zwaaide met de bal naar haar. 'Ik wil eruit!'

'Goed.' Ze nam haar zoon snel in haar armen en gaf hem een zoen op zijn wang. Hij gaf haar ook een zoen en spartelde net zo lang totdat ze hem naast zich neerzette. Ze nam hem bij de hand en wierp Tracy een vermoeide glimlach toe. 'Veeleisend jongetje, vindt u niet?'

Hij maakt u in ieder geval duidelijk wat hij wil, dacht Tracy. Ze deed haar best om vrolijk te antwoorden: 'Dat heb je op die leeftijd, denk ik.'

'Ja, dat zal wel.' Het jongetje huppelde met zijn moeder mee, terwijl ze naar de uitgang liepen. Zij zwaaide naar Tracy. 'Ook nog een fijne dag.'

Tracy zwaaide terug. Ze had graag aan de vrouw willen vragen of haar zoon alle inentingen had gehad die hij op zijn leeftijd had moeten hebben. *Laat hem in ieder geval niet voor alles tegelijk inenten*, wilde ze tegen haar zeggen. *Er zit nog steeds kwik in de vaccinaties.* Maar dit was niet het goede moment en ook niet de juiste plek daarvoor. En niemand wist trouwens precies hoe het zat met dat kwik.

Terwijl ze hen nakeek, vroeg Tracy zich af waar de vrouw woonde. Waarschijnlijk hier in Roswell of misschien zelfs in Dunwoody. Of misschien in Johns Creek, een van de buitenwijken van Atlanta, in een groot huis met een goed bijgehouden tuin. Tracy had zich voorgenomen om een normaal leven te gaan leiden als Holden drie was, maar dat was vijftien jaar geleden.

Tegenwoordig lachte Holden niet met haar, praatte niet met haar en probeerde ook niet haar hand te pakken. Ze kon niet met hem spelen of tijdens de maaltijd met hem praten, en ze wist niet hoe het voelde om door hem omhelsd te worden nu hij volwassen was. Ze had geen flauw idee hoe hij zich voelde en wat hij voelde. Haar enige zoon kwam nooit met een stralend gezicht op haar af gerend om haar iets over zijn dag, zijn huiswerk of zijn toekomstsplannen te vertellen.

Hij maakte nooit oogcontact.

Holden was autistisch.

1

Als de eerste dag maatgevend zou zijn, dan zou dit het beste jaar worden dat ze ooit hadden meegemaakt.

Quarterback Jake Collins baande zich een weg door de volle gang, langs de wiskundelokalen, tot hij aankwam bij de afgesproken plek in de buurt van het trappenhuis. Zijn kameraden van het rugbyteam stonden daar al op een kluitje. Een paar blonde meisjes uit de onderbouw keken zijn kant op en liepen hem flirtend en giechelend voorbij. Jake trok een wenkbrauw op en knipoogde naar zijn teamgenoten.

Buiten scheen de zon, zodat er veel licht door de ramen van het bakstenen gebouw in Johns Creek naar binnen viel. In de gangen van de middelbare school – kortweg het Fulton – knepen de langsstromende leerlingen de ogen half dicht tegen het felle licht.

'Iedereen is er al!' Jake stopte zijn handen in de zakken van zijn spijkerbroek en lachte naar de jongens die om hem heen kwamen staan. Hij keek achterom naar de blonde meisjes die al halverwege de gang waren. 'Overal meiden!'

'Ja, wie is er niet gek op de meisjes van het Fulton.' Sam Sanders gaf hem met zijn elleboog een por tussen de ribben. Sam was al drie jaar Jakes beste vriend, bij wie Jake altijd terecht kon, en een van de beste receivers in Atlanta en omstreken.

'Jongen, ze zullen dit jaar dol op ons zijn.' Hij gaf Sam een stomp. 'We zullen kampioen worden, kerel. Alles wat we aanraken zal in goud veranderen.'

'Drie keer kampioen. Dat heeft nog geen enkele klas gepresteerd!' Sam knikte er nadrukkelijk bij toen hij eraan toevoegde: 'Rugby... basketbal... atletiek!' Met geheven armen liep hij trots een ererondje.

Jake lachte. 'De meisjes zullen naar ons opkijken.' Hij gaf Sam een high five en de twee grinnikten terwijl ze gretig naar de meisjes keken die langsliepen. 'Nog meer dan anders.'

'Mmm.' Sam knikte in de richting van een knappe brunette. 'De beste perziken van Georgia.'

Ze hadden nog zes minuten de tijd om naar hun lokaal te lopen, maar daar maakten Jake en zijn vrienden zich niet druk om. Ze blokkeerden als groep de gang, maar wat gaf dat? De andere kinderen liepen wel om hen heen. Dit was *hún* school. Ze mochten de gang blokkeren als ze daar zin in hadden.

'Moet je kijken!' Rudy Brown, ook een rugbyspeler, wees lachend naar een kind met overgewicht in een rolstoel, een meter of tien verderop in de gang. Twee docenten deden hun best om hem een lokaal in te manoeuvreren. 'Wat zullen we nu krijgen? Is hij te dik om gewoon te lopen?' Rudy praatte zo hard dat hij het lawaai om hen heen overstemde. Rudy was een meter tweeënnegentig, woog achtenzestig kilo en was de sterkste lineman van de county. Wel een stuk of tien middelbare scholen wilden hem graag in hun sportteam hebben.

'Hé!' Jake keek boos naar zijn teamgenoot. 'Waarom zeg je dat? Kinderen kunnen er toch ook niets aan doen dat ze in een rolstoel zitten?'

'Ja, zo is dat.' Sam gaf lange Rudy een schop tegen zijn schenen. 'Doe eens aardig.'

Jakes aandacht werd getrokken door tumult aan het einde van de gang. Hij draaide zich om en kneep zijn ogen half dicht tegen het felle zonlicht. Toen zag hij wat er aan de hand was. 'Dat kan toch niet waar zijn. Ik dacht dat Harris van school af was.'

'Wie?' Sam keek boos, omdat het zo druk was in de gang, dat hij niet wist over wie Jake het had.

'Holden Harris.' Jake bleef met zijn armen over elkaar staan en hield Holden in de gaten, terwijl de jongen langzaam dichterbij kwam. 'Die mooie jongen die zo raar doet.' Jake hinnikte. 'Je weet wel... freak noemen we hem altijd.'

Holden was op weg naar zijn lokaal en gedroeg zich vreemd, zoals hij altijd deed. De knokkels van zijn gevouwen handen hield hij dicht bij zijn kin en zijn uitgestoken ellebogen bewoog hij alsof het vleugels waren. Telkens als hij een paar stappen had gezet, bleef hij staan om snel omhoog te kijken naar een willekeurige plek op het plafond. Jake lachte spottend naar hem. 'Freak.'

Sam trok een raar gezicht. 'Waarom doet hij dat?'

'Omdat hij een moederskindje is.' Rudy grinnikte. 'Verder is er niets mis met hem.'

'Aanvoerder van de kneusjes.' Jack begon harder te lachen en de jongens die bij hem stonden, lachten met hem mee.

Je zag aan Holden Harris niet dat hij een leerling was die speciale begeleiding nodig had. Dat was dan ook precies wat Jake dwarszat. Holden zag er gewoon normaal uit. Nee, beter nog: hij zag eruit als zo'n knappe, stevig gebouwde jongen op een reclameposter voor vlotte, sportieve kleding. En de jongen had bovendien waanzinnig mooie, blauwe ogen. Ogen die maakten dat de populairste meisjes zich omdraaiden en naar hem keken – ook als Holden zich raar gedroeg, want dat deed hij altijd.

'Kom, dan zullen we hem laten merken dat we blij zijn dat hij terug is.' Jake gebaarde zijn teamgenoten dat ze met hem mee moesten lopen, Holdens kant op.

'Hé, mooie jongen,' riep een van hen met een spottend bedoeld, hoog stemmetje. Alle jongeren die in de gang tussen de rugbyspelers en Holden in stonden, keken verschrikt en maakten zich zo snel mogelijk uit de voeten.

Sam zwaaide op een overdreven manier en zei zo sarcastisch mogelijk: 'Hé, freak... we zijn blij dat je weer op school bent!'

Holden leek het niet te horen. Hij bleef opeens staan, tot ergernis van de leerlingen die achter hem liepen, en stopte zijn vingers in zijn oren. Even later liet hij zijn handen zakken en keek met een vreemde blik over de kinderen heen die hem voorbijliepen. Hij keek er niet één recht aan. Het was alsof hij ze aan het tellen was of zo.

'Wat moet dit voorstellen?' Jake schudde vol afschuw zijn hoofd.

'Misschien wil hij gekozen worden tot klassenvertegenwoordiger,' grinnikte Sam.

'Ja, tot voorzitter van de commissie voor aparte activiteiten?' Rudi gaf Sam een duw. 'Snap je 't? Apárte activiteiten.'

'Ja, dat zal het zijn.' Sam begon nog harder te lachen en gaf een paar andere spelers die bij hen stonden, een stomp. 'Niemand is aparter dan die freak.'

Jake mengde zich niet meteen in het gesprek. Holden kwam op hen af en begon zijn ellebogen weer te bewegen alsof het vleugels waren.

'Misschien denkt hij dat hij kan vliegen,' zei Rudi spottend. Hij ging op zo'n manier staan dat de groep rugbyspelers de hele gang blokkeerde. 'Hé, mooie jongen,' riep hij. 'Wat doe je? Vlieg je naar huis, naar mama?'

De afstand tussen hem en Holden was hooguit een meter, en Holden moest hem gehoord hebben, want hij stak zijn kin naar voren en keek hen aan. Dat wil zeggen, hij keek hun kant op. Zijn armen vielen langs zijn lijf en hij bleef opeens staan. Holden kon er niet langs. Jake en zijn vrienden namen praktisch de hele breedte van de gang in beslag.

'Hé, freak.' Sam gaf Holden een duw tegen zijn schouder. 'Waarom doe je zo?'

Jake wachtte een paar seconden. 'Zeg iets, freak!' Hij gaf

de jongen een duw tegen de andere schouder. 'Je hoort ons wel... Ik weet dat je kunt horen.'

Holden staarde naar een plek naast Jake, alsof daar nog iemand stond, iemand die alleen hij zag. Doordat er licht in Holdens ogen viel, knipperde hij een paar keer. Met die belachelijk blauwe ogen keek hij naar de lege muren en rijen kluisjes, maar nooit naar hun gezichten, en het was alsof hij geen woord begreep van wat ze zeiden. Of het niet wilde begrijpen. Hij fladderde weer met zijn armen en knikte een paar keer achter elkaar. Toen zette hij zijn rugtas voor zich op de vloer, ritste hem open en haalde er een dikke stapel flitskaarten uit. Met vlugge vingers, maar voorzichtig om te voorkomen dat er ook maar één viel, nam hij de stapel door. Toen hij de kaart had gevonden die hij zocht, trok hij die ertussenuit en gaf hem aan Jake.

'Wat is dit?' Jake pakte de kaart aan.

'Het is nog geen Valentijnsdag, toch, Jake?' Sam en een paar andere jongens gniffelden.

'Houd je kop.' Jake keek zijn vriend boos aan. 'Je bent niet grappig.'

Jake keek naar de gelamineerde kaart. Er stond een foto van een klaslokaal op. In de bovenhoek stond een afbeelding van een klok. Eronder stond het woord *Schooltijd*.

'Flitskaarten?' In plaats van de kaart terug te geven aan Holden, gooide Jake hem de lucht in, zodat die dwarrelend de grond bereikte. 'Doe gewoon je mond open, mafkees.'

Holden keek hem niet aan, en hij keek ook niet naar de flitskaart op de grond. Met een gespannen uitdrukking op zijn gezicht legde hij de hele stapel kaarten op zijn openstaande rugzak. Toen deed hij een onhandige uitval naar de kaart op de vloer. Terwijl hij dat deed, gaf Rudy een flinke trap tegen Holdens rugzak. De kaarten vlogen alle kanten op.

'Dat heb je ervan.' Rudy schold Holden uit en gaf hem weer een zet, harder dan daarnet. 'Probeer de volgende keer gewoon te zeggen wat je bedoelt.'

Holden probeerde de rondvliegende kaarten te pakken te krijgen, maar hij greep mis en verloor zijn evenwicht. Hij belandde languit op de linoleum vloer. Snel krabbelde hij half overeind en bleef zwaar ademend zitten op zijn handen en knieën; zijn ogen schoten heen en weer zonder zich op een bepaald punt te richten. Toen begon hij extreem geconcentreerd zijn kaarten op te rapen.

Ondertussen was het minder druk geworden in de gang, omdat de meeste leerlingen op weg waren gegaan naar hun klaslokaal. Degenen die wel zagen dat Holden problemen had, bleven niet staan om hem te helpen.

Heel even had Jake spijt. Hoe Holden er ook uitzag en hoe sterk hij ook was, hij deed nooit iets terug. Ze waren ver genoeg gegaan. 'Kom.' Hij gaf Rudy een klap op de schouder. 'Laten we gaan. De coach wil dat we dit jaar op tijd zijn.'

Nog half lachend liepen de jongens Holden en zijn flitskaarten voorbij. Terwijl ze wegliepen, kwam een magere jongen hun kant op. Hij wierp de rugbyspelers een vernietigende blik toe en riep daarna naar Harris, die nog steeds op handen en voeten rondkroop: 'Wacht... ik help je wel even.'

Het magere joch wachtte even toen Jake en zijn vrienden hem passeerden. Hij zette zijn rugzak op de grond en begon de kaarten op te rapen.

'Wat krijgen we nou?' Sam bleef opeens staan, draaide zich om en sloeg zijn armen over elkaar. 'Ben jij ook zo'n kneusje?' vroeg hij op laatdunkende toon.

De jongen had vlassig, gitzwart haar, droeg een strakke spijkerbroek met rechte pijpen en zijn rugzak was tot op de draad versleten. Ook een loser. Het joch negeerde Sam en ging verder met het oprapen van de kaarten.

'Hé, griezel.' Jake lachte. 'Je bent te laat. Ik weet bijna zeker dat Holden al een vriendje heeft.'

De jongen reageerde ook niet op die opmerking; hij bleef

Holden helpen tot alle kaarten opgeraapt waren. 'Laat ze maar, joh,' zei Jake, terwijl hij een gebaar maakte in hun richting. 'We moeten naar de les. Het is vandaag een belangrijke dag, jongens.'

Vier jaar hadden ze hierop gewacht, op het bijzonder recht om over het schoolterrein te lopen alsof niemand hen iets kon maken. Jake zou binnenkort zijn handtekening zetten onder een contract waarin hem een sportbeurs werd toegekend voor een van de grote universiteiten in het zuidoosten van de Verenigde Staten. En hij had verkering met het knapste meisje van de hele school.

Ella Reynolds.

Hij had Ella van de zomer ontmoet in het zwembad. Ze moesten allebei toezicht houden. Vanaf de eerste dag had Jake met zijn ene oog de krijsende kinderen in de gaten houden en met zijn andere Ella. Gedurende de warmste dagen van juli en augustus was hun vriendschap steeds hechter geworden. Jake had haar op school wel opgemerkt, maar in het zwembad had het pas echt geklikt tussen hen. Hij had zich de hele zomer van zijn beste kant laten zien, soms zelfs gedacht dat het gevaar bestond dat hij een softie werd. Dat bracht zij bij hem naar boven. Een fatsoenlijk meisje, die Ella, maar hij was te jong voor fatsoenlijke meisjes.

Vooral nu... in zijn eindexamenjaar.

Jake was van plan om heel veel populaire meisjes te versieren, vooral uit de onderbouw. Van de zomer, nadat hij had gezoend met Ella, had hij het met Sam, Rudy en de andere jongens voortdurend over het najaar gehad. Dit was hun jaar, het seizoen waar ze op gewacht hadden.

Hij gaf Sam een stomp tegen zijn arm terwijl ze het gebouw uit liepen. 'Win iedere wedstrijd, word kampioen...'

'... en pak zo veel meisjes als je wilt,' maakte Sam de zin af, en ze vielen allebei bijna om van het lachen.

Iedereen op school zou weten wie ze waren. Ook freaks als

Holden Harris en de magere griezel, van wie ze niet wisten hoe hij heette, want zo werkte dat.

Dit jaar was de school van hen.

*

Holden hoorde de muziek. Prachtige, volle klanken zweefden door de gangen van het Fulton. Krachtige blaas- en melodieuze strijkinstrumenten. Daar tussendoor klonk af en toe het gepingel van een piano in iedere bekende toonsoort. Sprankelende hoge en fascinerende lage tonen vulden zijn hoofd. Ze voerden hem mee en lieten hem weten dat alles in orde was. Het was muziek die voor hem zong over Jezus, goedheid, liefde en blijdschap. Over vrede en vriendelijkheid. Kerkmuziek was het, en die muziek vertelde hem de waarheid: wat er ook gebeurde, hij was veilig. Ja, Holden hoorde de muziek.

Hij wist alleen niet of iemand anders die muziek ook kon horen. Zijn kaarten zouden toch niet verspreid over de vloer liggen, als alle anderen het lied ook konden horen?

Holden dacht er niet verder over na. Hij raapte zijn speciale kaarten op en nam ze door, totdat hij zeker wist dat hij ze allemaal nog had. Alle drieënzeventig. Hij keek de vriend aan die hem hielp. Hij zei iets, maar de woorden gingen verloren in de muziek. Holden bekeek de kaarten nog een keer een voor een. De kaart die hij zocht, moest ertussen zitten. Dat moest, want hij had ze alle drieënzeventig nog. Zesenveertig van de vriend tegenover hem en de zevenentwintig die hij her en der om zich heen had opgeraapt. Drieënzeventig.

Holden bleef de kaarten bekijken en de muziek speelde verder. Ja, dat was hem! Een plaatje van een lachende jongen met een opgestoken hand. De woorden op de kaart luidden: *Dank je wel.* Holden liet hem aan zijn vriend zien, maar hij gaf hem de kaart niet.

De laatste keer dat hij een kaart gegeven had, was het mis gegaan en lagen ze allemaal verspreid over de vloer.

'Wat is dat?' Zijn vriend keek naar de kaart en glimlachte. 'O. Graag gedaan.' Hij keek over zijn schouder naar de rugbyspelers die het gebouw uit liepen. 'Blijf maar uit de buurt van die etterbakken.'

Holden knipperde met zijn ogen en keek achterom naar de grote jongens. Hij hoorde nog meer woorden, vermengd met de muziek, woorden uit de kerk. Hij was drie jaar en hij was weer op de zondagsschool. De juf was aan het woord. *'Nee, Tommy, je mag niemand uitschelden voor etterbak. Dit zijn je vriendjes en vriendinnetjes van de zondagsschool. Daar gebruiken we dat woord niet... dat is niet aardig. We moeten voor onze vriendjes en vriendinnetjes bidden, niet hen uitschelden.'*

Waren de grote jongens etterbakken? Ze waren al bijna aan het eind van de gang. De juf had gezegd dat je andere mensen niet mocht uitschelden; je moest voor hen bidden. Dat stond ook op het bord aan de muur in de kerk. *Bid zonder ophouden.* Holden knikte, gespannen, overtuigd. Goed dan. Hij zou bidden. Nu meteen, niet straks pas. *God, wees met de jongens aan het einde van de gang. Zij willen geen etterbakken zijn. Dank U, Jezus. Ik weet dat U van me houdt. Uw vriend, Holden Harris.*

Hij bad nog heel even verder. Toen stak zijn nieuwe vriend hem zijn hand toe, maar Holden greep hem niet. De muren begonnen enigszins op hem af te komen en er waren te veel geluiden, te veel woorden. De muziek klonk nu heel luid. Hij stopte de kaart met *Dank je wel* erop weer tussen de andere kaarten en zocht verder tussen de stapel. Daar was hij! Hij trok hem ertussenuit en hield hem omhoog voor zijn vriend. Er stonden twee jongens op die elkaar een high five gaven. Eronder stonden de woorden die hij zijn vriend wilde laten horen.

'Je bent mijn vriend?' De jongen glimlachte. 'Wil je me dat vertellen?'

Holden keek uit het raam. Dit was het mooie gedeelte van het lied. Hij wiegde een beetje heen en weer op de maat van de muziek.

'Ik ben trouwens Michael Schwartz.'

Michael Schwartz. Misschien kon Michael de muziek ook horen. Misschien. Holden rommelde met zijn kaarten en keek weer uit het raam. Hij liet de kaarten in zijn rugzak glijden en ritste hem dicht. De muziek klonk weer zachter. Na wat heen en weer gewieg keek hij uit het raam. Zijn moeder woonde ergens daarginds, maar hij mocht pas om tien over drie naar haar toe. Om tien over drie zou hij weer in de bus stappen en de buschauffeur zou hem thuisbrengen.

Aan de andere kant van het raam.

'Nou, ajuus. Ik moet naar mijn klas.' Michael zwaaide. 'Ik zie je wel weer.'

Holden keek hem na. Hij zou ook voor Michael bidden, omdat de juf had gezegd dat je voor je vrienden moest bidden. Michael was zijn vriend. Maar dat zou hij niet nu doen, want het was vijf over negen op de klok aan de muur. En vijf over negen betekende wiskunde. In die les kon hij zich het meest ontspannen, omdat getallen vergelijkbaar waren met muziek. Ze vulden zijn hoofd en herinnerden hem aan de waarheid. Alles kwam goed.

Hij keek naar de brede, lege gang en moest aan de grote jongens denken. Die jongens die ze geen *etterbakken* mochten noemen. Er was iets mis met die jongens. Een kaart had hij er niet voor, al had hij er drieënzeventig. Een hoog gegil verstoorde de muziek. Wat zou er gebeuren als de jongens weer een schop tegen zijn stapel kaarten zouden geven, of als zij hém zouden schoppen? Het gegil werd luider. Gegil en… en…

BOEM! BOEM! BOEM! Het drumstel dreunde en bonkte in zijn hoofd, sloeg hem, duwde hem, deed hem pijn. Het maakte dat zijn oren pijn deden. Holden hield allebei zijn handen aan weerskanten van zijn gezicht, maar niets hielp, niets deed het drumstel ophouden.

BOEM! BENG! BOEM!

Nee! Laat het drumstel ophouden! Holden schreeuwde de woorden, maar het klonk als gegil in de muziek. BOEM! BOEM! BOEM! Holden liet zich op de grond vallen en ging plat op zijn buik liggen. De vloer was koud tegen zijn blouse. Snel... heel snel legde hij zijn handen plat op de grond en duwde zijn tenen tegen de vloer. Toen hij zo stijf en plat als een plank op de grond lag, klonk de stem van zijn vader luid door de muziek heen.

'Goed zo, Holden, houden zo. Zo druk je je op. Als je ouder bent, zul je alleen je rug recht houden. Heel goed... Net als de grote jongens. Als je dat kunt als je pas drie bent, kun je alles doen wat je wilt. Echt alles, Holden. Van het opdrukken zul je net zo groot en sterk worden als ik, jochie. Goed zo. Ga zo door en niemand zal je ooit nog lastigvallen...'

Holden hoorde de woorden keer op keer en ze gingen in tegen de maat van de muziek. Op en neer, op en neer, op en neer. *Houd je rug recht ... Van het opdrukken zul je net zo groot en sterk worden als ik, jochie ... Niemand zal je ooit nog lastigvallen...* Op en neer, op en neer. Omhoog en vasthouden, omlaag en vasthouden, omhoog en vasthouden, omlaag en vasthouden. Op en neer, op en neer.

Hij begon steeds sneller te ademen, maar het was nu de goede manier van ademhalen. Het drumstel klonk nu niet meer zo hard. Boem... Boem... Boem...

Hij begon het aantal keren dat hij zich opdrukte te tellen: tweeëntwintig, drieëntwintig, vierentwintig...

Na achtentwintig push-ups hield het geroffel op. Achtentwintig. Vier keer zeven. Veertien keer twee. Holden sprong weer overeind en de muziek van strijk- en blaasinstrumenten klonk weer. Er liepen een paar meisjes langs; ze lachten naar hem. Misschien konden zij de melodie ook horen.

Holden pakte zijn rugzak en slingerde hem nonchalant over zijn schouder. Het wiskundelokaal was aan het andere eind van de gang en hij moest maken dat hij daar kwam. Onderweg daar naartoe bad hij voor Michael. *Dank U, God, voor Michael. Ik weet dat Jezus van hem houdt… dat zegt de Bijbel… Michael heeft me geholpen met mijn kaarten. En Jezus houdt van de meisjes die lachten, omdat zij zwak zijn, maar Hij is sterk. Ik weet dat U van me houdt. Uw vriend, Holden.*

Toen hij het lokaal binnenliep hoorde hij dat God antwoord gaf, en hij glimlachte. God vertelde hem precies wat hij al had gedacht.

Michael kon de muziek horen.

2

Ella Reynolds nam haar caesarsalade met kip en de beker cola light mee naar buiten. Tussen de middag aten ze vaak aan de tafels op het plein van het Fulton. Het schooljaar was nog maar vier dagen geleden begonnen en het gelach en geroezemoes van wel duizend jongeren klonk luider dan normaal.

'Ella! Kom bij mij zitten!' De jongen die naar haar riep zat bij wiskunde bij haar in de klas. Hij hoorde bij een groep leerlingen die hoge cijfers haalden, en grijnsde breed en verliefd naar haar.

'De volgende keer misschien.' Ze wierp hem een uitdagende blik toe en zwaaide. 'Maar niet heus.' Dat laatste zei ze binnensmonds, maar ze bleef glimlachen.

'Hé, schat, hierheen!' Jake Collins sprong op de tafel en zwaaide naar haar. Hij droeg net als de andere rugbyspelers een spijkerbroek en zijn sportshirt. Jake was een stevige, lange jongen met een hoekig gezicht en een stoere kin. In het begin had ze hem helemaal niet zo leuk gevonden, maar van de zomer bij het zwembad had ze hem pas echt leren kennen. Hij was veel aardiger, attenter en romantischer dan hij de jongeren op het Fulton ooit had laten merken.

Dat gaf niet. Hier was hij de aantrekkelijke jongen vol zelfvertrouwen, aan wie niemand kon tippen. Vooral vandaag niet. Het was vrijdag en vanavond was de eerste wedstrijd van het rugbyseizoen. Volgens de plaatselijke kranten zouden de Eagles dit jaar alles winnen wat er te winnen was, en de opwinding daarover was op het schoolplein duidelijk voelbaar.

'Kan niet.' Ella grinnikte en gaf met een schouderophalen

te kennen dat ze er ook niets aan kon doen. Zo luid dat hij haar kon verstaan zei ze: 'Het is vandaag wedstrijddag. Dan mogen er geen meisjes bij de jongens aanschuiven, weet je nog?'

Kreunend zakte hij enigszins in elkaar. Een paar teamgenoten – Sam en Ryan – trokken aan zijn shirt, ze wilden dat hij weer bij hen aan de tafel kwam zitten. Hij keek over zijn schouder en knipoogde naar haar. Zijn ogen vertelden haar dat ze niet samen konden lunchen, maar dat ze na de wedstrijd wel samen zouden optrekken.

Ella merkte dat haar ogen schitterden, terwijl ze een paar tafels verderop bij een groep cheerleaders en meisjes van de dansgroep ging zitten. Terwijl zij haar blad neerzette, riepen een paar meiden haar naam, en LaShante, haar beste vriendin, sprong op, rende om de tafel heen en omhelsde haar. 'Het is je gelukt! Ik wist dat je het voor elkaar zou krijgen!'

'Je weet het?'

'Natuurlijk!' LaShante slaakte een kreet om te laten merken hoe superblij ze was. 'Jij hebt de hoofdrol gekregen, Ella! In *Belle en het Beest*, bedoel ik, en jij bent Belle!' Ze slaakte weer een kreet en omhelsde Ella opnieuw. 'Die rol is je op het lijf geschreven, meid.'

'Een betere musical hebben we nog nooit op de planken gebracht, hè?'

'Nee. Het is helemaal te gek. Er hebben zeker honderd meisjes auditie voor die rol gedaan.' LaShante nam Ella bij de hand en de twee gingen naast elkaar aan tafel zitten. De andere meisjes bogen zich naar hen toe. LaShante zei zo zacht dat alleen hun groepje haar kon horen: 'Dit is jouw jaar, Ella. Jake Collins en de hoofdrol in de schoolmusical!'

Dat was waar. Alles wat Ella zich voor haar laatste jaar op de middelbare school had gewenst, was al gebeurd. Een paar weken voordat de school weer begonnen was hadden de audities plaatsgevonden. Maar vanochtend was het nieuws pas op de muur bij de deur van het toneellokaal bevestigd. Zij had de hoofdrol en ze had Jake. De dag na de audities had hij aan haar gevraagd of ze zijn vriendin wilde zijn.

'Zeg ja, Ella. Dan kan dit jaar voor ons beiden niet meer stuk.'

Ze had nog sterretjes in haar ogen van de manier waarop hij haar die avond had gekust. Van de manier waarop hij haar sindsdien tientallen keren had gekust. Iedereen op het Fulton kende Jake Collins. Alle jongens wilden net zo zijn als hij en alle meisjes wilden verkering met hem, maar dit jaar was hij van haar. Ze had nog nooit eerder echt verkering gehad. Ze had het te druk gehad met school en zingen. Bovendien wilde ze niet onder druk gezet worden om met een jongen van de middelbare school naar bed te gaan. De meeste andere meisjes deden dat, en daarom had ze het nooit een goed idee gevonden om verkering te hebben.

Tot nu.

'Jake is fantastisch.' Ze schoof dichter naar de vriendinnen toe die bij haar aan de tafel zaten. Alleen deze meisjes mochten horen wat ze te zeggen had. 'Hij vindt het goed dat we alles in mijn tempo doen.'

'Heb je tegen hem gezegd dat je nog nooit... Je weet wel... Ja, moet je horen, je bent nog maagd. Dat heb je hem toch wel verteld, Ella?' LaShante schaamde zich nergens voor. Ze vroeg wat ze wilde vragen, en wanneer ze dat wilde vragen. Het maakte haar allemaal niets uit. Dat was een van de redenen dat Ella zo dol op haar was. LaShante zette haar handen in haar zij. 'Hij moet toch ondertussen weten hoe jij echt bent. Vertel me dat hij het weet.'

'Natuurlijk.' Ella wierp stiekem een blik in de richting van de tafel waaraan de rugbyspelers zaten. 'En hij zei dat we niet per se iets hoeven te doen. Hij is gewoon gek op me. Hij wil me niet kwijtraken.'

'Helemaal te gek!' LaShante omhelsde Ella nog een keer.

'Zie je nou wel, meiden?' Ze knipte met haar vingers in de richting van de anderen. 'Houd voet bij stuk. Er wordt op deze school te vaak toegegeven.'

'Dat klopt.' Krissy wierp Jenny, die tegenover haar zat, een veelbetekenende blik toe. 'Dat heb ik steeds gezegd.' Krissy knikte naar een paar andere cheerleaders die bij hen aan tafel zaten. 'Er wordt te vaak toegegeven.'

Er viel een stilte, waarmee zes of zeven meisjes even moeite hadden, maar toen begon iedereen in Krissy's richting te giechelen. Krissy nam een flinke slok van haar cola. 'Ja, ja, jullie hebben gelijk. Ik kan het weten.'

'Wat ik maar zeggen wil,' LaShante sloeg een arm om Ella's schouders en keek de andere meisjes met opgetrokken wenkbrauwen aan, 'we hebben altijd Ella nog om tegenop te kijken. Als zij de verleiding kan weerstaan om Jake zijn zin te geven, kunnen wij misschien allemaal op zijn minst ons best daarvoor doen.'

De meiden lachten weer en Ella wist niet goed wat ze moest zeggen. Ze wilde niet model staan voor al die meisjes die plechtig beloofd hadden niet voor het huwelijk met een jongen naar bed te gaan. Ze was er gewoon nog niet klaar voor, meer niet. Ze was blij dat Jake daar begrip voor had, en dat de meisjes haar niet uitlachten. Toch was ze opgelucht toen het gesprek van onderwerp veranderde. Ella nam een hap van haar salade, terwijl haar vriendinnen kletsten over de geschiedenisles van meneer Jensen.

Een paar minuten later keek Ella op haar iPhone om te zien of ze sms'jes van Jake had gekregen. Hmm. Niet één. Ze keek in zijn richting, maar hij had het te druk met de jongens. Het duurde nog tien minuten voordat de lessen weer begonnen, en ze moest haar moeder nog bellen om haar te vertellen dat ze de hoofdrol had gekregen. Zij mocht Belle spelen! Was dat niet fantastisch?! Ze tikte een paar keer met haar gemanicuurde vingernagels op de tafel en glimlachte even naar de meisjes. 'Ik moet even naar huis bellen. Ben zo terug.'

Ze schudde haar lange haar met blonde plukjes erin over haar schouder en liep snel het plein af, de hoek om naar een plekje waar het rustiger was. Ze drukte een paar toetsen in en wachtte op verbinding. Bij iedere keer dat de telefoon overging, nam haar enthousiasme enigszins af. 'Toe nou, mam... Waar zit je?' Ze liep een paar keer heen en weer. 'Neem op.'

Maar er werd overgeschakeld op de voicemail, en Ella probeerde gauw nog even haar moeders mobiel te bellen. Deze keer nam haar moeder op toen de telefoon voor de derde keer overging.

'Ik heb het druk, schat.' Het klonk nogal stijfjes. 'Is het belangrijk?'

'Ehm, ja... O, wacht... Wat ben je aan het doen?'

'Ehm...' De stilte die hierop volgde, deed geforceerd aan. 'Niets eigenlijk. Ik probeer alleen wat weg te werken.'

'Weg te werken?' Opeens wist Ella het weer. 'Met botox, bedoel je?' Ella zuchtte. 'Ik dacht dat je er deze keer wat langer mee zou wachten.'

'De spiegel deed me van gedachten veranderen.' Ze zat vast nog steeds in de stoel, want wat ze zei klonk raar, alsof ze haar mondspieren helemaal niet kon bewegen. 'Moet je horen, Ella, kan dit niet even wachten?'

Het beetje opwinding dat ze nog voelde, was door die paar woorden helemaal verdwenen. 'Mij best.'

'Bedankt, lieverd.' Op de achtergrond klonk een andere vrouwenstem. Haar moeder fluisterde: 'Ik moet ophangen.'

Ook goed. Ella staarde naar het schermpje van haar telefoon en zag haar moeders naam verdwijnen. Er was iets aan de hand met haar ouders. Het team van haar vader was nog niet uitgeschakeld voor de kampioenschappen, maar hij zat meestal op de bank en eind van het jaar liep zijn contract af. Als hij in de stad was, was hij meestal in het clubhuis aan het trainen of iets dergelijks. De laatste keer dat hij thuis was wilde Ella hem te vertellen over Jake, maar hij wekte niet de indruk dat hij echt luisterde. Hij zei steeds 'Wat?' en 'Wie?' en verontschuldigde zich ervoor dat hij veel van wat ze hem had verteld, niet had gehoord. Toen had ze het maar opgegeven.

Het gaf niet. Ella's ouders gingen zo op in hun eigen leven dat ze zich alleen druk maakten om hun eigen dingen. Haar tweelingbroers zaten in de laatste klas van de basisschool en hielden zich bezig met honkbal, hun vrienden en wat ze verder allemaal nog op hun programma hadden. Wanneer ze Ella 's avonds op de gang passeerden, zagen ze haar niet eens, en zij was zich ook nauwelijks van hun bestaan bewust.

En haar moeder? Haar moeder deed stom. Ella had zelf maat 32 en ze had het idee dat haar moeder de laatste tijd een nog kleinere maat had. Het was alsof ze haar best deed om op een tiener te lijken en dat sloeg nergens op. Ze had haar haar hoogblond geverfd en vorige week had ze zelfs extensies genomen. Haar moeder! Het stond wel goed, maar toch... Ze ging ook nog vaak naar de zonnebank en was verslaafd aan botox. Alles bij elkaar zag ze er eigenlijk nooit echt uit als een moeder. Ze keek alleen maar naar Ella om als ze iets nodig had. 'Ella, kun jij je broers naar de training brengen?' Of 'Ella, kun jij onderweg naar huis een paar boodschappen doen?' Of 'Kun jij de jongens na de wedstrijd ophalen?'

Ella zette de gedachte aan haar familie uit haar hoofd. Toen ze het plein op kwam lopen, waren de meeste tafels leeg. De jongeren waren bezig afval weg te gooien en hun tassen te pakken om naar hun klas te gaan, voordat de bel ging. Haar vriendinnen waren ook al verdwenen en ze zag dat Jake en de andere rugbyspelers aanstalten maakten om op te breken. Jake had haar nog niet in het oog gekregen. Als ze niet al te veel haast maakte, zou Jake met haar mee kunnen lopen.

Maar de spelers gingen lachend in een kring staan en gaven elkaar af en toe een stomp tegen de schouder. Toen de groep uiteen begon te vallen, zag Ella dat vanaf de andere kant van het plein een vreemde jongen op hen af kwam. Ella had hem al eerder gezien, maar ze wist eigenlijk niet hoe hij heette. Hij stond meestal bij de groep leerlingen die speciale begeleiding nodig hadden. Ella ging met haar schouder tegen de muur staan en keek toe.

De jongen stond op het punt de rugbyspelers voorbij te lopen, maar bleef ineens stil staan. Hij keek eigenlijk niet naar hen, maar hij moest hebben geweten dat zij daar stonden, want hij vouwde snel zijn handen en bracht ze omhoog naar zijn kin. Daarna stak hij zijn ellebogen ieder naar een kant en bewoog ze een klein beetje op en neer. Op die manier leek hij wel een vogel of zoiets. Hij bleef die bewegingen maken terwijl hij de jongens voorbij wilde lopen.

Jake zag hem het eerst. Hij gaf Sam een zet. 'Moet je dat zien.' Hij versperde de jongen de weg. 'Het is de freak.'

'Wat?' fluisterde Ella bij zichzelf. Ze begon misselijk te worden. Dit was toch niets voor Jake? Ze schuifelde behoedzaam dichterbij. De rugbyspelers stonden met hun rug naar haar toe en daar was Ella blij om. Ze wilde niet dat Jake haar zag. Nog niet in elk geval. Misschien bedoelden ze het niet zo kwaad. Toen ze dichterbij was gekomen, bleef ze weer staan. Jake en zijn vrienden hadden zich zo opgesteld dat de jongen er niet langs kon.

Het was geen geintje, ze waren het joch aan het pesten. Ze merkte dat haar hart heel snel begon te slaan en dat ze witheet werd van woede. Waarom vielen ze die arme jongen lastig? Ze bekeek de jongen nog eens goed. Hij was lang, maar niet zo lang als Jake. Een meter drieëntachtig of vijfentachtig misschien. De jongen liet zijn handen zakken en keek langs de rugbyspelers rechtstreeks naar…

Ella hield haar adem in. Hij keek rechtstreeks naar háár. En nu zag ze voor het eerst wat ze daarnet niet had kunnen zien. Hij gedroeg zich vreemd, maar hij zag eruit als een normale jongen. Gespierde armen en schouders en een zongebruind, knap gezicht. Maar dat was niet de reden dat ze naar lucht hapte. Dat kwam door zijn ogen. Babyblauw waren ze en helderder dan het water rond Tybee Island. Zijn ogen deden denken aan diepe, zuivere poelen... Ella knipperde met haar ogen. Zijn ogen deden haar aan iets anders denken. Het waren bijna vertrouwde ogen, alsof ze er al eerder op deze manier in had gekeken.

Maar dat kon niet waar zijn. De kinderen die speciale begeleiding nodig hadden, hadden hun eigen gebouw. Zij volgden eigenlijk nooit dezelfde lessen als de andere leerlingen, één of twee lesuren uitgezonderd. Dit najaar zat deze jongen met zijn blauwe ogen niet één lesuur bij haar in de klas. Ella zou het geweten hebben als dat wel zo was.

Het moest Sam en Jake opgevallen zijn dat de jongen naar Ella keek. Sam deed een stap naar de jongen toe en gaf hem een tik tegen zijn achterhoofd. 'Kijk niet naar Jakes vriendin, freak. Houd je bij je eigen soort.'

De jongen begon onmiddellijk zijn armen weer te bewegen, terwijl hij zijn gevouwen handen dicht bij zijn kin hield. Ella werd nog bozer. Dit moest afgelopen zijn! Ze liep naar de rugbyspelers toe, liep tussen de groep door, totdat ze naast Jake stond. Ze keek eerst Sam en toen Jake aan. 'Laat hem met rust.'

'Schat!' Jake lachte, maar hij klonk nerveus, alsof hij ergens op betrapt was. Hij keek een paar jongens in de kring aan, alsof hij steun bij hen zocht. 'Wat is er nou? We maakten alleen maar een geintje.' Hij stak zijn handen omhoog om aan te geven dat hij zich van geen kwaad bewust was. 'Het stelt niets voor.' Hij deed een stap langs haar heen en gaf de jongen een zetje. 'We zijn alleen maar een beetje aan het dollen.'

De jongen hield op met fladderen met zijn armen. Hij reageerde niet op Jake en wekte de indruk dat hij er geen woord van had gehoord. In plaats daarvan staarde hij naar een plek in de lucht, net boven hun hoofden. Sam zette zijn handen in zijn zij en keek de jongen boos aan. Met zijn een meter drieënnegentig torende Sam hoog boven de eigenaardige jongen uit. 'Je mag hier tussen de middag niet rondlopen.' Hij keek achterom naar Ryan en Jake. 'Heb ik gelijk of heb ik geen gelijk, jongens?'

'Sam!' Ella trok aan de mouw van Jakes T-shirt. 'Toe nou...' Vlak bij zijn oor fluisterde ze: 'Toe, Jake. Laat hem met rust.'

'Mij best.' Hij grinnikte alsof het om niets meer dan een grap ging. 'Laat maar zitten, jongens.'

De groep liep weg, maar de jongen bleef staan waar hij stond en haalde op een eigenaardige manier adem. Toen de jongens het plein verlieten en op weg gingen naar hun lokaal, keek Ella nog een keer om. De jongen keek weer met die mooie ogen van hem naar haar. Ella aarzelde, maar niet lang. Jake en zijn kameraden waren de jongen al vergeten, en misschien was hij hen ook al vergeten. Misschien had hij niet eens begrepen dat ze hem lastigvielen.

Maar hij was zich in ieder geval bewust van haar aanwezigheid, want hij fladderde niet meer en bleef haar recht aankijken. Maar dat was nog niet alles. De jongen deed nu iets wat hij nog niet eerder had gedaan.

Hij glimlachte.

3

Het was rustig in de supermarkt. Tracy had al een hele tijd geen klant gehad. Met een afwezige blik in haar ogen staarde ze naar de rij sensatieblaadjes en filmtijdschriften, totdat haar aandacht werd getrokken door een kop tussen verschillende schreeuwerige roddelpraatjes.

Hollywood besteedt aandacht aan autisme.

Ze hoefde het tijdschrift niet te pakken en ook het artikel niet te lezen. Ze wist al wat de media en de filmindustrie hadden gedaan om meer bekendheid te geven aan autisme. Meestal wilde ze er graag aan meewerken. Een wandeling organiseren om geld in te zamelen voor een behandeling, of collectes houden voor verbeteringen en voorlichting over de stoornis. Iedere maand nam ze deel aan evenementen van de organisatie *Autism Speaks* of chatte ze online met andere moeders van autistische kinderen. Allemaal dingen die haar man Dan nooit deed.

Maar op dit moment werd ze al moe als ze er alleen maar aan dacht. Vandaag wilde ze alleen maar dat Holden weer werd zoals hij was, vlak voordat hij drie werd.

Tracy probeerde haar aandacht weer op haar kassa te richten. Haar collega die haar moest aflossen kwam aan lopen met een nieuwe geldla. 'Niet veel te doen vandaag?' De vrouw werkte al net zo lang bij Walmart als Tracy – minstens vier jaar.

'Weinig of niets.' Tracy pakte haar geldlade en deed een paar passen in de richting van de koffiekamer. 'De kinderen zijn weer naar school. Dat zal het wel zijn, denk ik.' Ze liep naar de koffiekamer, pakte haar kaart en voerde hem in in de prikklok om zich af te melden. Voordat ze kon vertrekken, riep meneer Graves, haar manager, haar. 'Heb je een momentje?' Hij was bezig iets vast te prikken op het prikbord dat speciaal voor de kinderen en kleinkinderen van werknemers was. Boven het bord had meneer Groves een stukje karton bevestigd waarop stond *Opscheppen niet verboden.*

Tracy wachtte. Meneer Groves was een beer van een vent. Hij had op de universiteit geworsteld, maar nu verdeelde hij zijn tijd tussen werken en spelen met zijn kleinkinderen. Nadat hij nog een foto had opgehangen, kwam hij naar haar toe. 'Hoe is het met Holden?'

Er welde verdriet in haar op en Tracy kreeg een trieste blik in haar ogen. 'Geen verandering.' Ze glimlachte. 'Bedankt voor de belangstelling.'

'We bidden nog steeds voor hem.' Meneer Groves keek bezorgd. 'Ook iedere week op de zondagsschool.'

'Dank u.' Ze stelde het zich voor, haar manager, zijn vrouw en hun vrienden, biddend voor Holden. Week in week uit. 'We moeten blijven bidden. Hoe meer mensen dat doen, hoe beter.'

'Ja, dat klopt.' Zijn gezicht klaarde op. 'God is nog iets van plan met die jongen!'

'Absoluut.' Tracy schoof de riem van haar tas over haar schouder. 'Tot morgen.'

Onderweg naar huis ging ze even bij de hobbywinkel langs om nog een paar vellen gelamineerd papier te kopen. Holden communiceerde met behulp van flitskaarten. Tracy maakte ze zelf, omdat ze anders heel duur waren. Ze downloadde een aantal kaarten van internet, printte ze uit en lamineerde ze. Omdat Holden daar nu mee communiceerde, maakten de kaarten deel uit van zijn dagelijkse therapie. Tracy was er niet echt blij mee, maar het was in ieder geval een verbetering. Ze had jarenlang absoluut niet geweten wat hij dacht, voelde of nodig had.

Ze legde het pakje naast zich op de stoel en dacht aan haar zoon. Hij zou in de wolken zijn met wat ze de laatste keer bij toeval op internet had gevonden: nog een paar kaarten over muziek. Ze had ze al uitgeprint en moest ze alleen nog lamineren. *Dank U, God... dat is precies wat we vandaag nodig hebben.* Holden zou blij zijn, al kon ze dat niet aan hem zien.

Tracy stopte bij haar flatgebouw, parkeerde haar auto op de dichtstbijzijnde plek, en haalde de post uit de brievenbus daar vlakbij. Moe of niet, ze was helemaal weg van de nieuwe flitskaart. Er stonden veel meer termen en afbeeldingen op die met muziek te maken hadden. Holden had de vorige muziekkaarten zo vaak gebruikt, dat ze er niet meer uitzagen. Deze waren beter. De plaatjes waren duidelijker, de woordkeus directer. Hij hield nog steeds veel van muziek. Voordat de diagnose was gesteld, had hij zich aangetrokken gevoeld tot de zangers en muzikanten in de kerk.

Destijds woonden ze nog vaak op zondag de diensten bij, en Holden liep dan naar voren om zo dicht mogelijk bij de muziek te zitten. Hij ging er helemaal in op en zong mee. Altijd zong hij mee. Vooral *Ja, Jezus houdt van mij*, wat destijds zijn lievelingslied was.

Tracy moest daarbij vaak denken aan het einde van de marathon in New York City, zoals ze het op tv had gezien. De lopers hadden zich na de finish voorovergebogen en naar lucht gehapt om zo veel mogelijk zuurstof binnen te krijgen. Zo verging het Holden met muziek. Hij zoog die in zich op, alsof zijn leven ervan afhing. Als er een manier was om tot Holden door te dringen, zou muziek daar zeker een belangrijke rol in spelen. Tracy en een stuk of tien therapeuten hadden geprobeerd tot Holden door te dringen met behulp van de populaire en geestelijke liederen die Holden het liefst had gezongen. Maar ze waren er nog steeds niet in geslaagd de cel die hem volledig omhulde te splijten.

Nog niet in ieder geval.

Tracy liep over het smalle trottoir naar haar voordeur, draaide de sleutel om in het slot en glipte naar binnen. De flat was niet groot, er waren maar twee slaapkamers, maar hij was gerenoveerd. Omdat Dan fulltime als visser in Alaska werkte, hadden Holden en zij niet meer ruimte nodig. Deze week zou daarin natuurlijk verandering komen. Tracy's zus Holly was verpleegkundige in het leger en uitgezonden naar Irak, en komende week zou ook haar man, die vlootpredikant was, uitvaren. Hun dochtertje Kate zou zo lang op een luchtbed bij Tracy op de kamer slapen, totdat Holly aan het einde van het schooljaar weer terug zou keren naar Atlanta. Kate moest natuurlijk met een andere schoolbus mee, maar het kwam gelukkig zo uit dat zij iedere middag een paar minuten later dan Holden werd afgezet.

Tracy legde de post in de keuken op het aanrecht. De klok op de magnetron gaf aan dat het tien over drie was: nog twintig minuten en dan zou Holden thuiskomen. Hij reed in een aparte bus naar het Fulton, die kinderen als Holden uit alle delen van de county ophaalde. Ze woonden niet in de buurt van die middelbare school, maar ze hadden daar het beste leerprogramma voor autistische leerlingen.

Tracy spreidde de post uit over het aanrecht. Zes rekeningen, waarvan vier voor Holdens verschillende therapieën. Een voor sociale vaardigheidstraining, een voor voedingstherapie, en twee voor begeleiding op school. En natuurlijk een rekening voor zijn medicijnen. Verder was er een envelopje bij met daarop hun adres in Dans nette handschrift. Het zalmseizoen was in augustus afgelopen en Dan had twee weken zonder werk gezeten. Maar vorige week vrijdag had hij gebeld om haar te vertellen dat hij voor vier weken werk had gevonden. Hij moest garnalen vissen op een garnalenboot in de ijskoude wateren voor de kust van het Alaskaanse schiereiland.

'Het is hard werken.' Naar zijn stem te oordelen was Dan uitgeput. 'De winst is niet zo hoog meer, omdat de schippers tegenwoordig meer moeten betalen voor de vergunningen. De seizoenen zijn korter. De concurrentie is moordend.'

Toch was Dan gebleven. Een paar maanden geleden was het stormachtig weer geweest. Tracy had zich afgevraagd hoe veilig hij was. Niet dat hij het haar zou vertellen als hij het zwaar had gehad. 'We hebben het waanzinnig druk gehad,' was het enige wat hij zei toen de maand voorbij was. Hij stuurde haar daarna drieduizend dollar en een korte brief, waarin hetzelfde stond als in al zijn andere korte brieven. Ze maakte dit envelopje open en haalde er een uit een notitieblokje gescheurd velletje papier uit.

Voor jou en Holden. Liefs, Dan.

Er zat een cheque bij voor een bedrag van bijna vijfhonderd dollar. Verbazingwekkend was dat niet, gezien het feit dat hij een paar weken zonder werk had gezeten. Zo ging dat bij het vissen in Alaska. Sommige maanden was er geld voor de huur, gas, water en licht, en Holdens behandeling. Andere maanden moesten de rekeningen blijven liggen.

Tracy keek even naar de kleine, ingelijste foto van hen drieën aan de andere kant van het aanrecht. De foto was genomen toen Holden twee was. Ze wist nog goed hoe ze die dag vroeg in het park waren aangekomen en hadden geschommeld totdat ze alle drie een rood hoofd hadden van vermoeidheid. Tracy had haar fototoestel meegenomen, want dat deed ze in die tijd altijd. Ze had foto's gemaakt van Holden op de schommel en Holden op de glijbaan, van Dan en Holden terwijl ze achter elkaar aan renden over het open veld en terwijl ze met zijn tweeën in het zand speelden vlak bij de glijbaan.

Maar voordat het tijd was om naar huis te gaan, had een langslopend, ouder echtpaar aangeboden een foto van hen drieën te maken. Tot op dat moment had Tracy er niet aan gedacht dat zijzelf op geen van de foto's stond. Nu staarde ze aandachtig naar de ingelijste foto. *Ik dacht dat ik alle tijd van de wereld had met onze zoon… dat we altijd zouden blijven zoals we toen waren, en dat we iedere middag foto's zouden kunnen nemen.* Er zou geen einde komen aan de dagen dat iemand hen op de foto kon zetten… hen alle drie.

Ze keek naar Dan, naar zijn gezichtsuitdrukking, het licht in zijn ogen. Hij hield destijds ontzettend veel van Holden en dat was nog steeds zo. Daar twijfelde Tracy geen moment aan. Dan was een goede man met een sterk geloof en uitgesproken opvattingen. Het was niet zo dat Holden hem niet na aan het hart lag. Te na juist. Nadat de diagnose was gesteld, had Dan het tien jaar volgehouden om iedere dag na zijn werk urenlang met Holden te praten, hem voor te lezen en bij Holden in de buurt te blijven.

Naar hem te zoeken.

Maar toen dat in die tien jaar helemaal niets opleverde, werd Dan afstandelijk. Bijna even afstandelijk als Holden. Tracy wist nog hoe ze hem op een gegeven moment had aangetroffen, zittend op de rand van hun bed, met zijn gezicht in zijn handen.

'Dan?' Ze ging naar hem toe en raakte licht zijn schouder aan. 'Wat is er?'

Het was duidelijk dat hij haar liever niet wilde aankijken, maar uiteindelijk liet hij zijn handen zakken. Zijn ogen waren rood, zijn wangen betraand. 'Ik kan het niet meer opbrengen.' Hij keek naar haar op. 'Ik zoek en zoek, maar ik kan hem niet vinden. Ik dring niet tot hem door.'

Tracy probeerde met haar man te praten, maar dat voorjaar keek hij naar *The deadliest catch* een televisieprogramma waarin een aantal vissersboten wordt gevolgd tijdens het krabseizoen op de Beringzee. Toen er die zomer geen werk meer voor hem was in de fabriek – hij maakte kasten op bestelling – stapte hij op het vliegtuig naar Alaska. Tracy wilde niet dat hij ging, maar ze kon hem niet tegenhouden.

Hij kwam drie keer per jaar naar huis, in het voorjaar, in de zomer en met Kerst, maar Tracy vond het meestal gemakkelijker om te doen alsof hij helemaal niet thuiskwam. Ze wilde er gewoon niet aan denken hoe hij uitgleed op het dek van een oude vissersboot. Ze durfde zich niet voor te stellen dat hij speelbal werd van torenhoge golven in een gedeelte van de oceaan waar voortdurend schepen zonken. Als ze daaraan dacht, was de kans groot dat ze verlamde van angst. Lang geleden had ze hem daarom aan Gods zorg toevertrouwd. Maar dat nam niet weg dat ze steeds meer kwijtraakte.

Om te beginnen Holden, daarna het leven dat ze samen hadden geleid met de gezinsuitjes zoals op de foto. En ten slotte Dan.

Tracy wierp weer een blik op de magnetron. Het was tijd om Holden tegemoet te lopen. Ze trok haar trui uit en gooide hem over de rugleuning van de keukenstoel. Toen ze naar buiten stapte, scheen de zon warm op haar schouders. Een paar minuten later kwam Holdens bus in zicht. Het was uiteraard zo'n busje dat altijd wordt gebruikt voor kinderen die speciale begeleiding nodig hebben. In het begin hadden de afmetingen van de bus op Tracy's zenuwen gewerkt, omdat ze haar eraan herinnerden dat er iets mis was met haar zoon. Maar daar had ze nu geen last meer van. Ze was dankbaar voor alle hulp die ze kon krijgen, voor alle moeite die men zich getroostte om de jongen tevoorschijn te halen die hij ooit geweest was. De bus herinnerde haar er nu alleen maar aan dat ze de moed niet hadden opgegeven.

Ze zouden in geen geval de moed opgeven.

De deuren van de bus gingen open, en Holden wist niet hoe gauw hij bij het trappetje moest komen om ervan af te springen. Het kostte hem weinig moeite om op de grond terecht te komen, en zijn gespierde schouders hadden geen enkele moeite met zijn zware rugzak. Hij zag haar staan... Hij moest haar toch zien staan. Maar er kwam geen omhelzing, geen begroeting. Tracy verlangde er wanhopig naar, maar uit niets bleek dat zij iets met elkaar te maken hadden. Hij keek eerst naar een plek naast haar en daarna naar een plek aan de andere kant van haar. Toen zette hij zich in beweging alsof zij niet op hem had staan wachten.

'Holden, wacht.' Ze wilde zijn hand vastpakken, maar hij deed een stap opzij. Toch was ze blij met deze verbetering. Jarenlang had hij, als ze hem wilde aanraken, gegromd of een kreet laten horen. Dat was zijn manier van schreeuwen. Tegenwoordig schreeuwde hij niet meer, maar wekte hij de indruk dat het hem eenvoudigweg onverschillig liet. 'Kates bus komt er zo aan. Weet je nog?'

Holden ontspande zich en bleef staan waar hij stond, ongeveer een meter bij haar vandaan. Hij neuriede zachtjes, maar Tracy kon niet horen wat voor lied het was. Hij liet zijn rugzak van zijn schouders glijden en haalde zijn flitskaarten eruit.

'Ik had vandaag in de supermarkt een goede ochtend,' zei Tracy. Ze zou blijven proberen om een gesprekje met hem te voeren. 'De klanten waren aardig.'

Op Kate wachten hoorde niet bij zijn vaste dagindeling, en Tracy was de hele dag al bang geweest dat deze verandering een woede-uitbarsting tot gevolg zou hebben. Ze bleef naar hem kijken. Er was nog niets aan de hand. Holden vond Kate aardig, in ieder geval voor zover Tracy dat gisteravond had kunnen waarnemen toen het kind met haar spullen bij hen was aangekomen.

Tracy praatte over van alles en nog wat. Ze vertelde Holden iets over een paar klanten, terwijl hij ondertussen naar de rij bomen aan de andere kant van de straat bleef kijken. Even later kwam Kates bus in zicht. Tracy was nog nooit zo opgelucht geweest. 'Daar heb je hem!' Ze bleef bij Holden staan. 'Kates bus.' Ze lachte naar hem. 'Kate kan vandaag samen met ons naar de film kijken.'

Holden wiegde een beetje van voor naar achter, terwijl hij

nog steeds neuriede en aandachtig bleef kijken naar iets wat net buiten zijn bereik was.

De bus kwam tot stilstand en Kate stapte uit. Haar asblonde haar omlijste een bruin gezicht en haar SpongeBob rugzak was bijna half zo groot als zijzelf. Haar gezicht lichtte op toen ze hen zag. 'Tante Tracy, hoi!' Met glanzende ogen rende ze naar hen toe. 'Ik heb nog nooit zo'n leuke eerste dag gehad.' Ze huppelde naar Holden toe en sloeg haar armen om zijn middel. 'Hoi, Holden!'

Holden verstijfde enigszins, maar hij deed geen stap achteruit en slaakte ook geen kreet. Kates kinderlijke onschuld, jonge hart en liefde voor mensen raakten hem kennelijk.

Kate huppelde terug naar Tracy. 'En u raadt het nooit! De juf heeft gezegd dat het niets geeft dat ik vorige week niet op school was. Ze gaat me helpen om het goed te maken!'

'Geweldig!' Ze nam Kate bij de hand. 'Laten we naar huis gaan, dan gaan we lekker even wat eten.'

'Goed, en dan gaan Holden en ik toch naar een film kijken? Mama heeft tegen me gezegd dat Holden iedere dag film kijkt.'

Tracy moest erom lachen, maar liet dat niet merken. 'Dat klopt ja, maar misschien vind jij er na een tijdje niets meer aan.' Ze keek naar haar zoon. 'Dat kan toch gebeuren, Holden?'

Hij richtte zijn blik op de grond vlak bij zijn voeten en keek vervolgens weer op naar de lucht. Met Kate tussen hen in gingen ze op weg. Kate hield nog steeds Tracy's hand vast, maar wist kennelijk instinctief dat ze niet moest proberen Holden een hand te geven. 'De juf zei dat we allemaal een kastje hebben met onze naam erop, en dat we ons taalschrift in het rode vak moeten leggen en het de volgende dag uit het gele vak moeten halen. En weet u wat ze nog meer zei?' Haar enthousiasme was buitengewoon verfrissend.

'Nou?' Tracy vond het heerlijk om haar kleine-meisjeshand vast te houden, en te merken dat Kate zich aan haar vastklampte, haar nodig had. Het deed haar beseffen hoeveel ze met Holden had gemist.

'Dat we twee keer speelkwartier hebben in plaats van één keer. Dat is nog wel het leukste nieuwtje, hè, tante Tracy? Twee keer speelkwartier!' Giechelend maakte ze een paar sprongetjes. 'En raadt u eens wat er nog meer nieuw is?'

Ze waren bijna bij de voordeur van de flat. 'Nou, lieverd?'

'Dans- en muzieklessen! Iedere woensdag en vrijdag. Dat is het beste nieuws voor kinderen in groep drie.' Ze zette een ernstig gezicht. 'De kinderen in groep één en twee krijgen geen dans en muziek, ook niet op mijn oude school.' Ze bleef heel even staan. 'Ga ik nog wel terug naar mijn oude school?'

'Ja, hoor.' Tracy vond het heerlijk dat haar nichtje zo levendig en enthousiast was. Het was een enorm verschil met wat ze meestal met Holden meemaakte. 'Volgend jaar ga je daar weer naartoe.'

'O, dat is fijn, want Sarah en Tessa zitten niet op deze school en dat zijn mijn beste vriendinnen.'

'Ze zullen je zeker missen.'

Kate keek verdrietig, maar dat duurde maar even. Daarna schitterden haar ogen alweer. 'Maar ik zal hun wel heel veel te vertellen hebben, hè?'

'Dat denk ik ook.'

Kate keek Holden aan terwijl ze verderliepen. 'Ja toch, Holden?'

Holden keek Kate niet rechtstreeks aan.

Kate lachte naar hem. 'Holden is verlegen, hè, tante Tracy?'

'Ja, dat klopt.' Het deed Tracy pijn dat zelfs kleine kinderen onmiddellijk wisten dat Holden anders was. 'Hij houdt heel veel van je, Kate. Hij zegt alleen niet veel.'

'Dat geeft niets.' Ze knikte in Holdens richting. 'Ik houd ook van jou, Holden.' Ze gaf hem aan klopje op zijn arm en ook deze keer wendde hij zich niet met een ruk af.

Toen ze bij hun flat aankwamen, bekeek Holden zijn fliskaarten, haalde er een tussenuit waarop *Film* stond en hield die omhoog. Tracy probeerde hem te pakken, zoals ze altijd deed, maar deze keer trok Holden hem terug en hield de kaart dicht tegen zijn borst.

Kate stond ernaar te kijken en begreep niet wat er gebeurde. 'Wat doet hij nou?'

'Momentje, Kate,' zei Tracy vriendelijk, terwijl ze een vinger opstak naar Kate.

Kate knikte. Ze wilde erg graag begrijpen wat hier gebeurde. Met grote, nieuwsgierige ogen keek ze naar Holden.

Tracy wendde zich tot haar zoon. Was er op school iets gebeurd, waardoor hij zich minder veilig voelde? 'Ik begrijp het, Holden.' Ze bleef rustig. 'Je wilt niet dat ik de kaart vasthoud,' zei ze vriendelijk. 'Dat is prima. Je wilt filmkijken. Ik heb het begrepen.' Ze wilde niet dat hij van streek raakte. Wanneer hij van streek was, liet hij zich op de grond vallen en drukte hij zich heel snel een aantal keren achter elkaar op. Zijn behandelaars hadden het nog nooit meegemaakt dat een kind met autisme zo veel push-ups achter elkaar deed.

Tracy wilde dat ze in elk geval alle drie binnen waren, mocht dit gebeuren. Kate zou er ongetwijfeld bang van worden.

'Waarom heeft hij die kaarten?' vroeg Kate. 'Is het een soort spelletje?'

'Ja.' *Houd het simpel*, hield ze zichzelf voor. Kate hoefde niet te begrijpen hoe haar neef precies in elkaar stak. 'Holden gebruikt soms kaarten om te praten. Alsof het een spelletje is.'

'O!' Kate draaide in de rondte en klapte een paar keer in haar handjes. 'Ik ben gek op spelletjes.'

Holden richtte zijn blik naar de lucht, en Tracy verwonderde zich voor de zoveelste keer over zijn opvallend mooie ogen. IJsblauw, en zo diep dat het bijna irreëel was.

Ze moesten maken dat ze binnenkwamen. 'Laten we naar

onze film gaan kijken.' Ze deed de deur open en Holden en Kate liepen naar boven.

'Mag ik helpen?' Kate rende naar de keuken en zette haar rugzak op een van de stoelen. 'Van mama mag ik altijd meehelpen om iets klaar te maken.'

'Nou, graag. Ik kan wel wat hulp gebruiken.' Tracy was achter Kate aan naar de keuken gelopen. Holdens dagindeling was elke dag hetzelfde, zodat Tracy wist wat hij ging doen. Hij zette zijn rugzak op de grond en liep met de flitskaarten stevig in zijn handen door de kamer, naar de bank die onder het enige raam in de woonkamer stond. Met een aantal geoefende gebaren zette hij de drie kussens op de bank netjes op een rij en streek ze vervolgens alle drie mooi glad. Toen ze eruitzagen als een plaatje in een tijdschrift, liep hij naar de witte gordijnen die aan weerskanten van het raam hingen. Om er zeker van te zijn dat iedere plooi mooi recht naar beneden hing, trok hij er voorzichtig aan.

Het duurde even voordat deze dagelijks terugkerende handelingen achter de rug waren, maar Kate scheen niets in de gaten te hebben. Ze werd afgeleid door haar werkzaamheden in de keuken. Ze was druk bezig met slierten kaas, appelstroop, wortels en rozijnen. 'Ik vind rozijnen lekker, tante Tracy.' Ze giechelde. 'Misschien blijf ik hier wel voorgoed.'

'Denk je?' Tracy vond het heerlijk dat Kate zo veel levendigheid in hun kleine flat had gebracht. 'Je vader en moeder zouden je dan natuurlijk verschrikkelijk missen.'

'Ja, dat is waar.' Haar glimlach verdween even. 'Ik mis ze heel erg, tante Tracy. Heel, heel erg. Eerst mama en nu ook papa.'

Tracy stak haar armen uit, en Kate kwam naar haar toe en hield haar vast zoals een kind dat doet. Alle liefde, troost en steun die ze kon krijgen, nam ze in zich op. *Zo voelt het dus als ze je echt nodig hebben*, dacht Tracy. Het deed Holly en Aäron ongetwijfeld veel pijn dat ze haar niet bij zich in de buurt hadden.

Kate maakte zich los uit de omhelzing en samen n
ze de borden mooi op. Al sinds Holden vijf was, zorgde Tracy ervoor dat er geen gluten in zijn eten zaten. Ze had niet gemerkt dat dit dieet veel verschil maakte, maar het kon geen kwaad om het uit te proberen. Glutenvrij eten was een van de vele aanbevelingen die zijn diëtiste had gedaan.

Toen hij klaar was met het netjes maken van de woonkamer, zocht hij zijn plek aan de keukentafel op. Kate ging naast hem zitten en Tracy nam tegenover hen plaats. Ze vouwde haar handen en zette haar ellebogen op de tafel. 'Laten we bidden.'

Kate kneep haar ogen dicht en boog haar hoofd. Holden scheurde zijn slierten kaas in heel kleine stukjes en legde ze op de rand van zijn bord. Hij keek Tracy niet aan en zei ook niets.

Tracy boog haar hoofd. 'God, dank U voor dit eten. Laat het een zegen zijn voor ons lichaam. Dank U dat Kate de komende paar maanden bij ons mag zijn, en dank U voor Holden. Zorgt U er alstublieft voor dat hij weet hoeveel we van hem houden. In Jezus' naam, amen.'

Nu de stukjes kaas in een cirkel op de rand van zijn bord lagen, maakte Holden daarbinnen nog een cirkel van stukjes wortel en een derde cirkel van rozijnen. Pas toen hij daarmee klaar was, nam hij zijn eerste hap. Tracy hoefde niet naar hem te kijken om te weten wat hij nu zou doen. Hij zou zijn eten in precies dezelfde volgorde opeten als hij het op het bord had gerangschikt. Met niet één hap week hij ervan af.

Kate herkende het patroon meteen. 'Ik vind je cirkels mooi. Ik ga mijn eten ook zo opeten.' Ze rangschikte alles in cirkels op haar bord en at het in dezelfde volgorde op als Holden had gedaan. Halverwege keek ze giechelend naar hem op. 'Ik vind jou lief, Holden.'

Tracy werd diep geraakt door de onschuldige opmerking van het kind. Holden had geen vrienden. En er had ook nog nooit iemand tegen hem gezegd dat hij lief was. In ieder geval niet nadat hij drie was geworden.

Kate kwebbelde maar door over het speelkwartier, het eten tussen de middag en hoe lekker ze de melk uit een kartonnen pak had gevonden. Toen ze niet meer zo veel te vertellen had, wendde Tracy zich tot Holden. 'Jij had vandaag muziek, Holden. Je houdt van muziek.'

Geen reactie.

Ze moest aan de nieuwe flitskaarten denken. 'En raad eens wat, Holden? Ik heb nieuwe kaarten, muziekkaarten. Ik heb ze al uitgeprint en ga ze vanmiddag lamineren.' Ze liep snel van de tafel naar het aanrecht om het pakketje uitgeprinte kaarten aan Holden te geven. 'Weet je het nog? Ik maak nieuwe voor je omdat je muziekkaarten te oud zijn geworden.' Ze legde de envelop voor hem neer en wachtte af. Ondertussen bad ze stilletjes dat hij hem uit eigen beweging zou oppakken, benieuwd genoeg om te kijken wat erin zat.

Maar hij keek alleen maar weer omhoog, deze keer naar een plek vlak boven haar hoofd. Kate keek toe, nieuwsgierig als ze was waarom Holden niets terug zei.

'Ik denk dat hij de kaarten mooi zal vinden, tante Tracy.' Ze knikte zo nadrukkelijk dat haar sprieterige blonde haar rond haar gezicht danste. 'Dat zie ik.'

'Ja, ik ook.' Ze stond het zichzelf niet toe teleurgesteld te zijn. 'Holden, dat zijn de muziekkaarten die ik straks ga lamineren. Dan blijven ze langer mooi.' Ze haalde de nieuwe kaarten uit de envelop en gaf ze aan Holden. 'Honderdtwintig muziekkaarten!'

'Wauw... Dat zijn er veel! Ik heb nooit zo veel kaarten gehad!' Kate lachte naar Holden. 'Ja, dat is toch fantastisch?'

Holden had belangstelling, daar was Tracy zeker van, maar aan zijn gezicht was dat absoluut niet te zien. Hij negeerde Kate en haar, en in plaats van de nieuwe kaarten pakte hij de kaarten die hij in zijn rugzak overal mee naartoe nam. Hij bekeek ze een keer of vijf en liet haar even later een kaart zien waarop stond *Dank u*.

Tracy was nog niet vaak zo blij geweest. Haar zoon had haar bedankt! Al een paar jaar communiceert hij af en toe met de kaarten. Dat was dan ook de reden dat zijn behandelaars vonden dat hij grote vorderingen maakte. De therapeuten waren urenlang bezig geweest om Holden te laten begrijpen wat de kaarten betekenden, hoe de plaatjes pasten bij de woorden en hoe hij er op de juiste manier gebruik van kon maken. Las Holden de woorden echt, of begreep hij gewoon wat ze betekenden omdat ze hem bekend voorkwamen? Dat was niet te zeggen omdat hij helemaal niet praatte.

Dat was ook de reden dat momenten als deze winst waren. Holden had zijn kaarten gebruikt om haar te bedanken.

Ze lachte naar hem. 'Graag gedaan, hoor.' Ze trok de nieuwe muziekkaarten langzaam naar zich toe en liet ze een voor een aan hem zien. Ondertussen legde ze uit wat ze betekenden, en las ze de woorden voor die op de kaart stonden.

Kate herhaalde de woorden steeds, maar uiteindelijk at ze haar bord leeg en zette het in de gootsteen. Toen wees ze naar de woonkamer. 'Ik moet nog lezen van de juf. Daar wacht ik op de film, goed?'

'Goed, Kate.' Tracy keek haar na. Ze moest een poosje met Holden alleen zijn, en daarom was dit helemaal goed. Ze hield een muziekkaart omhoog, waarop muzieknoten stonden en in het midden een hart. 'Zie je deze?'

Hij keek niet. In plaats daarvan bekeek hij de voor hem bekende stapel kaarten.

'Op deze staat *Ik houd van muziek*. Zie je wel? Er staan muzieknoten en een hart op. Harten staan voor *liefde*, weet je nog?'

Holden tikte op tafel en keek doelloos voor zich uit.

Tracy pakte de volgende kaart. Daarop stonden muzieknoten en een heel groot oor. 'Hierop staat *Ik kan de muziek horen*.'

Nu knipperde Holden toch met zijn ogen en keek heel even naar de kaart. Maar even snel keek hij ook weer de andere kant op.

'Geeft niks, Holden. Ik begrijp het.' Ze merkte dat haar ogen zich vulden met tranen, en ze drong ze terug. 'Jíj kunt de muziek horen. Ik weet dat je dat kunt.'

Geen enkele reactie.

Ze nam het stapeltje kaarten voor de helft door, maar zijn bord was ondertussen al leeg, en dat betekende dat ze nog maar weinig tijd had om zijn film aan te zetten. Ze liet de muziekkaarten op tafel liggen. Zijn therapeut zou hem helpen ze op de juiste manier te gebruiken, en Holden zou er straks iedere dag mee kunnen werken.

'Goed, dan is het nu tijd voor de film.'

Ze bleef glimlachen voor het geval hij naar haar keek. Al was het maar vanuit een ooghoek. Er hoefde niet beslist te worden naar welke film er gekeken zou worden. Het was iedere dag dezelfde. Als ze iets nieuws uitprobeerde, begon hij grommend door de woonkamer heen en weer te lopen, of hij liet zich op de grond vallen en deed in rap tempo dertig push-ups.

Ze had de dvd jaren geleden gemaakt op haar Mac, die ze een keer van Dan cadeau had gekregen toen hij thuiskwam na een bijzonder goede maand op zee. Het was een film van een halfuur met foto's en videoclips uit de tijd dat Holden was zoals alle andere kleine jongens waren. Daarna is duidelijk geworden, wat er met Holden aan de hand was. Een week na zijn derde verjaardag had hij negen inentingen gekregen. Nu is het niet zo dat vaccinaties officieel in verband worden gebracht met autisme, maar Tracy vroeg zich onwillekeurig af of dat bij Holden toch niet het geval was.

Ze liep naar de woonkamer, waar Kate met haar benen gestrekt achterovergeleund op de bank een boekje zat te lezen. 'Gaan we nu filmkijken?'

'Ja, hoor.' Ze vroeg zich af of Kate teleurgesteld zou zijn als ze zag wat voor film het was.

'Waar is Holden?'

Ze glimlachte. 'Hij komt er aan.'

De dvd zat al in de speler. Ze hoefde alleen nog maar een knop in te drukken en de tv aan te zetten. Even later verschenen de eerste beelden op het scherm, en vulde muziek de kleine kamer. Het was een lied dat Holden vaak samen met haar zong toen hij nog klein was. *Never be the same* van Christopher Cross.

De muziek was melodieus en veelzeggend, de boodschap hartverscheurend.

Bij de eerste noten kwam Holden uit de keuken en ging in kleermakerszit op zijn plek voor de tv zitten.

'Moeten we daar gaan zitten?' Kate sprong van de bank en ging op zo'n manier naast Holden zitten dat hun knieën elkaar raakten. Holden liet niet merken dat hij zich bewust was van Kates aanwezigheid, maar hij schoof ook niet bij haar vandaan.

Dit wordt vast interessant. Tracy bestudeerde de twee. De kleine Kate liep over van liefde en blaakte van energie. Holden wekte de indruk in alle opzichten rustig en ongeïnteresseerd te zijn. Tracy pakte de afstandsbediening en ging in de oude leunstoel zitten. Ze haalde het niet in haar hoofd om de film door te spoelen. Voor Holden maakte die eerste beelden deel uit van de ervaring. Daarom wachtte ze tot het lied afgelopen was en de bijbehorende beelden langsgekomen waren.

Holden als peuter, veilig in haar armen... Daarna stond Dan naast hen, met zijn hand op haar schouder. Holden van zes maanden, grijnzend naar de camera. Holden en Ella Reynolds, achttien maanden oud, hand in hand op het strand van Tybee Island. Holden en Ella, dansend in de keuken van de Reynolds.

'Is dat Holden?' Kate keek over haar schouder.

'Ja. Holden toen hij nog klein was.'

'Ik kan wel zien dat hij het is.' Ze knikte bedachtzaam en richtte haar aandacht weer op het scherm. 'Mijn moeder heeft ook filmpjes van mij toen ik nog klein was.'

Tracy liet niet merken dat ze erom moest lachen, en ook niet dat ze meteen daarna verdrietig werd. Kate was natuurlijk nog steeds klein, maar ze was Holden ver vooruit omdat zij wel contact kon maken.

Het lied was aangekomen bij het refrein en daarbij begon Holden altijd een klein beetje te wiegen. Tracy ging ervan uit dat dit gedeelte van het lied hem echt aansprak. Ze zong zachtjes mee. *'En het wordt voor mij nooit meer hetzelfde zonder dat jij bij mij bent. Ik zal alleen blijven. Me verstoppen achter mijn tranen. En ik zal nooit meer dezelfde zijn zonder jouw liefde...'*

Hoe vaak zij ook hier zaten, en hoe vaak ze dit lied ook al gehoord en deze film samen bekeken hadden, ze moest er altijd weer om huilen. Tracy veegde de tranen voorzichtig uit haar ooghoeken. Ze wilde niet dat Holden zag dat ze huilde. Maar deze film, die ze zelf had gemaakt, maakte haar gewoonweg verdrietig.

Toen het lied afgelopen was, begon de film pas echt. Voor Tracy was dat het moeilijkste gedeelte, omdat ze Holden nu zag zoals hij geweest was, hoe hij lachte en zong en recht in de camera keek. 'Hoi, mama! Zie je me, mama? Ik kijk naar u!'

Kate giechelde. 'Wat leuk ben je daar, Holden!'

Hij reageerde niet, maar Kate leek daar niet mee te zitten. Ze richtte haar aandacht weer op de film. De familie Reynolds kwam in verschillende video's voor, omdat de twee gezinnen destijds alles samen deden. De echtparen waren al vanaf de middelbare school met elkaar bevriend en elkaars getuigen geweest op hun bruiloften. Ze hadden in dezelfde tijd een baby gekregen, en Holden en Ella waren altijd samen geweest toen ze nog niet konden praten of lopen.

Tracy en Suzanne vonden het geweldig dat hun kinderen met elkaar bevriend waren, en droomden van de tijd dat ze groot zouden zijn. 'Ik zie het nu al voor me,' zei Suzanne vaak. 'Holden zal samen met Ella naar het eindexamenbal gaan en vijf jaar later zullen ze met elkaar trouwen.' Ze had er zo hard om moeten lachen dat het onmogelijk werd nog meer voorspellingen te doen. 'Laten we dat nu maar meteen regelen. Afgesproken?'

Tracy lachte dan altijd met haar mee. 'Afgesproken.' Ze meenden het natuurlijk geen van beiden, maar de mogelijkheid bleef bestaan. Er leek geen reden te zijn om de twee niet samen op te laten groeien. Niets wees erop dat er geen sprake zou kunnen zijn van een eindexamenfeest of zelfs ooit van een bruiloft.

Maar in het najaar na Holdens derde verjaardag, begon hij hun door de vingers te glippen. Hij werd iedere week stiller, trok zich steeds meer in zichzelf terug. Ook gingen ze niet meer zo vaak op bezoek bij de familie Reynolds. Toen de diagnose gesteld was, verklaarde Suzanne op een onbeholpen, aandoenlijke manier dat ze niet wisten of het voor Ella wel goed was om nog met Holden te spelen.

'Hij praat niet,' zei Suzanne met een gekwelde blik in haar ogen. 'Hij kijkt haar niet meer aan. Hij... Hij zet het speelgoed elke keer opnieuw op een rij, en gaat helemaal op in zijn eigen wereld. Er is iets mis met hem, Tracy. Hij heeft hulp nodig.'

Ze zei daarmee niet dat ze officieel een einde maakte aan de vriendschap tussen die twee. Dat hoefde ze ook niet te doen. Haar man Randy was honkbalspeler van beroep en hij werd bij wedstrijden in de hoogste klassen ingezet. Hij speelde tien jaar voor de Mets, en toen de familie Reynolds naar New York verhuisde, verloren ze elkaar uit het oog. Vier jaar geleden had Tracy gelezen dat Randy Reynolds verkocht was aan de Braves. Daardoor was de kans groot dat ze weer in Atlanta of in de buurt daarvan waren komen wonen.

Tracy vroeg zich niet meer af waar ze nu woonde, of hoe het nu met hen zou zijn. Ze zou niet eens meer aan hen denken, als ze Ella niet iedere dag in de film zag, dansend en zingend met Holden. Ella zou ondertussen in de bovenbouw van de middelbare school zitten. Ze wist vast niet eens meer wie Holden was, maar dat deed er niet toe. Zij betekende elke dag nog veel voor Holden, zonder dat ze dat zelf wist.

Hij keek strak naar de film, zonder ook maar één keer zijn blik af te wenden, en nam ieder detail in zich op. Ella stond nu symbool voor hoop en mogelijkheden, de kans dat God hun op een goede dag een wonder zou gunnen en Holden weer zou worden zoals hij was geweest. Dat hij ooit weer zou kunnen zingen en lachen en weer hand in hand zou kunnen lopen met een vriendin.

Tracy had genoeg gezien. Ze stond stilletjes op en liep naar haar slaapkamer. Holden bevond zich op een vreemde plek in het autismespectrum, omdat hij absoluut niet verbaal communiceerde – op af en toe een grom, een kreet of geneurie na. Jongeren van zijn leeftijd hadden nu toch al een kleine woordenschat, zelfs als ze een van de ernstigste stoornissen in dit spectrum hadden. Maar dat gold nog steeds niet voor Holden. Hij had zijn flitskaarten en daar bleef het bij. Toch bleef Tracy tegen hem praten. Als ze dat niet meer zou doen, had ze ook de moed opgegeven en zover zou het niet komen.

De koelte van de ochtend had deze middag plaatsgemaakt voor een klamme warmte. Ze trok een T-shirt, een korte broek en slippers aan en bekeek zichzelf in de spiegel. Haar lange, donkere haar droeg ze in een paardenstaart en haar gezicht zag er smal en afgetrokken uit. Voordat bij Holden de diagnose was gesteld, zei men vaak tegen haar dat ze leek op Courteney Cox. Maar dat was verleden tijd. Ze was nu negenendertig en zag er moe, verdrietig en oud uit. In ieder geval ouder dan ze was.

Kom op, Tracy, nooit ophouden met glimlachen! Ze trok haar mondhoeken op, maar haar ogen straalden niet. Ze liep geruisloos terug naar de keuken zodat Holden of Kate niet afgeleid werden van de film, en ging aan de keukentafel zitten. Holden had vandaag net als altijd van half vijf tot zes therapie. Kate nam dan haar boek mee en daarin lazen ze dan samen. De tijden van de dag die ze samen met Holden doorbracht, verliepen altijd hetzelfde. Ook in de zomer, want dan ging hij iedere dag naar therapie in plaats van naar school. De wandeling terug naar de flat, het middageten, de film, de therapiesessie laat in de middag.

Altijd hetzelfde stramien.

Het was een uitputtende dagindeling. Ze keek uit het keukenraam. Haar uitzicht werd bijna volledig in beslag genomen door de flat naast haar, maar dat gaf niet. Als ze omhoog keek, kon ze een stukje blauw zien, alsof God tegen haar zei: *Ik ben er nog steeds bij, dochter. Ik waak over je.*

Maar, God, ik ben zo moe. Ik zie geen enkele vooruitgang, Vader. Soms weet ik niet hoe ik de dagen door moet komen.

LIEVE KIND, JIJ HOEFT IN DEZE STRIJD GEEN SLAG TE LEVEREN... WACHT RUSTIG AF, DAN ZUL JE ZIEN HOE IK VOOR JOU DE OVERWINNING BEHAAL. HET IS NIET JÓÚW, MAAR MÍJN STRIJD.

Tracy sloot haar ogen en hief haar kin op. Het antwoord overspoelde haar als een herfstbriesje en ze ademde langzaam diep in. Het was Góds strijd. Zo stond het ongeveer in 2 Kronieken. Tracy had het vorige week in haar Bijbel gelezen. Ze vond het heerlijk dat God op deze manier antwoord gaf. Ze ging een beetje rechterop zitten en merkte dat ze vervuld raakte van nieuwe moed en kracht.

Ze hoorde de drie jaar oude Holden in de woonkamer zijn lievelingsliedje uit die tijd zingen. 'Ja, Jezus houdt van mij. Ja, Jezus houdt van mij. Ja, Jezus houdt van mij. Dat is wat de Bijbel tegen mij zei.'

Holden zong in die tijd graag. Daarom gaf zij hem hierin

iedere dag zijn zin. Ze was blij dat hij zo graag naar de zelfgemaakte film keek. Ze geloofde dat Holden vol was van muziek, en dat de film daarop een stimulerende invloed had.

Toen hoorde ze nog iets anders. De kleine Kate zong met een hoog, helder stemmetje – het leek wel de stem van een engel – met hem mee. Ze stond op en liep weer naar de woonkamer. Tranen welden op in haar ogen toen ze zag wat er gebeurde. Kate zóng niet alleen, ze had ook ingehaakt bij Holden. Zingend deinde ze heen en weer op de maat van de muziek. En er was nog iets wat Tracy's adem deed stokken.

Holden keek niet naar haar en zong en lachte ook niet, maar hij deinde wel mee. Holden deinde samen met Kate heen en weer.

Hij stond lichamelijk contact toe en hij genoot samen met haar van het lied. Dat had ze nog niet eerder meegemaakt. Tracy sloeg haar hand voor haar mond. *God, is dit Uw plan? Dat Kate meehelpt een kier te maken in de deur naar Holdens eigen wereld?* Aan die mogelijkheid had Tracy nog nooit gedacht, maar nu was ze toch echt getuige van iets buitengewoons.

Om het moment niet te verstoren ging ze stilletjes bij hen zitten. Een vredig gevoel nam bezit van haar. Hoe vaak ze ook naar de film keken, hoeveel uren ze ook aan therapieën besteedden en hoeveel maanden of jaren het ook nog zo doorging, ze zou nooit de hoop opgeven dat het goed kwam met haar zoon. Wanneer ze een manier bedachten om bij de deur van de gevangenis te komen waarin hij opgesloten zat, zou muziek daarin een cruciale rol spelen; daarvan raakte ze steeds meer overtuigd.

Maar misschien zou Kate er ook een aandeel in hebben.

4

Dan Harris had de onheilspellende, donkere wolken die vanuit het westen waren komen opzetten gezien. Nu volgden felle bliksemschichten elkaar in snel tempo op. *Wicked Water* was de speelbal geworden van de zwaarste storm van het seizoen. Met alles wat hij in zich had probeerde Dan het net dat barstensvol met garnalen zat, aan boord te trekken. Er waren twee dingen die hem bezighielden. Het eerste was dat ze zich 64 kilometer uit de kust bevonden. Dat was te ver buitengaats om in geval van nood hulp te verwachten van een ander schip.

En het tweede was dat kapitein Charlie zich zorgen maakte.

'Haal de netten binnen! Sjor alles vast!' De kapitein had het roer met beide handen vast en had maar één ding voor ogen: terug naar de kust. Hij draaide zich niet om, om te zien of ze zijn bevel boven het gehuil van de wind uit gehoord hadden. Hij keek niet eens over zijn schouder. Zijn paniek veranderde de sfeer op de schuit.

Dan en de rest van de bemanning hadden zijn bevelen niet afgewacht. Korven en touwen, manden en vaten, alles wat overboord zou kunnen vliegen was vastgesjord of opgeborgen. Samen met een andere dekknecht haalde Dan de laatste twee netten binnen.

'De netten zitten vol!' Dan had zich er al helemaal op voorbereid toen de eerste, hoog opgezweepte golf het schip bereikte en over het dek spoelde.

'Laat maar schieten.' Het waaide nu zo hard dat het geschreeuw van de dekknecht nauwelijks nog boven het loeien van de wind uit te horen was. 'Vergeet het maar!'

'Dat kunnen we niet maken.' Dan had al zijn spierkracht nodig om het zware net vast te kunnen houden. Wekenlang hadden ze bijna niets gevangen en nu zat in de netten de beste vangst sinds ze van wal gestoken waren. 'Harder trekken!'

Er sloegen weer een golf met geweld tegen het schip aan en het vaartuig helde ver over naar bakboord. Dan en de dekknecht waren daar niet tegen opgewassen. Ze werden meegesleurd en smakten aan de andere kant van het dek tegen de zijkant. 'Sta op!' riep hij naar de dekknecht. 'Neem je plaats weer in.'

De dekknecht schold hem uit voor alles wat mooi en lelijk is. Half zwemmend, half kruipend ging hij op het luikgat af, en toen het schip weer de andere kant op helde en het water aan dek zich verspreidde, maakte de man snel dat hij benedendeks kwam. Als het schip nu kapseisde, zoals dertig keer per jaar gebeurde in deze ijskoude wateren, was het met de mannen benedendeks gedaan.

Maar de meeste doden aan boord van Alaskaanse vissersschepen werden niet veroorzaakt door het zinken van het schip. Woeste, sterke, schuimend witte golven waren daar de oorzaak van. En juist die golven speelden op dit moment met het schip. Eén golf, één keer loslaten en Dan zou overboord gezwiept worden, en er zou nooit meer iets van hem worden vernomen. Ook in september was het zeewater zo koud dat hij het er niet lang in zou kunnen uithouden. Als hij niet verdronk in het kolkende water, zou onderkoeling hem er snel genoeg onder krijgen.

Dan veegde het zoute water uit zijn ogen en keek met half dichtgeknepen ogen naar de andere kant van het dek. De netten waren nog niet weggeslagen. Hij kon de garnalen nog steeds binnenboord halen, en als hij de vangst nu veilig stelde, kreeg hij misschien wel een bonus. Als hij daar niet in slaagde, zouden de netten binnen een paar minuten scheuren en verloren gaan in de zee. Gescheurde netten kostten een maandsalaris en dat bedrag werd afgetrokken van de winst, met als gevolg dat iedereen uiteindelijk minder uitbetaald kreeg.

Op handen en voeten kroop hij over het versplinterde dek naar de andere kant, terug naar de netten. Ze waren zwaar, maar hij zou ze toch op zijn minst aan boord kunnen hijsen. Daarna zou hij ze vastsjorren en maken dat hij benedendeks kwam.

Hij haalde moeizaam adem. Het kostte zijn longen moeite zich in deze felle wind volledig vol te zuigen met lucht. Opnieuw sloeg een hoge golf over het schip heen. Voordat die op hem kon neerdalen, greep Dan tandenknarsend de dichtstbijzijnde twee ijzeren ringen vast. Het water sloeg met grote kracht neer en Dan hoorde hoe beide netten met een knal losschoten van het schip. Hij wilde ademhalen, moest ademhalen, maar het water trok zich niet terug. Paniek nam bezit van hem, en hij wist zeker dat dit het einde was. Ze waren onder water en zakten langzaam naar de bodem van de oceaan. Hij dacht aan Tracy en Holden, hoe zij het bericht van zijn overlijden zouden opnemen. Maar precies op het moment dat hij dacht dat hij zijn adem geen seconde meer zou kunnen inhouden, vloeide het water weg. En hij leefde nog, want hij hield zich nog steeds stevig vast aan de ijzeren ringen.

God, U ziet ons toch ook hier? We verkeren in grote problemen, God. Bescherm ons alstublieft.

Er werd niet hardop antwoord gegeven en het zeewater werd ook niet onmiddellijk rustig. De wind huilde eigenlijk nog harder dan daarnet. Maar Dan zag opeens Jezus voor zich, hoe Hij en de discipelen met hun vissersboot in een verschrikkelijke storm verzeild raakten. De discipelen waren doodsbang en ervan overtuigd dat ze zouden sterven. En Jezus?

Jezus sliep.

Dan schudde het ijskoude water uit zijn haar en het beeld verdween. Er stonden mooie verhalen in de Bijbel, maar op dit moment hadden ze een wonder nodig. Het schip kraakte en kreunde onder het geweld van de storm, en het regende nu zo hard dat je onmogelijk in kon ademen zonder water binnen te krijgen.

Weer een golf en weer een bonk. Het schip bleef met moeite overeind. Dan zag de kapitein nergens. Zou de man het roer hebben gelaten voor wat het was, en ook naar beneden zijn gegaan? Nee, kapitein Charlie zou dat nooit doen. Hij was iemand die altijd de dans ontsprong, en hij had vast al vaker dergelijke zware stormen meegemaakt.

Dan hield zijn adem weer in en wachtte tot het water van het dek stroomde. Hij zou één keer de kans krijgen om via het luikgat benedendeks te komen en die kans zou hij grijpen. Als het hem lukte om op tijd bij het luik te komen, zou hij de daaropvolgende minuten overleven. Als hij er niet in slaagde, als een golf toesloeg terwijl hij over het dek rende, was het met hem gedaan. Maar op het dek zou hij ook nog maar enkele seconden in leve kunnen blijven.

Op de spieren in zijn armen stond zo veel spanning dat Dan het gevoel had dat ze elk moment konden knappen. Hij wist niet hoeveel golven hij nog zou kunnen weerstaan.

Zijn longen dreigden opnieuw bijna te knappen, toen het water eindelijk wegebde. Hij hapte naar adem en krabbelde overeind. Vanuit een ooghoek zag hij de volgende golf aankomen, snel en dreigend. *Alstublieft, God...*

Hij nam een lange aanloop en viel bij het luik languit op het dek neer.

Opschieten... Toe, schiet nou op. Help me alstublieft, God.

Hij greep het luik vast en probeerde het op te tillen, maar... Hoe kon dat nou? Dan slaakte een ruige kreet, die diep uit zijn binnenste kwam. Er was geen beweging in het luik te krijgen; het gaf niet mee. Door de druk van het water op het schip zat het klem. 'Nee! Help, God!'

De golf was net een levend, ademend beest en Dan hoefde zich niet om te draaien om te weten dat deze groter was dan alle andere golven waren geweest. Hij wist dat de golf achter hem oprees, groter werd en hem elk moment van het leven kon beroven. Zo snel als hij kon dook hij in een kleine, holle ruimte in een mast, een paar meter bij hem vandaan. In de ruimte konden scheepstouwen opgeborgen worden, maar wat er ook in had gezeten, alles was nu verdwenen.

Juist toen hij die ruimte in dook, sloeg de golf over het schip. Het ijskoude water golfde over hem heen en hij merkte dat hij het bewustzijn begon te verliezen. Waarom hadden ze deze storm niet zien aankomen? En wat voor storm kwam zo snel opzetten zonder waarschuwing vooraf? *Het spijt me, Tracy. Het is nooit mijn bedoeling geweest dat het zo zou aflopen.*

Hij had verschrikkelijke stormen meegemaakt sinds hij in Alaska was gaan vissen, maar niet één was met deze storm te vergelijken geweest. En opeens vroeg hij zich af wat hij hier deed, waarom hij had gekozen voor werk dat hem steeds in gevaarlijke situaties deed belanden.

Het was niet moeilijk om die vraag te beantwoorden.

Hij was hier, omdat niets van wat er op zee gebeurde te vergelijken was met de storm thuis. Tegen die storm was hij niet opgewassen; die storm kon hij ook niet overleven. Hij was naar Alaska gegaan, omdat hij misschien van het vechten tegen de wind en de golven zou kunnen leren hoe hij de strijd moest winnen die hij de laatste vijftien jaar tegen autisme had gevoerd.

Hij kreeg geen lucht, had geen gevoel meer in zijn armen en benen. Zo dadelijk kreeg hij zout water binnen en dat zou het begin van het einde zijn. De storm zou het van hem winnen. Toch gaf Dan de moed nog niet op. Door zijn dood zou hij niet alleen de strijd tegen de storm hier op zee verliezen, maar ook de strijd met Holden.

In een werveling van talloze kleuren en emoties was hij opeens weer samen met Tracy in hun mooie huis in Dunwoody, waar hij voorman was in de fabriek, waar ze de mooiste meubels op bestelling maakten en geld verdienden als water. Holden was het liefste jongetje van de buurt. Overal waar hij was ontlokte hij opmerkingen en trok hij de aandacht. En Ella Reynolds was zijn vriendinnetje en ze zouden samen opgroeien, samen naar het eindexamenfeest gaan.

De vrouwen hadden het al helemaal uitgedacht.

En ze zouden naar wedstrijden van Randy Reynolds gaan en daarna thuis gaan kaarten, en Holden... Holden zou zingen, lachen en dansen met Ella en later... Ja, wat was er later eigenlijk gebeurd? Was het gekomen door de vaccinaties waarover Tracy een paar jaar geleden iets gelezen had? Dat moest ermee te maken hebben, want voor die tijd was hij nog gezond, blij en goed bij de tijd. Heel goed bij de tijd zelfs.

Dan kon nog steeds niet goed inademen, maar het was voor hem niet belangrijk of hij in leven bleef of niet. Hij ging helemaal op in het verleden, in de stilte voor de storm die hem lang geleden had opgeëist. Er was geen leuker jongetje dan Holden. Zijn blonde haren en lichtblauwe ogen deden mensen overal waar ze kwamen stilstaan.

Zo ging het ook in de huisartsenpraktijk toen Holden drie was. Tracy had hem 's avonds verteld dat de huisarts er geen goed gevoel bij had gehad. Zo veel injecties op één dag. Het eerst zo blije kind van streek maken. En Dan herinnerde het zich als de dag van gisteren, hoe moe en terneerlagen Holden er de volgende dag had uitgezien, terwijl zijn lijfje geteisterd werd door koorts.

'Waarom heeft hij zo veel injecties gekregen?' had hij aan Tracy gevraagd.

Het was goed te verklaren geweest: de controleafspraken

waren vaak niet goed uitgekomen. Holden was ziek geweest of ze waren op vakantie. Er was altijd wel wat. Tegen de tijd dat hij dat najaar bij de dokter kwam, liep hij achter met zijn vaccinaties. Op het kinderdagverblijf waar Ella en hij naartoe gingen, wilden ze dat hij met zijn inentingen op schema was.

Dan had de dokter gebeld. Dat had hij nog wel gedaan. Toen de dokter terugbelde, had Dan nogal kortaf gezegd: 'Hij is ziek. Hoeveel inentingen heeft hij gekregen?'

'Negen. Maar dat is heel normaal, meneer Harris. Dat gebeurt voortdurend bij kinderen van Holdens leeftijd, zonder dat het problemen geeft.'

'Negen inentingen!' Dan was met de man in discussie gegaan, maar het leidde nergens toe. Nadien waren ze te weten gekomen dat één inenting driehonderd keer meer kwik bevatte dan Keuringsdienst van waren en medicijnen in Amerika veilig vond bij volwassenen. Toch bleven de argumenten om de inentingen wel te geven sterker dan de argumenten om dat niet te doen. Kinderen moesten beschermd worden tegen ziektes, en uit onderzoek naar de vaccinaties was niets naar voren gekomen dat onomstotelijk bewees dat ervan afgezien moest worden.

Het was dus mogelijk dat ze om een andere reden sindsdien geen vat meer hadden op Holden. Misschien ging het slechts om een toevallige samenloop van omstandigheden.

Het water was overal. Dan zag niets en hoorde niets. Hij kon zelfs zijn hart niet meer voelen kloppen, maar hij kon zich nog wel van alles herinneren. Hij kon in deze laatste ogenblikken terugkeren naar de tijd dat ze hun greep op Holden waren kwijtgeraakt. Hij kon daarnaar teruggaan, al had hij het zichzelf verboden sinds hij op weg was gegaan naar Alaska.

Holdens koorts liep nog verder op, maar verdween uiteindelijk en ze wachtten af. Ze hoopten dag in dag uit dat Holden zich opeens beter zou voelen, dat hij weer fit zou zijn en en zijn ogen weer zouden lachen. Maar de dagen werden weken en Dan merkte dat zijn zoontje hem door de vingers glipte, en dat hij er niets tegen kon doen.

Zes maanden later werd de diagnose gesteld. Holden was autistisch. Dan had – als hij niet aan het werk was of sliep – zo veel mogelijk tijd met Holden doorgebracht. Hij had met hem gepraat, met hem gespeeld, van alles met hem gedaan. De strijd die in Dans binnenste woedde, vanaf de dag dat de diagnose geklonken had, woedde nog steeds. Het was vechten tegen de bierkaai geweest. Nog steeds kon hij de woorden van de therapeute horen. Ze had hem recht aangekeken en gezegd: 'Holden zal blijven zoals hij nu is, meneer Harris. U kunt hem helpen om weer sociale vaardigheden aan te leren, maar hij zal nooit meer worden zoals hij was.'

Nooit meer... Hij zou nooit meer worden zoals hij was.

Het was de laatste golf in de storm die zijn leven was, en die golf had hem zo diep ondergedompeld dat hij bijna stikte. Hij was tekortgeschoten tegenover Tracy en hun zoon. De golven hadden met zo veel kracht toegeslagen dat ze alles kwijt waren geraakt. Daarna was ieder samenzijn met Holden een pijnlijke herinnering: de storm had gewonnen. De Holden die hij nu geworden was, zou nooit meer de jongen worden die zong en danste met zijn vriendin Ella. Het deed denken aan een wrede, gewelddadige ontvoering. De storm had hen overvallen en had Holden meegevoerd.

Uiteindelijk was hij naar Alaska vertrokken om zich daar te verweren tegen deze en vergelijkbare andere stormen. Hier kon hij tenminste werkelijk tegen de wind en golven vechten en bij iedere overwinning in ieder geval één ding voor zijn zoon doen: de therapie betalen. Het schuimende water en de dodelijke golven gaven hem het gevoel dat hij nog steeds meevocht, nog steeds iets goeds kon bewerkstelligen.

Maar hij had op geen enkel front gelijk gehad. De therapie hielp niet. De zware storm die plotseling was opgestoken toen Holden drie was, had hun hun zoon voorgoed afgenomen.

En nu zou deze plotseling opgestoken, zware storm hem ook wegnemen.

Dan had geen flauw idee hoeveel tijd er verstreek, omdat hij telkens even het bewustzijn verloor. Minuten, of uren? Hij wist het niet. Pas toen hij kapitein Charlie hoorde praten, drong het tot hem door dat hij de storm had overleefd.

'Harris, we dachten dat we je kwijt waren,' zei de man. Hij gaf Dan een paar keer een klapje tegen zijn wang. 'Sta op. We moeten zorgen dat je weer warm wordt.'

'W... wat?' Hij probeerde zijn ogen open te doen, maar ze waren zo gezwollen dat het niet lukte. 'Wat is er gebeurd?'

'Je hebt geluk gehad, man.' Charlie greep hem bij de arm. 'Kom op, opstaan.'

Opeens werd hij duizelig, en terwijl hij overeind krabbelde rukte hij zich los om buitenboord over te geven. Twee keer, en toen nog een derde keer. Hij veegde zijn mond af en deed zijn uiterste best om iets te zien door het spleetje tussen zijn dikke oogleden. De lucht was blauw en het stormde niet meer. De kapitein en een dekknecht hielpen hem door het luikgat naar beneden en liepen met hem mee naar een kooi.

'Bedelf hem onder dekens of wat je verder nog kunt vinden.' De kapitein bleef nog even naast hem staan. 'Het komt wel weer goed met jou, Harris. Je bent sterk.'

Dan voelde zich zwak, ziek en koortsig. Maar de kapitein had waarschijnlijk gelijk, gezien het feit dat hij de storm had overleefd. Hij zou wat water uit de fles drinken en warm worden, en dan over een dag of wat weer de oude zijn. Deze keer zou de storm hem zijn leven niet afnemen.

Maar als het wel was gebeurd, wat dan? Ja, Tracy en Holden zouden hem missen, maar hij maakte geen deel meer uit van hun leven. Kapitein Charlie begreep niet dat het er niet toe deed dat Dan in leven was gebleven.

De storm had op elke manier die er wel toe deed, toch al gewonnen.

5

Ella liep in haar eentje naar het toneellokaal. Ze had het gelukkigste meisje van het Fulton moeten zijn. LaShante en de andere meisjes vertelden nog steeds opgetogen aan iedereen dat Ella de rol van Belle had gekregen, en feliciteerden haar omdat Jake Collins in het weekend drie touchdown passes had gegooid, waardoor de andere middelbare school in Johns Creek was verslagen.

Terwijl Ella het lokaal binnenging waar ze het zesde uur drama had, lukte het haar niet het kille gevoel in haar hart kwijt te raken. De rugbywedstrijd was leuk geweest, maar daarna was ze met Jake en nog een stel anderen naar de parkeerplaats van Stone Mountain gegaan. Bijna iedereen had gedronken, Jake ook. Ella had erop gestaan dat zij naar huis reed. Onderweg had Jake haar voortdurend gekieteld en geprobeerd haar aan te raken op plekken waar ze niet aangeraakt wilde worden.

Ze wilde haar boosheid wijten aan het feit dat Jake gedronken had, maar hoe dichter ze bij huis kwam, hoe meer ze terugdacht aan het nare gedrag van Jake en zijn kameraden. Ze hadden die jongen die speciale begeleiding nodig had, gepest. Misschien was Jake toch niet zo geweldig als ze had gedacht. Ja, dat was het probleem.

Ze moest ook denken aan al dat gedoe met haar ouders. Haar moeder had het hele weekend met een donkere zonnebril op en een coltrui aan rondgelopen. 'Ik heb liever niet dat iemand ziet wat er is gedaan, voordat het helemaal genezen is,' had ze gezegd. Het hele weekend had ze een onberekenbare, afwezige indruk gemaakt. En omdat ze Ella niet naar haar nieuwtje had gevraagd, had Ella het haar ook nog steeds niet verteld. En haar vader was dat weekend wel in de stad geweest, maar was niet één keer thuisgekomen. Zelfs haar broertjes hadden in de gaten dat dat niet deugde.

'Wat is er met papa aan de hand?' Alex had de hand van hun moeder vast moeten pakken om haar letterlijk te dwingen hem aan te kijken.

'Ja, dat zou ik ook weleens willen weten.' Andrew kwam naar hen toe, even bezorgd als Alex. 'Hij had thuis moeten zijn.'

'Hij heeft het druk. Er zijn allerlei vergaderingen. Zijn contract loopt aan het eind van het jaar af.' Ze glimlachte, maar Ella, die aan de andere kant van de keuken stond, zag dat haar kin bibberde. Alsof ze haar best deed om niet te huilen. 'Hij zei dat jullie positief moesten denken. Dit zou het jaar kunnen worden dat hij het gaat maken.'

Positief denken? Ella had een hekel aan die term.

Ella zette haar rugzak op een tafeltje vooraan. LaShante was christen. Nou ja, misschien geen meelevend christen, maar ze ging in ieder geval af en toe naar de kerk. En wanneer er iets misging of een van haar vriendinnen hulp nodig had, was zij de eerste die aanbood om voor haar te bidden.

Bidden was verstandig. Dat betekende in ieder geval dat je hulp vroeg aan een hogere macht. Maar positief denken? Waar sloeg dat op? Hadden mensen soms de macht om met hun gedachten iets goeds voort te brengen?

Toen haar moeder op een middag weg was om haar haar-extensies te laten bijkleuren, had Ella hier en daar haar licht opgestoken. Ze had het clubhuis gebeld en gevraagd of ze haar vader aan de lijn kon krijgen. Haar vader, de rugbyspeler die het te druk had met trainen om naar huis te komen en tijd met zijn vrouw en kinderen door te brengen.

Een van de stafmedewerkers had het voor hem opgenomen. 'Hij is al het hele weekend aan het trainen met gewichten.' Hij kende Ella en nam een paar minuten de tijd om met haar te praten. Er klonk bezorgdheid door in de stem van de man. 'Maandag hebben de jongens een vrije dag. Dan zien jullie hem zeker.'

'Ja, vast.' Ella wilde niet dat de man dacht dat hij iets verkeerds had gezegd. Hij bleek uiteindelijk ook gelijk te hebben. Haar vader kwam die avond laat thuis en bleef maandag thuis. Maar hij was afstandelijk en afwezig en was voortdurend aan het bellen.

Ella plofte op een stoel neer en staarde wezenloos naar het lege podium voor in het lokaal. Vroeger toen zij nog klein waren had haar vader wel eens klappen uitgedeeld. Het gebeurde altijd wanneer hij niet goed speelde, en haar moeder werd dan opeens heel onzeker. Ze bracht in die periodes iedere ochtend door in de sportschool en iedere middag in het gezondheidscentrum om een of andere behandeling te ondergaan. Het werd tijd dat haar vader weer de oude zou worden, want nu gingen haar ouders nog afstandelijker met elkaar om dan anders.

Misschien stonden ze wel op het punt om te gaan scheiden. Ja, wist Ella veel.

Zelfs LaShante was het opgevallen. Ze was de afgelopen week een keer met Ella mee naar huis gegaan en wat ze toen te zien kreeg, was gênant. Ella's moeder was voor de spiegel in de woonkamer bezig mascara aan te brengen toen ze binnenkwamen. Ze droeg een strakke, zwarte spijkerbroek en een nauwsluitend, wit topje met spaghettibandjes. Toen de meisjes weer naar buiten gingen, floot LaShante. 'Wat een moeder heb jij, Ella!'

'Ja, ik weet het. Ze gaat te ver, hè?'

'Ze doet erg haar best om er goed uit te zien.' LaShante had een prachtige donkerbruine huid en heldere bruine ogen. In haar haar had ze allemaal kleine vlechtjes gemaakt die goed pasten bij het vrolijke meisje dat ze was. 'Ik zou ook wel van die haarextensies willen hebben. Dan zou ik er net zo uitzien als zangeres Jordin Sparks.' Ze zette een bezorgd gezicht. 'Maar jouw moeder... Wauw!'

Het was zo ver gekomen dat Ella hoopte dat haar ouders zich geen van beiden op het Fulton zouden vertonen. Het leven was al moeilijk genoeg, zonder dat zij kwamen opdraven en een stelletje leerlingen reden gaven voor praatjes. Die keren dat haar vader thuis was, deed hij haar denken aan iemand anders. Dit was haar vader niet in zijn dure spijkerbroeken, witte truien met V-hals en uiterst moderne jasjes. En haar moeder... LaShante had het niet beter kunnen zeggen.

Wauw.

Er kwamen meer leerlingen het toneellokaal binnen, en meneer Hawkins zocht iets in een hoge stapel scripts op zijn bureau. Er deden geruchten de ronde dat meneer Hawkins dit jaar voor het laatst op het Fulton was. Hij was al behoorlijk oud, en hij had niet veel geduld met kinderen die op het podium last van zenuwen hadden of de tekst niet uit hun hoofd konden leren. Als meneer Hawkins zou voorkomen in *Winnie de Poeh*, was hij vast Iejoor.

Het eerste lesuur bij meneer Hawkins was alleen voor de kinderen die een rol hadden gekregen in de musical. In die lessen waren de basisprincipes van theaterproducties behandeld. Voor de audities waren niet veel leerlingen komen opdagen, al had LaShante gedacht dat minstens honderd meisjes met elkaar zouden wedijveren om de rol van Belle. Bezuinigingen dwongen de school dit jaar een bedrag in rekening te brengen om mee te mogen doen. Daarom hadden er zo weinig leerlingen aan meegedaan en hadden ook maar weinig jongens een rol in de musical. De jongen die Gaston speelde, was lang en had alleen maar aandacht voor zichzelf. Dat zou dus wel goed komen. Het Beest werd gespeeld door een jongen met zo veel haar op zijn gezicht, dat degenen die voor de kostuums moesten zorgen, niet veel te doen zouden hebben.

Maar de dorpelingen leken allemaal meegaande lieden met redelijk goede manieren. Je kon je moeilijk voorstellen dat zij met hun hooivorken tegen een podium zouden beuken, schreeuwend dat het tijd werd om het Beest te doden.

Nou ja, wat gaf het. De leerlingen van het Fulton kwamen toch nooit naar de opvoeringen kijken. Het theater zou misschien voor een kwart gevuld zijn met ouders en familieleden. Het zou een heel vergevingsgezind publiek zijn. Ella nam zich voor haar moeder niets over de musical te vertellen. Had ze er zelf maar naar moeten vragen!

'Goed, jonge toneelspelers, kom van je stoel.' Meneer Hawkins klonk uitgeput, maar schakelde over op zijn gebruikelijke, monotone manier van spreken. 'Vandaag gaan we voor het eerst repeteren. We beginnen met inzingoefeningen.'

Dit was de manier waarop meneer Hawkins altijd zijn programma afwerkte. Na het inzingen zouden de jongeren de liedjes instuderen die ze samen zouden zingen. Zodra ze die goed kenden, werd met de voorstelling zelf begonnen. Ondertussen moesten ze allemaal hun eigen teksten instuderen. Na twee weken repeteren werd verwacht dat iedereen zijn rol kende.

Meneer Hawkins ging achter een oude piano in een hoek van het lokaal zitten. 'Klaar...' Hij stak een hand omhoog. 'Begin maar.'

Hij liet hen enkele keren een toonladder zingen, iedere keer in een andere toonsoort. Nadat ze dat vijf minuten hadden gedaan, gebaarde hij naar de productieassistente dat ze de scripts moest uitdelen. 'Blader naar het eerste nummer. Het is een van de langste nummers in de voorstelling, en jullie hebben het waarschijnlijk al weleens gehoord. Vandaag wil ik jullie in het eerste half uur vertrouwd maken met het ritme en de tekst. Daarna gaan we in groepjes uiteen.'

Ella vond dit heerlijk. Ze zag hoe een voorstelling tot leven kwam. De muziek zette in en ze begonnen allemaal tegelijk te zingen, de een met een betere stembeheersing dan de ander. Ella had al vanaf haar zesde zangles. Daarom was het voor haar een eenvoudig nummer, ook omdat ze het al kende. Ze had er dan ook geen enkele moeite mee dat ze een paar keer tijdens het lied solo moest zingen.

'O... het is zó geweldig... Al mijn dromen staan hier op papier! Hier...' Ze was halverwege de mooiste regels van het lied, toen ze bij de openstaande deur van het lokaal iets zag bewegen.

Ze zong door, maar zag dat er een rij jongeren langsliep. Het waren de jongeren die speciale begeleiding nodig hadden, op weg naar de kleine gymzaal voor hun laatste lesuur van die dag. Ze liepen iedere dag om deze tijd langs het toneellokaal, maar dat was Ella nog niet eerder opgevallen.

Hij was er vast ook bij, die jongen met de blauwe ogen. Ze bleef zingen en bleef kijken en toen zag ze hem, als laatste in de rij. Hij bewoog zijn armen weer, maar toen hij de muziek hoorde ging hij langzamer lopen en bleef uiteindelijk stilstaan. Zijn armen hingen slap langs zijn lijf en hij deed een stapje het lokaal in, terwijl hij zich aan de deurpost vasthield. Deze keer keek hij haar niet aan zoals op het schoolplein. Nu sloot hij zijn ogen en deinde hij heen en weer op de muziek.

Ella's stem stierf weg, en ook de anderen hielden op met zingen.

'We moeten bij de les blijven, jongens.' Meneer Hawkins duwde zijn krukje bij de piano vandaan en wierp Ella een teleurgestelde blik toe. Het scheen hem niet op te vallen dat er een jongen in de deuropening stond. 'Ik reken erop dat jij het goede voorbeeld geeft, Ella Reynolds.' Hij liet zijn schouders zakken en wierp zijn handen in de lucht. 'We nemen allemaal vijf minuten pauze. Daarna beginnen we weer bij het begin.'

Ella hoorde eigenlijk niet eens wat hij zei. Ze stond langzaam op, om te voorkomen dat de jongen bij de deur van haar schrok. Hij had zijn ogen opengedaan en keek naar haar. Maar het was net alsof die priemende ogen dwars door haar heen keken. Ze had het vreemde gevoel dat ze hem kende. Dat kon natuurlijk niet waar zijn, maar die ogen van hem... Terwijl ze op hem toe liep, raakte een docente voorzichtig zijn ellebogen aan. Hij moest weer mee, het lokaal uit, de gang op.

Het leek erop dat de jongen het uit zou schreeuwen of een woedeaanval zou krijgen. Hij wendde zich van Ella af en keek eerst op naar het plafond en daarna naar de vloer. Toen deed hij een paar stappen in de richting van de gymzaal, zette zijn rugzak tegen de muur en liet zich op de grond vallen om push-ups te doen. Hij deed ze precies zoals de militairen het doen. Ella stapte de gang op. De jongen maakte haar nieuwsgierig. Waarom deed hij dat? En hoe kwam het dat hij niets wilde zeggen?

'Hij is autistisch,' zei de docente zachtjes tegen haar. 'Hij doet push-ups als hij te veel prikkels krijgt.'

Te veel prikkels? 'Volgens mij vond hij de muziek mooi.' Ella had weleens van autisme gehoord, en ze had vorig jaar op de televisie *Rain Man* gezien toen deze film voor de zoveelste keer werd uitgezonden. Maar ze kende niemand die dat had. 'Mag hij niet blijven? Hij wil ons vast graag horen zingen.'

De vrouw schudde haar hoofd. 'Hij moet bij de andere kinderen blijven die speciale begeleiding nodig hebben.' Ze ging iets dichter bij de jongen staan, die zich nog steeds opdrukte. Hij deed dat zo vaak achter elkaar dat Ella zich zorgen over hem begon te maken.

'Misschien voelt hij zich beter als hij blijft.'

Aan het gezicht van de docente was te zien dat ze ongeduldig werd. Ze dacht waarschijnlijk dat Ella onmogelijk iemand met autisme zou kunnen begrijpen. 'Vandaag niet.'

De jongen stond met een rood, bezweet gezicht op. Hij

deed een paar passen in de richting van de gymzaal, maar kwam weer terug. Nu keek hij niet naar Ella zoals hij dat eerder had gedaan. Ze overbrugde de afstand tussen hen en bleef een eindje bij hem vandaan staan. 'Hoi.' Ze stak hem haar hand toe. 'Ik ben Ella Reynolds.' Ze hoorde dat meneer Hawkins in het lokaal achter haar weer piano begon te spelen.

De jongen liep terug naar zijn rugzak, ritste hem open en haalde er een grote stapel flitskaarten uit. Dat wil zeggen, ze zagen eruit als flitskaarten. Hij keek ze supersnel door en vond de kaart waarnaar hij op zoek was. Die kaart hield hij omhoog, zodat Ella hem kon zien. Er stonden twee ogen op en eronder was geschreven *Ik zie*.

'Wat zie je? Zie je mij?' Ella keek achterom naar de docente. Zij had haar armen over elkaar geslagen en wilde klaarblijkelijk niets liever dan doorlopen. Ella richtte haar blik weer op de jongen. 'Hoe heet je?'

'Holden Harris.' Het geduld van de docente was duidelijk op. 'Hij heet Holden Harris. De kaart met die tekst erop laat hij het liefst zien. Hij kan alleen op die manier communiceren.' Ze maakte een overdreven gebaar in de richting van de jongen. 'Kom, Holden. Het is tijd om te gaan.'

'Wat wil hij ermee zeggen?' Ella wilde dat graag weten. Als je afging op de blik in Holdens ogen, zag hij heel veel. Waarschijnlijk meer dan je zou denken.

'Niets.' De docente nam Holden mee naar zijn rugzak. 'Hij laat die kaart zien als hij van streek is. Als hij niet goed weet wat er om hem heen gebeurt.'

'Ella!' Een van de meisjes die ook een rol had in de musical, stak haar hoofd om het hoekje van de deur van het lokaal. 'Opschieten. De pauze is voorbij.'

Ze had geen tijd meer. Holden stopte de kaart met de ogen erop weer tussen de andere kaarten. 'Dag, Holden.' Ze negeerde zijn docente. 'Kom nog maar een keer terug, ja?'

Hij keek haar aan, maar niet langer dan een paar seconden. Toen slingerde hij zijn rugzak over zijn schouder en liep snel in de richting van de gymzaal. Zijn docente zei niets; ze haastte zich achter hem aan, alsof ze blij was dat hij nu deed wat ze had gezegd.

Ella keek hen na en stapte toen snel het lokaal binnen. De meeste jongeren zaten alweer op hun plek, en meneer Hawkins zat achter de piano in de partituur te bladeren. Ze ging naast hem staan en zei zachtjes: 'Meneer Hawkins, mag een leerling ook alleen aanwezig zijn bij de repetities als hij dat graag wil?'

Meneer Hawkins slaakte een diepe zucht en haalde zijn hand over zijn kalende hoofd. 'Ella, waarom denk ik dat je deze productie niet zo belangrijk vindt?'

'Niet zo belangrijk?' Ella's gezicht betrok. 'Hoe komt u daar nu bij? Ik heb het niet over mezelf. Ik heb het over een leerling die speciale begeleiding nodig heeft. Hij wilde graag hier blijven, maar zijn docente vond dat niet goed. Ik dacht gewoon dat hij de volgende keer misschien...'

'Ella, je weet niet wat je vraagt,' antwoordde hij hoofdschuddend. 'De sectie drama staat al zo onder druk, dat ik niet kan toestaan dat we als oppasdienst gaan fungeren.' Hij richtte zijn aandacht weer op de partituur. 'Als je nu zo goed wilt zijn om te gaan zitten...' Hij verhief zijn stem. 'We beginnen weer bij het begin.'

Ella was diep verontwaardigd. Als Holden Harris hen nu zo graag wilde horen zingen, wat was daar dan op tegen? Ze liep langzaam terug naar haar stoel en zong met de anderen mee. Meneer Hawkins zou Holden op zijn minst een kans kunnen geven.

Ze concentreerde zich op haar solonummer, maar ze zong het desondanks iets minder enthousiast. Dat kwam niet doordat ze boos was op meneer Hawkins omdat ze haar zin niet had gekregen. Maar ze moest steeds aan Holden denken.

Hoe hij in de deuropening had gestaan, de muziek in zich opgenomen had en mee had gedeind met het lied. En aan de woorden op de kaart die hij haar had laten zien. *Ik zie.* Misschien liet hij die kaart vaker zien dan de andere. Ella geloofde vast dat hij meer zag dan zij allemaal wisten. Tegen de tijd dat ze de eerste repetitie achter de rug hadden, had ze haar besluit genomen. Ze gaf de moed niet op. Als Holden hen wilde horen zingen, zou hij daarvoor de kans krijgen.

★

Als deze eerste repetitie al iets zei over het optreden, bedacht Manny Hawkins, kan ik beter op zoek gaan naar een andere baan. Het bestuur had hem in de week voordat de school weer begon, gebeld om hem op de hoogte te stellen van de situatie.

'De sectie drama levert niet voldoende geld op.' Bestuursvoorzitter Tom Banks zag eruit als een voormalige basketbalspeler. De kans was groot dat Banks nog nooit van zijn leven een musical had gezien. 'We hebben gekort op uw budget. Er komt in het najaar geen opvoering en in de winter ook niet.'

Er zou dit jaar op het Fulton dus alleen maar in het voorjaar een voorstelling gegeven worden. Banks was van mening dat de sectie daardoor meer kans zou hebben op succes. Manny had tegen hem willen zeggen dat hij meer kans op succes zou hebben als hij meespeelde in de loterij.

Op het Fulton draaide alles om sportieve activiteiten, niet om theaterproducties. Om rugby, niet om beroemde musicals. Manny wist niet wat hij moest doen om een goede beurt te maken. Moesten ze daarvoor soms tieneridool Justin Bieber als het Beest of Zac Efron als Gaston aantrekken? Nee, ze zouden alleen genoeg geld verdienen aan de voorstelling in het voorjaar als ze deze op het voetbalveld gaven en het publiek hetzelfde bedrag lieten betalen als voor een wedstrijd.

De leerlingen die een rol in de musical hadden gekregen, hadden weer pauze. Manny keek het repetitieschema door. De musical zou pas na de voorjaarsvakantie opgevoerd worden. Ze leken dus nog veel tijd te hebben om te repeteren. Maar pas twee weken vóór de uitvoering vonden de repetities na schooltijd plaats. En voor die tijd moesten ze nog aan de slag met de decors, de enscenering en het geluidssysteem.

Kerst en andere vrije dagen meegerekend, betekende dat dat ze ongeveer honderdtwintig uur konden repeteren, voordat de musical voor het eerst werd opgevoerd. Dat was niet veel. Vooral niet als dit zijn laatste kans was om een meesterstuk af te leveren. En daar kwam nog bij dat Ella Reynolds niet zo enthousiast leek als hij had gehoopt. Ze was heel goed, maar als ze niet in vuur en vlam raakte over haar rol, zou de voorstelling ongetwijfeld een flop worden.

Hij had het schema net doorgenomen toen Ella op hem afkwam. Nog voordat ze haar mond opendeed, wist hij dat ze hem iets zou vragen wat te maken had met de autistische jongen. Hij draaide zich naar haar om en sloeg zijn armen over elkaar. 'Ja?'

Ella stak haar kin naar voren. 'Ik vroeg u daarnet iets voor Holden. Ik zou graag willen dat u terugkomt op uw besluit.'

'Voor die jongen met autisme?'

'Ja.' Ze wees naar de deuropening. 'Zag u hem daar niet staan? Hij vond het heerlijk om ons te horen zingen. Waarom mocht hij niet blijven luisteren?'

'Ik heb je verteld waarom dat niet mocht. Deze voorstelling is een heel serieuze zaak, Ella. De dramasectie heeft niet veel tijd om te bewijzen wat ze waard is.'

'Misschien kunnen we bewijzen wat we waard zijn door aardig te zijn voor jongeren als hij.' Ella aarzelde, alsof ze het niet helemaal goed begreep. 'Ik wil maar zeggen dat we daar toch nooit slechter van zullen worden?'

Manny merkte dat hij geen zin meer had om ertegen in

te gaan. Ella was met haar blonde haar en groene ogen het toonbeeld van een knap, Amerikaans meisje. Ze had beloofd dat ze haar haar een week voor de eerste voorstelling bruin zou laten verven voor haar rol. Maar het zou haar rol als Belle nog meer ten goede komen als ze die met evenveel passie zou spelen als nu uit haar ogen sprak. 'Je hebt hierover een uitgesproken mening, hè?'

Ella kreeg een iets zachtere uitdrukking op haar gezicht, maar haar ogen schitterden fel. 'Ja, meneer.'

Hij dacht na over de autistische jongen. Ella had gelijk. Veel last zouden ze niet van hem hebben. Als hij de boel verstoorde, zou hij moeten vertrekken en daar was de kous mee af. En wat maakte het verder eigenlijk ook uit? Als er geen wonder gebeurde, was dit toch hun laatste voorstelling. Hij zwaaide met zijn hand, ten teken dat hij nu genoeg tijd aan Ella had besteed. 'Goed. Hij mag achterin gaan zitten, maar hij hoeft maar één keer iets van zich te laten horen en het is afgelopen.'

'Echt waar?' Ella maakte een sprongetje en klapte in haar handen. 'Dank u wel, meneer Hawkins. Ik ben er zo blij mee! U zult er geen spijt van krijgen.' Ze glimlachte nog even naar Manny, voordat ze opgewekt naar haar plaats terugliep.

Manny richtte zijn aandacht weer op het script, maar hij had nu toch een iets beter gevoel over het verloop van de dag. Misschien had Ella gelijk. Wat was er mis mee als ze in dit stadium van de repetities voor Holden optraden? De autistische jongen was in ieder geval geïnteresseerd.

En in het voorjaar zouden ze er dan op kunnen rekenen dat ten minste één leerling van het Fulton de voorstelling bijwoonde.

6

Het was maar goed dat het geroffel ophield. Holden had er genoeg van om push-ups te doen. En hij wilde ook niet met de andere leerlingen uit zijn klas in de gymzaal een bal overgooien. Dat had hij al tegen de docente gezegd, maar ze luisterde niet. En daarom zat hij nu op een stoel in de hoek van de gymzaal wiskundeopgaven te maken.

Dat was beter dan overgooien. Hij vond wiskunde leuk, en het duurde niet lang meer of hij mocht naar huis en dan zou hij zijn moeder veel te vertellen hebben. Vandaag was het eindelijk gebeurd! Ella en hij hadden elkaar teruggevonden. Zij was nog precies hetzelfde, met haar mooie ogen en vrolijke lach. Maar het allerfijnste was, dat ze nog steeds mooi kon zingen.

Holden klapte het schrift dicht; hij had geen zin meer in wiskunde. De muziek lokte hem terug naar de plek waar Ella was, en hij liet zich gewillig meevoeren. Ze zag hem weer in de deuropening staan en hij ging op haar af. Hij was daar echt, het was geen droom. Hij voelde zich licht in het hoofd, maar hij was ook blij. Heel blij. Wat hij voor zich zag was aan de randen enigszins wazig en de kleuren waren niet helder zoals tijdens de therapie, maar hij wist eigenlijk wel zeker dat wat er nu gebeurde, echt was.

Hij liep naar Ella toe. *Herinner jij je de tijd dat we nog klein waren? We lachten, speelden en zongen de hele dag.*

Glimlachend pakte ze zijn hand vast. *Dat was een heel fijne tijd, Holden. En nu ben je er weer!*

Holden keek om zich heen, maar Ella en hij stonden niet

meer in het klaslokaal. Ze stonden op een breed podium met mooie bomen, en velden met groen gras dat heen en weer bewoog in de wind. *Dans je met me, Ella?* Hij hield nog steeds haar hand vast en hij knikte naar en lege plek op het podium.

Ella lachte precies zoals ze dat in de film deed. En ze dansten op de maat van de muziek zoals ze lang geleden samen hadden gedanst. Holden liet haar in kleine cirkels ronddraaien en Ella zong de woorden mee. Ver weg hoorde hij mensen applaudisseren. Steeds harder klapten ze, en ze bleven maar klappen omdat ze nog nooit zoiets moois hadden gezien. Ella en Holden dansten samen en zongen daarbij een engelenlied.

Hij was al zijn hele leven op zoek naar haar, naar zijn vriendin Ella. En nu was ze hier. *Weet je waarom ik jou daarstraks liet weten dat ik je zag?* Hij glimlachte naar haar op een manier die haar recht in het hart raakte. Dat was helemaal niet zo moeilijk. Ella's hart stond wijd open.

Waarom was dat, Holden? Ze bleef dansen en haar woorden pasten bij de muziek.

Omdat ik je altijd heb kunnen zien. Ook als je niet bij me was. Je zit in mijn hart.

Ze draaide nog een keer in het rond. *Jij zit ook in mijn hart. Dat heb je met vrienden, en jij bent mijn vriend.*

Holden vond het heerlijk om op deze manier met Ella te praten. Het was zo lang stil gebleven, maar nu had hij haar teruggevonden. Ze konden weer als de beste maatjes met elkaar optrekken. Ook zou hij haar alles vertellen over hoe hij zich had gevoeld, hoe hij voortdurend muziek hoorde en hoe mooi het leven was. Hij zou haar vertellen hoe fijn hij het vond op het Fulton. En dat hij voortdurend bad voor al de jongeren om hem heen, omdat sommigen verdrietige ogen of boze stemmen hadden. De meesten hoorden de muziek ook niet.

Maar jij hoort de muziek, Ella. Dat was altijd al zo. En Michael ook.

Ella glimlachte alsof ze Michael kende. Michael had niet veel vrienden, maar Holden zou hem helpen om er een paar te vinden. Misschien wilde Ella hem daar wel bij helpen. *Michael heeft onze hulp nodig, snap je?*

Dat is goed, Holden. Ze dansten nu door het gras en er werd niet meer zo hard geapplaudisseerd. *Vertel me maar wat je wilt dat ik doe.*

Holden werd zich ervan bewust dat er op zijn schouder werd getikt. Het begon met een zachte tik, maar het gebeurde uiteindelijk zo hard dat hij er met een ruk aan probeerde te ontkomen. Het deed pijn, zo veel pijn dat zijn schouder ervan stak en gloeide. Hij draaide zich om en zag achter zich zijn docente, mevrouw Bristowe staan.

'Holden, er wordt van je verwacht dat je wiskundeopgaven maakt, weet je nog?'

Wiskunde? Hij was met Ella aan het dansen over een veld met mooie bloemen en heen en weer wuivend gras. *Ik heb mijn opgaven al af. Het is nu tijd om met Ella te dansen.*

Mevrouw Bristowe keek niet blij. 'Zie je dit?' Ze hield het vel met de opgaven omhoog. 'Je zit hier nu al bijna een uur en je hebt er nog maar drie af. Of je doet met de andere kinderen mee aan het balspel, óf je maakt je werk af, Holden. Het is niet de bedoeling dat je hier zomaar uit het raam zit te staren en...'

Mevrouw Bristowe, ik staar niet uit het raam. Ik dans met Ella omdat ik haar net heb teruggevonden. Zij is mijn vriendin uit de filmpjes die gemaakt zijn toen we nog klein waren. We hebben veel om over te praten, bijvoorbeeld over de kinderen hier op deze school en hoe het komt dat sommige van hen verdrietig lijken. En we moeten het hebben over Michael, omdat Michael vrienden nodig heeft. Goede vrienden zoals Ella en ik.

'... als je met de andere kinderen meedoet. Misschien voel je je dan beter en...'

Ik voel me beter als ik met Ella samen ben, omdat ik haar kan zien. En zij mij kan zien. Dat is met Ella altijd zo geweest. Misschien moet Michael ook hier zijn, want die vervelende jongens deden niet zo aardig tegen hem. Hun voeten klinken als tromgeroffel. Heel luid tromgeroffel.

'... moet luisteren, Holden? Je moet doen wat je wordt opgedragen, weet je nog? Dat hoort bij jouw behandeling en...'

Van zonneschijn werd je vrolijk en warm. Holden keek uit het raam en hij zag Ella weer. Ze stond buiten op hem te wachten, om met hem te dansen, te praten en zijn hand vast te houden. Sinds Ella was verdwenen, had hij aan God gevraagd haar te zoeken, en nu was ze hier! *Ik moet naar Ella toe!*

Mevrouw Bristowe zei weer iets, maar de muziek werd nu zo luid en zo sterk, dat hij de docente niet kon verstaan. Misschien was dat maar goed ook. Er was duidelijk iets mis met haar, want wat hij ook zei, ze reageerde er niet op. Holden had het idee dat ze helemaal niet kon horen wat hij zei.

Zijn docente wekte nu de indruk dat ze een beetje boos werd, en Holden deed zijn ogen dicht. Het tromgeroffel kon ieder moment beginnen; hij voelde het aankomen. Ja hoor, daar begon het al... Boemerdie, boem... Boemerdie, boem... BOEM, BOEM, BOEM.

Dreunend tromgeroffel, geschreeuw, gekrijs. Het lawaai werd Holden te veel. Onmiddellijk liet hij zich op de grond vallen en zijn spieren trokken samen. Te veel lawaai. De muziek in zijn hart was mooi, deze muziek niet. Tien push-ups, vijftien. BOEM, BOEM, boemerdie, boemerdie, BOEM BOEM. Twintig push-ups, vijfentwintig. Toen hij met de dertigste bezig was, klonk het tromgeroffel al zachter en even later hield het helemaal op. Moeizaam ademend kwam Holden overeind.

Waar is ze? De muziek klonk nu zachter, maar mevrouw Bristowe weigerde hem antwoord te geven. *Waar is Ella gebleven, en waarom mag ik niet naar haar toe?*

'Holden Harris, je stelt mijn geduld op de proef...'

Wat heb ik verkeerd gedaan? Waarom was mevrouw Bristowe zo boos? Hij maakte zijn wiskundeopgaven straks wel af. Hij zou thuis net als altijd met zijn moeder aan de tafel gaan zitten, praten over zijn schooldag en daarna zijn huiswerk voor wiskunde maken.

Hij moest bidden. Dat stond op de muur in de kerk: *Bid zonder ophouden.* Hij zou kunnen bidden voor mevrouw Bristowe en voor Ella, en kunnen vragen om een onderbreking van zijn schoolwerk, zodat hij kon dansen en rennen door de groene velden.

Jezus, ik ben het, Holden. Waarom zijn de mensen zo boos? Ze hebben verdrietige ogen en ze willen nooit naar de muziek luisteren. Maar op dit moment wil ik alleen maar dansen met Ella. Kunt U dat alstublieft laten gebeuren, God? Brengt U alstublieft Ella terug, zodat we kunnen dansen. Ik weet dat U me kunt horen, want U hebt ervoor gezorgd dat ik haar heb gevonden. Daar dank ik U voor. Kunnen we nu alstublieft weer gaan dansen? Dat zou ik echt heel fijn vinden. Ik weet dat U van me houdt. Uw vriend, Holden.

De groene velden riepen hem en Ella stond op hem te wachten. Het was vandaag een mooie dag, mooier dan anders. Zijn hart stroomde over en de zon scheen zo vrolijk dat alles aan de randen wit en zacht was. En dat kwam allemaal doordat hij Ella Reynolds had gevonden.

Hij had dit al uitgelegd aan mevrouw Bristowe, maar ze wilde niet luisteren. Of kon ze misschien niet luisteren? Hij had nu geen zin om over te gooien, zijn wiskundeopgaven te maken of nog een keer een push-up te doen. Hij wilde het lawaai niet horen. Hij wilde maar één ding en dat wilde hij al sinds hij zichzelf zag in de film die zijn moeder had gemaakt. Wanneer hij aan Ella terugdacht – en dat was iedere dag – of wanneer hij naar school ging, verlangde hij daarnaar.

Samen te zijn met zijn vriendin Ella.

7

Een keer per maand had Tracy voordat de school uitging, een afspraak met Holdens mentor Beth Bristowe. Tijdens het gesprek deed Holden altijd wat hij het liefst deed: zijn wiskundeopgaven maken, terwijl hij opging in zijn eigen wereld. Zodra hij rustig bezig was, gingen Tracy en mevrouw Bristowe een eindje verderop aan Beths bureau zitten en bespraken zij de vorderingen die Holden maakte. Tracy vroeg dan ook altijd hoe het met Holden ging.

Sinds de tijd dat ze voor het eerst met de flitskaarten zijn gaan werken is Tracy naar deze ontmoetingen uit gaan zien. Holden zat in de onderbouw, en het leek erop dat hij iedere maand vooruitging. Ze leken telkens een stapje dichter bij het moment te komen dat de deuren waarachter haar zoon gevangen zat, opengingen.

De flitskaarten bleven, maar halverwege zijn eerste jaar in de bovenbouw maakte Holden geen vorderingen meer. Zijn behandelaars hoopten dat de kaarten uiteindelijk tot verbale communicatie zouden leiden. En misschien zou zijn gedrag ook weer voor een deel normaal worden, al gebeurde dat slechts voor enkele gelukkigen. Tracy bad er elke dag om, maar vandaag ontmoette ze mevrouw Bristowe voor de eerste keer dit schooljaar, en Tracy had er een voorgevoel van dat zij geen goed nieuws zou hebben.

Thuis hield Holden de kaarten nog steeds bij zich. Hij vond het niet goed dat zij ze vasthield. Het oogcontact dat hij in het verleden weleens had meegemaakt – al was het maar een fractie van een seconde – was er nu helemaal niet meer.

Ook was hij onrustiger als hij naar therapie moest. Hij leek alleen maar gelukkig als hij film keek. Dan zat hij voor de televisie naar zichzelf te kijken, hoe hij met zijn vader in het veld rende of samen met Ella Reynolds over de vloer rolde van het lachen.

Het was slechts een inschatting van Tracy dat hij achteruitging. Dat behoorde bij autistische kinderen in ieder geval altijd tot de mogelijkheden. Stel dat mevrouw Bristowe dat vandaag bevestigde? Tracy wist niet goed hoe ze op dat bericht zou reageren. Ze parkeerde haar kleine auto tussen de BMW's en andere grote wagens en liep in de richting van de ingang aan de zuidzijde van de school. De vleugel voor het speciaal onderwijs.

Ze maakte zich niet alleen zorgen over Holden. Vanmorgen had Dan gebeld en hij was er zo te horen niet best aan toe geweest. Hij had longontsteking, en hij had terloops ook nog gezegd dat hij kortgeleden tijdens een storm enigszins onderkoeld was geraakt.

'Het gaat goed met me, Tracy. Maak je over mij maar geen zorgen. Blijf maar gewoon bidden.' Hij moest een paar keer zo hard hoesten dat het klonk alsof hij doodging. 'Het komt allemaal goed.'

Maar dat was niet waar. Dan was al te vaak aan de dood ontsnapt. Een dezer dagen zou ze gebeld worden door de Alaskaanse kustwacht of door iemand van het visbedrijf, om haar ervan op de hoogte te stellen dat Dan niet naar huis kwam. Nooit meer thuis kwam.

Tracy's hart bonsde in haar keel. *Wees me alstublieft nabij, Vader. Ik weet niet hoeveel ik nog kan verdragen.*

IK BEN BIJ JE, DOCHTER. IK HOUD VAN JOU, EN IK ZAL DEZE STRIJD VOOR JOU WINNEN. VERTROUW ME, LIEVE KIND. HEB VERTROUWEN.

Het was een fluistering tegen haar van angst vervulde hart, ze kreeg iets om zich aan vast te houden. Ze kon zich niet voorstellen wat ze het komende uur te horen zou krijgen. *Vertrouw op God*, zei ze tegen zichzelf. *Hoe je je ook voelt, Tracy.*

Ze hoefde zich niet te haasten; ze was ruim op tijd. Alles wat ze om zich heen zag, de groepen leerlingen, hun gelach en hun gesprekken, nam ze in zich op. Deze jongeren leidden een heel ander leven dan haar zoon. Een triest gevoel nam bezit van haar. Dit was zijn laatste jaar op de middelbare school. Vanavond zouden de leerlingen van het Fulton naar een rugbywedstrijd gaan, maar Holden moest naar therapie. Stel dat er zich iets voordeed waardoor Holden uiteindelijk in het licht stapte waarin alle anderen leefden? Dan zou het toch al te laat zijn; hij kon zijn middelbareschooltijd niet overdoen.

Houd daarmee op, Tracy!

Ze kwam aan bij het lokaal van mevrouw Bristowe en keek door het raampje in de deur. Holden zat al in kleermakerszit op een kussen in de hoek van het lokaal, zijn blik op het kale plafond gericht. Het liefst was ze naar hem toegerend om hem in haar armen te nemen. Hoe graag had ze hem niet toegeroepen: *Holden, lieverd… Ik ben het, je moeder. Kom tevoorschijn, schat. Bevrijd je van wat je gevangen houdt.* Maar dat kon ze niet doen. Ze had het een keer geprobeerd en hij was er alleen maar bang van geworden. Twee jaar geleden had ze hem gevraagd de weg uit zijn gevangenis te zoeken, maar hij had zijn handen voor zijn gezicht geslagen en een halfuur van voor naar achter gewiegd. Tracy was er daarna niet meer over begonnen.

Vader, ik heb U nodig. De begeleiding op school en de therapieën… het werkt allemaal niet. Hoe kan ik tot hem doordringen? We hebben een wonder nodig, God. Laat er alstublieft een wonder gebeuren.

Mevrouw Bristowe moest haar gezien hebben, want ze kwam naar de deur. Ze glimlachte vriendelijk naar Tracy, maar ze zag er uitgeput uit. Geen goed teken. 'Dag, mevrouw Harris.'

‘Hallo.’ Ze wist nooit of ze op een moment als dit naar Holden toe moest gaan. Holden liet zelden blijken dat hij haar had gezien, maar ze was vastbesloten hem te behandelen alsof hij geen autisme had. Daarom liep ze het lokaal door en ging bij hem op haar hurken zitten om hem recht aan te kunnen kijken. ‘Dag, Holden. We hebben vandaag overleg, goed? Ik praat met mevrouw Bristowe en jij doet je huiswerk voor wiskunde. Daarna gaan we naar huis.’

Holden keek haar zelden aan en reageerde nooit, maar Tracy wist bijna zeker dat hij een beetje van voor naar achter wiegde. Ze lachte naar hem. ‘Ik neem aan dat dat ja betekent.’ Ze kwam weer overeind en liep achter mevrouw Bristowe aan naar het bureau. Toen ze plaats hadden genomen, legde de docente Holdens dossier voor zich neer. ‘Mevrouw Harris, u weet dat het eerste gesprek in het schooljaar belangrijk is. We willen graag vaststellen hoeveel vorderingen onze leerlingen tijdens de zomer hebben gemaakt, en of we een goed begeleidingsplan voor hen hebben opgesteld.’ Ze haalde een keer diep adem en sloeg Holdens dossier op. ‘We hebben absoluut veranderingen bij Holden waargenomen sinds het afgelopen voorjaar.’

‘Ja.’ Tracy zat stijf rechtop in haar stoel, haar zweterige handen in elkaar geklemd op haar schoot. ‘Hij lijkt... ik weet niet... uit zijn doen is denk ik de goede uitdrukking.’

‘Ja.’ Na een korte stilte voegde mevrouw Bristowe eraan toe: ‘Absoluut.’ Ze haalde een vel papier uit het dossier en gaf het aan Tracy. ‘Hier heb ik een verslag van een incident dat zich onlangs voordeed. Zou u het even door willen lezen?’

Tracy keek even naar Holden, maar het leek er niet op dat hij naar hen luisterde.

Hij zat over een vel papier gebogen, waarop hij trigonometrieproblemen uitwerkte. Het uitwerken van de sommen kostte hem net zo weinig moeite als adem halen. Ze pakte het verslag van mevrouw Bristowe aan en begon te lezen.

Het document ging over iets wat afgelopen maandag had plaatsgevonden. Holden was bij het toneellokaal blijven staan om te luisteren naar een lied dat een klas aan het instuderen was. Tracy keek op naar Holdens docente. 'Hij wilde daar blijven? Om naar de muziek te luisteren?'

'Jazeker.' Ze hield haar hoofd een tikkeltje schuin, alsof ze even moest nadenken. 'Nu wil het geval dat het een lesuur betrof waarin voor leerlingen als Holden geen plek is, zonder dat daar vooraf goedkeuring voor is verleend. We weten namelijk absoluut niet hoe hij in die situatie zal reageren.'

'U vond het dus niet goed dat hij bleef?'

'Ik kon er niet in toestemmen, omdat zoiets eerst op verschillende niveaus besproken moet worden.' Ze aarzelde. 'Ik zal daar zo dadelijk nog iets meer over zeggen.'

Tracy knikte. Waarom was het hier zo geregeld dat een commissie een besluit moest nemen over iets wat Holden zelf ook kon 'beslissen'? Konden ze niet gewoon even bij hem blijven om naar een lied te luisteren, als hij dat nou zo graag wilde? Iedereen was het er toch over eens dat muziek belangrijk was? Ook zijn begeleiders op school. Tracy hield haar frustratie voor zich. Ze keek waar ze gebleven was en las verder. Holden zich had opgewonden, zich op de vloer laten vallen en enkele tientallen push-ups gedaan. Tracy merkte dat de tranen haar in de ogen schoten toen ze de laatste regel las: *Toen we uiteindelijk aankwamen bij de gymzaal waar de andere leerlingen waren die speciale begeleiding nodig hebben, was Holden ongezeglijk.*

Ongezeglijk? Hij wilde alleen maar naar de muziek luisteren! Tracy had moeite om haar frustratie te beteugelen. Ze depte haar ogen droog en gaf het vel papier terug aan de docente. 'Wat bedoelt u met *ongezeglijk*?' Ze moest zich ervoor hoeden een boze of gefrustreerde toon aan te slaan tegen de vrouw. Daar zou niemand bij gebaat zijn. En ze had zelf toch ook wel meegemaakt dat Holden enigszins ongezeglijk was.

Mevrouw Bristowe kreeg een zachtere uitdrukking op haar gezicht en ook de blik in haar ogen werd vriendelijker. 'We hebben een protocol voor de leerlingen. Dat weet u. Daarom verlangde ik van Holden dat hij weer gewoon participeerde toen we in de gymzaal waren. Zijn klasgenoten waren hun grove motorische vaardigheden en hun vermogen tot interactie aan het verbeteren door een rugbybal naar elkaar over te gooien. Holden wilde er niet aan meedoen.'

Tracy zag opeens even de vrouw voor zich die een paar weken geleden in de supermarkt bij haar kassa in de rij had gestaan. Haar zoontje was ook met een rugbybal in de weer geweest, en had aan zijn moeder gevraagd of ze er later op de dag met hem mee wilde spelen. Holden had dat ook graag gedaan toen hij twee, drie jaar oud was, maar nu was hij achttien. Misschien had hij gewoon geen zin gehad om over te gooien. Ze bedwong zich en richtte haar aandacht weer op de docente.

'We dwingen de jongeren nooit om te participeren. We geven hun gewoon een andere bezigheid, zoals u weet. Ik gaf hem deze keer een vel met wiskundeopgaven en verzocht hem plaats te nemen in de observatiestoel.'

'De observatiestoel?'

'Ja, dat is een gemakkelijke stoel in een hoek van de gymzaal, van waaruit leerlingen die speciale begeleiding nodig hebben, kunnen observeren hoe andere klasgenoten op elkaar reageren. Uit onderzoek is gebleken dat deze leerlingen daar baat bij hebben.'

Tracy had het liefst een luide kreet geslaakt of hardop gelachen. Dat was toch precies wat Holden had willen doen? Naar de jongeren in het toneellokaal kijken? En was het per se nodig dat de vrouw zo veel vakjargon gebruikte? Ze had ook gewoon kunnen zeggen dat Holden aan de kant had moeten gaan zitten en zijn huiswerk had moeten maken. Ze klemde haar handen ineen en knikte. 'U zei dat hij ongezeglijk was.'

'Ja.' Uit de manier waarop ze het zei, was op te maken dat het ergste nog moest komen. 'In plaats dat hij aan de slag ging met zijn wiskundeopgaven, stond hij op en begon in het rond te draaien. Hij beschreef eerst kleine cirkels, toen grotere en ten slotte zulke grote cirkels dat hij de andere leerlingen bijna in de weg liep.'

Cirkels? Holden had niet meer in het rond gedraaid sinds hij vijf of misschien zes jaar oud was. Paniek nam bezit van Tracy. Dat gedrag hadden ze met behulp van therapie uitgebannen. 'Heeft... heeft hij nog iets anders gedaan, wat zou verklaren waarom hij dat deed?'

'Nee. Ik heb hem diverse keren aangesproken, maar hij heeft me niet één keer aangekeken. Hij bleef rondjes draaien, totdat hij overprikkeld raakte. Toen liet hij zich op de grond vallen en voerde een aantal push-ups uit, net als altijd. Daarna ging hij in zijn stoel zitten, maar hij weigerde de rest van de dag aan zijn wiskunde te werken.' Ze keek naar Holden. 'Sindsdien is hij iedere dag dwars.'

Tracy kon zich niet voorstellen wat de oorzaak van Holdens achteruitgang zou kunnen zijn. Ze bad onophoudelijk voor hem en sloeg nooit een therapiesessie over. Deze week leerde zijn therapeute hem hoe hij moest omgaan met de nieuwe flitskaarten over muziek. Ineens schoot het Tracy te binnen dat ze het daar nog over moest hebben. 'Hij maakt toch meestal gebruik van zijn kaarten? Had hij die bij zich? Kon hij u vertellen wat hij dacht?'

'Om te beginnen...' Mevrouw Bristowe besloot kennelijk geduld met haar te hebben, want ze glimlachte. 'Om te beginnen vertelt hij ons niet echt veel met de kaarten. Soms laat hij er ons inderdaad een glimp van zien, maar veel meer is het niet.' Ze keek even naar Holdens dossier, voordat ze Tracy aankeek. 'En ja, hij had zijn kaarten bij zich toen hij bleef staan om naar de leerlingen in het toneellokaal te luisteren.'

'Wat zei hij?' Misschien was daaruit op te maken wat Holden op dat moment had gedacht.

'Een van de meisjes van die klas kwam de gang op om met hem te praten. Hij liet haar de kaart zien waarvan hij vaak gebruikmaakt.' Ze aarzelde. 'De kaart met de twee ogen.'

'Daar staat op *Ik zie*.' Tracy keek even naar Holden, maar haar zoon keek weer omhoog en was zich hoogstwaarschijnlijk niet van hun gesprek bewust. Tracy boog zich wat naar de docente en zei zachter dan daarnet: 'Stel dat hij dat echt meende, mevrouw Bristowe? Misschien kon hij zien dat de klas met muziek bezig was, en wilde hij meedoen. Het zou ook zo geweest kunnen zijn, dat hij wilde dat het meisje wist dat hij haar zag. Ook als hij haar misschien niet recht aankeek.'

Mevrouw Bristowe keek alsof ze niet goed wist hoe ze het had. 'Ja, dat zou allemaal mogelijk kunnen zijn. En in het gymlokaal kon hij zijn kaarten pakken, maar hij gebruikte ze niet om zijn bedoelingen duidelijk te maken. In plaats daarvan draaide hij in de rondte.'

Tracy zuchtte. Zo kwamen ze nergens. Ze kon het pas voor Holden opnemen, als ze wist waar hij aan dacht. En dat gold voor iedereen die hem behandelde. 'En hoe doet hij het in de klas?'

'Ongeveer zoals vorig jaar.' Ze haalde een stapeltje papieren uit het dossier. 'Hij blinkt nog steeds uit in wiskunde.'

'Jullie laten hem dit jaar integreren in het reguliere onderwijs. Hoe gaat dat?' Ze had er Holden natuurlijk naar gevraagd, maar hij had haar slechts één aanwijzing gegeven. 'Voordat dit schooljaar begon gaf hij de kaart waarmee hij iets duidelijk wilde maken altijd aan mij.' Tracy deed haar armen over elkaar. 'Dat is veranderd. Nu houdt hij de kaarten stevig vast als hij ze aan me laat zien.'

'Dat is mij ook opgevallen.' Mevrouw Bristowe tuitte haar lippen. 'Ik heb het vermoeden dat een paar rugbyspelers het op hem hebben gemunt.' Ze haalde een vel papier achter uit het dossier. 'Een leerling uit de onderbouw, Michael Schwartz, heeft het die dag gemeld en er dit over opgeschreven.'

Tracy merkte dat haar hart oversloeg toen ze het papier aanpakte. Als Holden gepest werd, mocht hij het reguliere onderwijs niet volgen. Ze zou een privéleraar voor hem kunnen aantrekken, of het zo kunnen regelen dat zijn behandelaar hem hielp met lessen online. Holden mocht niet het doelwit van pestkoppen worden.

Ze bestudeerde het verslagje. Het bestond uit niet meer dan enkele feiten: de naam van de leerling, de datum en de plek waar het probleem zich had voorgedaan. In dit geval had het voorval zich afgespeeld bij de wiskundelokalen, twee deuren verwijderd van het lokaal waar Holden trigonometrie kreeg. De enige bijzonderheden stonden onderaan het blad.

Ik was bij de wiskundelokalen, en zag toen hoe een stelletje rugbyspelers Holden Harris tegen de schenen schopte. Ik weet wie hij is, omdat ik vorig jaar klassenassistent was in een klas met kinderen die speciale begeleiding nodig hebben. Nadat ze Holden hadden gepest, gaf een van de jongens een schop tegen Holdens rugzak. Zijn flitskaarten vlogen alle kanten op en hij leek helemaal van slag. Ik vond dat u dat moest weten.

Tracy's handen trilden en haar hartslag was nog sneller dan daarnet. 'Dat is dus het antwoord.' Ze moest zich bedwingen om niet harder te gaan praten. 'Geen wonder dat hij zijn kaarten niet wil loslaten. Holden werd aangevallen en niemand heeft me daarvan tot nog toe op de hoogte gebracht.'

'Aangevallen is mijns inziens een wat te zwaar woord. Misschien heeft Michael het verkeerd gezien.' Mevrouw Bristowe stopte het verslagje weer in Holdens dossier. 'Maar u vroeg hoe uw zoon het doet als hij dezelfde lesuren volgt als de meeste andere leerlingen. Volgens zijn docenten gedraagt hij zich niet zoals de andere leerlingen; hij kijkt niet naar het bord en praat met niemand. Ook maakt hij nog steeds die fladderbewegingen waarover ik u vorig jaar heb verteld. Maar verder doet hij het goed in de klas, en hij haalt tot nog toe de hoogste cijfers voor zijn proefwerken.'

Tracy leunde achterover in haar stoel en probeerde te voorkomen dat er weer tranen in haar ogen schoten. 'En wat doen we dan nu?'

'Dat hangt van u af. In de klas doet niemand lelijk tegen Holden.'

'Maar als hij van het ene naar het andere lokaal loopt, komt hij misschien leerlingen tegen die dat wel doen.' Ze dwong zichzelf rustig te praten. 'Dat is toch zo?'

'Ja, daar hebt u helaas gelijk in.' Mevrouw Bristowe haalde haar schouders op. 'Als hij mijn zoon was, zou ik hem thuis aan zijn wiskunde laten werken.'

'Maar hoe moet hij ooit de overstap maken, als hij geen reguliere wiskundelessen kan volgen?' Nog voordat Holdens docente de kans had gekregen om antwoord te geven, wist ze het zelf al. Ze konden Holden niet toelaten tot het reguliere onderwijs, omdat hij de overstap niet kon maken. En dat kwam doordat hij geen baat had bij de therapie en er niets veranderde. Holden was sinds het afgelopen voorjaar niet vooruitgegaan en dat was de reden dat mevrouw Bristowe een ontmoedigde indruk maakte.

De docente legde haar handen gevouwen op haar bureau en keek Tracy recht aan. 'Ik heb een idee.'

Tracy had zich nog nooit zo verslagen gevoeld. Ja, ze bad nog steeds en dat zou ze ook blijven doen, maar had ze reden om te geloven dat er ooit iets zou veranderen voor Holden? 'En dat is?'

'Ik heb gezegd dat een commissie erover moet beslissen of Holden in het toneellokaal aanwezig mag zijn. Maar er is iets gebeurd wat die procedure heeft versneld.' Ze glimlachte, en haar ogen straalden voor het eerst sinds het begin van het gesprek. 'Het meisje aan wie Holden gisteren zijn flitskaarten liet zien, heeft gevraagd of Holden tijdens het zesde uur naar de repetities mag kijken. Onze dramadocent meneer Hawkins heeft daarin toegestemd.'

Tracy legde haar onderarmen op het bureau en probeerde te begrijpen wat mevrouw Bristowe daarnet had gezegd. 'Dat heeft zij voor hem gedaan gekregen?'

'Ja.' Mevrouw Bristowe zocht in het dossier naar nog een ander vel papier. 'Ik heb het idee voorgelegd aan het team docenten van de afdeling speciaal onderwijs, en iedereen heeft ermee ingestemd en daarvoor getekend. Nu mag u zeggen of dit kan doorgaan.'

'Natuurlijk.' Tracy maakte een geluid dat eerder op lachen dan op huilen leek. Ze raakte met haar vingers haar mond aan en zocht in haar handtas naar een pen. Vervuld van nieuwe hoop zette ze haar handtekening onder op het vel papier en gaf het terug aan mevrouw Bristowe. 'Wanneer... wanneer mag hij ermee beginnen?'

'Maandag.' De docente glimlachte. 'Ik weet dat Holden van muziek houdt. Dat hebben we altijd geweten. Maar hij heeft nu voor het eerst zelf het initiatief genomen, doordat hij aangaf dat hij in het toneellokaal wilde zijn. Hij zal het in ieder geval leuker vinden om achter in het toneellokaal te zitten dan met een bal over te gooien.'

'Ja.' Ze ging iets rechterop zitten. 'Ja, dat is zeker.' Hoe klein de stap ook was die Holden nu had gezet, het was een stap in de goede richting.

'Dat was alles, mevrouw Harris.' De docente stond op en gaf Tracy een hand. Ze pakte een ander dossier van haar bureau. 'Ik heb van alle documenten in zijn dossier een kopie voor u gemaakt.'

'Dank u wel.' Tracy keek de vrouw recht aan. 'Dit... dit was precies wat we nodig hadden.' Ze liep naar Holden toe. 'Tijd om mijn huis te gaan, jongen. Ik heb thuis al iets lekkers voor je klaarstaan.'

Holden haalde zijn kaarten uit zijn rugzak en bekeek ze

aandachtig. Uiteindelijk trok hij er een slordige kaart tussenuit, en liet hem aan Tracy zien. Deze keer stak Tracy niet haar hand uit om hem aan te pakken. De illustratie op de kaart bestond uit zwarte vlekjes die allemaal verschillend van vorm waren en eronder stond *Rozijnen.*

'Je vindt rozijnen lekker.' Tracy lachte breed, terwijl Holden overeind kwam en achter haar aan liep. 'Dan nemen we rozijnen.'

Op weg naar de auto leek Holden in de verte het rugbyveld te zien liggen. Hij bleef heel even staan, vouwde zijn handen, bracht ze naar zijn kin en bewoog zijn armen op en neer. Dit bekende gedrag duurde slechts een paar minuten, maar het maakte duidelijk dat Holden opgewonden was. Sinds Tracy het verslagje had gelezen, begreep ze waarom dat was.

'Kom mee, Holden. Er is niets aan de hand. We zijn bijna bij de auto. Kate komt zo dadelijk ook thuis.' Ze raakte even zijn arm aan, maar hij deed meteen een stap opzij. Terwijl ze doorliepen naar de auto nam hij zijn flitskaarten door en koos er één uit. Toen ze bij de auto aankwamen liet hij haar de kaart zien. Er stond een tv-scherm op en het woord *Film.* Hij maakte geen oogcontact.

'Ja, Holden, we gaan film kijken. Natuurlijk.' Tracy maakte een geringe beweging met haar hoofd, in de hoop om oogcontact te maken met Holden. Het gebeurde niet. Ze stapten in en Holden keek de hele weg naar huis stilletjes uit het raam.

Ze haalden Kate van de bus en zodra ze thuis waren, maakten Tracy en Kate iets te eten klaar. Tracy voegde er als extraatje rozijnen aan toe. Holden bracht zijn kaarten mee naar de tafel, maar zijn aandacht bleef op het eten gericht. Kate kwebbelde aan één stuk door, een en al vrolijkheid en zonneschijn, en Holden legde tussen de happen door zijn rozijnen op een rijtje op de rand van zijn bord. Tracy vroeg zich af of er verband bestond tussen deze handelwijze en wat Holden voelde of meemaakte. Zou het zo kunnen zijn dat hij in de rondte draaide en rozijnen op een rijtje legde, omdat dat hem hielp met zijn gevoelens of met bepaalde gebeurtenissen om te gaan?

Tracy geloofde vast dat er op de een of andere manier een verband tussen bestond. Dat er een reden was voor alles wat Holden deed, voor al zijn grillige gedragspatronen, voor ieder uur dat hij zweeg. De kunst was nu erachter te komen wat het verband was, en daar was ze al iedere dag naar op zoek geweest sinds bij Holden de diagnose was gesteld.

Toen Holden zijn bord leeg had, wekte hij de indruk dat hij onrustiger was en zich krampachtiger bewoog dan anders. Toch ging hij wel op zijn plaatsje op de vloer zitten en Kate ging naast hem zitten. Het leek erop dat zij aanvoelde dat er iets mis was met Holden, dat hij behoefte had aan haar gezelschap terwijl hij naar de film keek. Wat er ook de reden van was, Kate was het dagelijkse ritueel nog niet zat geworden. Daar was Tracy dankbaar voor. Kate had een goede invloed op Holden. Ook als hij onrustig was, was hij zich bewust van haar aanwezigheid. Ze had hem er onlangs zelfs een keer op betrapt dat hij voor en na de film even naar Kate keek.

Tracy wachtte tot het introductiefilmpje op de dvd langsgekomen en het lied afgelopen was. Zolang als ze zich kon herinneren had ze dat iedere dag gehoord. Toen begon het filmpje.

Vandaag wilde Tracy er niet aan herinnerd worden dat Holden zo'n fantastisch, extrovert jongetje was geweest. De keuken moest nodig worden schoongemaakt en het wasgoed gesorteerd. Kate was nog klein, maar een kind extra in huis zorgde voor meer werk en Tracy was blij met de afleiding. Ze was onderweg naar Holdens kamer toen ze iets zag wat haar ogenblikkelijk stil deed staan.

Holden zat niet in kleermakerszit, zoals altijd. Kate en hij waren opgestaan en draaiden in het rond.

Ze had het misselijkmakende gevoel dat ze door een ijzige, winterse windvlaag werd getroffen die haar de adem benam. *Nee, Holden, die kant moet je niet opgaan. Dan ga je alleen nog maar verder bij me vandaan.* Ze wilde naar hem toe gaan, hem bij de schouders beetpakken, hem recht aankijken als dat mogelijk was, en hem smeken hier bij haar te blijven.

Ze had twee stappen in zijn richting gezet toen ze keek naar wat er op het televisiescherm te zien was. Meteen bleef ze weer stilstaan, te verbijsterd, te geschokt om door te lopen. Het was de scène waarin Holden en Ella *Jezus houdt van mij* zongen. Maar dat was niet het enige wat ze deden.

Ze waren ook aan het dansen.

'Holden...' fluisterde ze. Ze wilde nu niet meer tussenbeiden komen.

Met haar armen in de lucht draaide Kate rondjes om hem heen. 'We zijn aan het dansen, Holden!' Giechelend deed ze een paar huppelpasjes. 'Ik vind dansen heerlijk!'

Holden reageerde er niet op, maar zijn rondjes werden eerst groter en toen weer kleiner. Er was nog iets wat opviel bij Holden: zijn ogen waren dicht.

Tracy keek van de twee dansende peuters op het scherm naar haar zoon en Kate en weer terug, en opeens wist ze heel zeker wat hier aan de hand was. En daardoor ook wat er de vorige dag in de gymzaal was gebeurd. Ze was daar zo zeker van dat ze het liefst mevrouw Bristowe had gebeld om haar te vragen onmiddellijk hiernaartoe te komen. Ze was niet meer misselijk en haar mondhoeken gingen als vanzelf omhoog. Holden was iets aan het doen wat hem ooit heel blij had gemaakt, iets wat hem verbond met een vriendin en hem had doen lachen van blijdschap. Hij draaide niet in het rond omdat hij achteruitging. Dit was misschien zelfs de verklaring voor het feit dat hij in het rond had gedraaid toen hij vijf en zes jaar oud was. Hij gedroeg zich niet zo omdat hij dwars, lastig, onrustig of overprikkeld was. Er was een eenvoudige, prachtige reden voor dat hij in het rond draaide. Ergens in die eigen wereld van hem was Holden met iets bezig wat hij heel graag deed.

Hij was aan het dansen met Ella.

8

De Engelse les was voorbij en Ella verliet als een van de laatste leerlingen het lokaal. Toen ze de gang op liep zag ze Jake en Sam. Ze hield haar pas in en kon haar ogen niet geloven. De jongens dreven alweer een scholier in het nauw. Na het voorval met Holden had Ella er 's avonds een uur lang met Jake over gepraat.

'Dat was niet grappig,' had ze tegen hem gezegd.

'Sorry.' Hij had weer een vriendelijke, oprechte blik in zijn ogen gehad en haar haar aangeraakt. 'We bedoelden het niet kwaad.'

Ella had hem willen geloven, maar deze keer was zijn slachtoffer Michael Schwartz, een rustige, artistieke jongen die de afgelopen jaren verschillende keren bij Ella in de klas had gezeten. Hij speelde in het schoolorkest op de dwarsfluit en werd waarschijnlijk een van de solisten in de schoolmusical *Belle en het Beest*. Het afgelopen jaar hadden ze allebei bij het groepje gehoord dat de lessen maatschappijleer volgde. Toen hadden ze met elkaar moeten praten over hun familie. Ze wist nog dat Michael en zij er allebei niet veel voor hadden gevoeld om te praten over wat er thuis voorviel.

'Mijn ouders zijn aan het scheiden.' Michael was rustig en lang niet zo zelfverzekerd als veel andere kinderen. 'Ik heb het daar eigenlijk nooit over.'

En nu was haar vriend, die jongen die afgelopen zomer zo fantastisch had geleken, Michael aan het pesten. Ella hield de jongens in de gaten,. Ze kon gewoon niet geloven dat ze dit deden. Net zoals ze Holden in het nauw hadden gedreven, maakten ze het Michael moeilijk. Ze wilde er zeker van zijn dat dit niet van twee kanten kwam. Misschien had Michael eerst ruzie met hen gezocht.

'Hé, bloemenjongen.' Jake gaf een tik tegen de plek op Michaels rugzak waar een paar bloemen in de stof waren verwerkt. 'Wat voor watje loopt er rond met bloemen op zijn rugzak?'

Ella werd witheet van woede. Wat hier ook gaande was, Michael had er part noch deel aan. De jongen wilde gewoon doorlopen, maar het was onmogelijk om Jake en Sam voorbij te lopen zonder letterlijk met hen in botsing te komen. Het liefst was ze naar de jongens toegerend om hen opzij te duwen, maar wat voor indruk zou dat geven? De kans was groot dat Michael dan nog meer overkwam als een slachtoffer en dat zou het er voor hem alleen maar erger op maken. In plaats daarvan bleef ze ziedend staan waar ze stond.

Nu was het Sams beurt om Michael te jennen. 'Wat moet je, mafkees? Heb je soms iets tegen rugbyspelers?' Het was vrijdag, wedstrijddag, en Jake en hij hadden hun sporttenue aan. 'Zijn we te veel man voor jou, fluitspeler?' Hij moest er zelf hard om lachen. 'Ik heb me laten vertellen dat alleen homo's op de dwarsfluit spelen.' Sam paradeerde heen en weer terwijl hij deed alsof hij op een dwarsfluit speelde.

Ella kookte van woede. Jake had voor haar afgedaan. Ze wilde niets te maken hebben met een jongen die andere scholieren op deze manier behandelde. Ze liep een stukje in hun richting, maar iets weerhield haar. Michael was niet in gevaar, en ze moest er ook niet voor zorgen dat hij een zwakkeling leek.

'Ik ben geen homo.' Michael keek tussen zijn lange, zwarte haar door naar Sam. 'Opzouten nou.'

'Je meent het.' Jake gaf de jongen een duw. 'Zet je een grote mond op tegen mijn vriend Sam?'

Ella kon zich geen minuut meer afzijdig houden. Ze

stormde op de jongens af, met de bedoeling Jake aan de kant te duwen. Op datzelfde moment kwamen er drie andere rugbyspelers aanlopen, en Ella hield zich opnieuw in. Jakes teamgenoten leken al heel snel door te hebben wat er gaande was, en een van hen gaf Jake een duwtje.

'Laat de jongen met rust.' Deze rugbyspeler heette Brian Brickell. Hij had in de loop der jaren ook een aantal keren bij Ella in de klas gezeten. 'Kom op, zeg, pest iemand die net zo groot is als jij.'

Het leek er eerst op dat Jake zijn teamgenoot zou uitkafferen, maar in plaats daarvan gaf hij Sam een klap op de rug en snauwde tegen Michael: 'Blijf bij me uit de buurt!'

Michael zei niets. Hij nam de gelegenheid te baat om zich uit de voeten te maken, zonder nog een keer over zijn schouder te kijken. Sam riep hem na: 'Ja, goed zo. Kijk maar niet achterom, homo. Dit is onze gang. Fluitspelers zijn er niet welkom!'

Ella keek Jake na. Ze walgde zo van hem dat ze hem het liefst nu meteen in het bijzijn van zijn vrienden de huid vol had gescholden, maar ze voelde zich te ellendig om iets te zeggen of in beweging te komen. Ze zou hem straks wel vertellen dat het uit was.

Ze keek de andere kant op en zag hoe Michael Schwartz het gebouw uit rende. Ze overwoog even achter hem aan te gaan om hem te vertellen dat het haar speet dat Jake zich zo misdragen had. Dat het haar speet dat ze niet tussenbeiden was gekomen. Maar Jake zou dat zien en dan ontstond er een lastige situatie.

In plaats daarvan draaide ze zich om, om via een zijdeur naar buiten te gaan. Wat mankeerde de jongeren op het Fulton? De school had meer jongens als Brian Brickell nodig, die lieten blijken dat niet alle rugbyspelers waren zoals Jake en Sam.

*

Ella zag Jake pas twee uur later tussen twee lesuren in. Hij kwam met een verongelijkt gezicht op haar af. 'Je hebt me na Engels niet eens gedag gezegd.'

Ze bleef staan en keek hem onderzoekend aan. 'We moeten praten.'

Hij deed zijn best om met zijn brede lach bij haar in het gevlij te komen. 'Waarover?'

'Over ons.' Zij lachte niet. 'Ik heb heel dat gedoe met Michael Schwartz gezien.'

Jake fronste zijn wenkbrauwen en lachte iets nerveuzer dan daarnet. 'Wie?'

'De fluitspeler.' Ze zette haar hand in haar zij. 'Houd je maar niet van de domme, Jake. Ik heb alles gezien.'

'O, dat.' Hij lachte nog steeds, maar met minder zelfvertrouwen. 'Dat heb ik je toch al verteld, schatje. Dat doen de jongens en ik nu eenmaal.' Zijn lachen werd nog nerveuzer dan daarnet. 'We houden andere jongens voor de gek. Het stelt allemaal niet veel voor.'

Ze keek hem strak aan. 'Ik vind van wel.' Een blik op haar telefoon maakte haar duidelijk dat haar volgende lesuur zo dadelijk begon. 'We moeten praten.'

'Mij best.' Jake stak zijn handen omhoog, zogenaamd als teken dat hij zich overgaf. 'Doen we.' Hij haalde zijn schouders op en maakte aanstalten om de andere kant op te lopen. 'Je zegt het maar, Ella.'

'Ja,' riep ze terug, 'dat zal ik zeker doen.'

Zonder hem nog een blik waardig te keuren liep ze snel de trap op. In de lunchpauze ging ze niet naar het plein, maar naar de vleugel waar de schoolkantine was voor de jongeren die speciale begeleiding nodig hadden. Holden had toestemming gekregen om vanaf maandag hun repetities voor *Belle en het Beest* bij te wonen. Ella vroeg zich af of hij begreep dat hij zijn zin had gekregen.

Terwijl ze door de vleugel voor speciaal onderwijs slenterde, probeerde ze zich voor te stellen wat hij altijd in de lunchpauze deed. Waarschijnlijk ging hij niet meer naar trigonometrie, want ze had hem daar de laatste tijd niet meer op de gang gezien. Als hij dat lesuur had laten vallen, had hij geen enkele reden meer om buiten over het schoolplein te lopen of door de gang met de wiskundelokalen, zoals hij die eerste week had gedaan.

Ella kwam bij de kleinere kantine aan en stapte naar binnen om even rond te kijken. Holden zat alleen aan een tafeltje zijn flitskaarten te bekijken. Ella wilde met hem praten, maar wist niet wat ze moest zeggen. Hoe moest ze contact met hem maken? In plaats daarvan ging ze naar de bibliotheek. Ze nam liever haar geschiedenisles door dan dat ze optrok met Jake en de anderen uit haar groepje.

Als ze eerlijk was, moest ze zeggen dat Holden haar nieuwsgierig maakte. Als hij naar haar keek, was het alsof ze een glimp van zijn hart te zien kreeg. En uit wat ze dan zag, maakte ze op dat Holden aardig, goed en oprecht was. Het zou best eens zo kunnen zijn dat hij het grootste hart had van alle jongeren op het schoolplein. Ze wilde hem leren kennen zoals hij werkelijk was.

De hele middag moest ze aan Holden denken, en ook nog nadat het Fulton weer een overwinning had behaald, deze keer op Duluth. Na de wedstrijd stelde LaShante voor om allemaal met Ella mee naar huis te gaan. Dat deden ze wel vaker sinds het groepje voor het eerst naar de middelbare school was gegaan. In het souterrain van de Reynolds was een heel grote recreatieruimte met een pooltafel, lekkere banken en een enorme flatscreen. Waar konden ze hun vrije tijd beter doorbrengen? Haar moeder zorgde er bovendien voor dat er voor iedereen genoeg te snaaien was. Daarom konden ze altijd maar beter daarnaartoe gaan dan rondhangen op de parkeerplaats van Stone Mountain.

Ella vond het meestal fijn als er een groep met haar mee naar huis ging, maar toen het feestje goed op gang kwam had Ella er spijt van dat ze ja had gezegd. Er kwamen meer mensen dan ze had verwacht, en drie van haar vriendinnen waren kwaad op elkaar omdat een van hen iets tegen de ander had gezegd over het vriendje van die vriendin. Of andersom. Dergelijke drama's speelden zich vaak af op vrijdagavond, maar deze keer zat het Ella meer dwars. Ze vroeg zich af wat jongeren als Holden en Michael Schwartz vanavond aan het doen waren.

Ze rende naar boven om de schaal met chips bij te vullen. Ze ging ervan uit dat ze Jake en zijn vrienden bij haar moeder in de keuken zou aantreffen. Jake stond vaak met haar moeder te kletsen, maar deze keer was hij er niet. Ze liep naar buiten, omdat ze verwachtte dat hij daar zou zijn. Ze vond hem, leunend tegen het bordes. Hij keek uit over hun zorgvuldig onderhouden achtertuin.

Ella deed een paar stappen dichter naar hem toe. 'Jake?' Dit was eigenlijk wel een goed moment om het uit te maken. 'Wat ben je aan het doen?'

'Aan het nadenken.' Hij draaide zich naar haar om. 'Het spijt me, Ella. Je had gelijk.' In de korte stilte die nu viel, was van zijn gezicht af te lezen dat hij het echt meende. 'Ik ben de laatste tijd een etterbak geweest.' Hij stak zijn hand naar haar uit.

Ella sloeg haar armen over elkaar en Jake liet zijn hand zakken. Hij had kennelijk door dat hij er niet zo gemakkelijk van afkwam.

'Ik weet niet... Het is alsof het slechtste in me bovenkomt als ik met de jongens samen ben.'

Heel even zag ze Holden en Michael voor zich. 'De jongens?' Ze hield voet bij stuk. 'Heeft het daarmee te maken?'

'Ja.' Het klonk berouwvol. 'Het is gewoon... Ik weet niet,

onvolwassen waarschijnlijk.' Hij zweeg even, maar niet zo lang dat zij erop kon reageren. 'Ik moet steeds denken aan afgelopen zomer, aan ons uitje naar het strand. Hoe we in het zand naar de zonsondergang zaten te kijken en praatten over wat we allemaal zouden doen.'

Ella wist dat ook nog goed, maar ze bleef nuchter reageren. Ze had haar besluit genomen. 'Ik vond jou bijzonder.'

Hij tuitte zijn lippen, onmiskenbaar boos op zichzelf. 'Ik wil dat je weer zo over mij gaat denken.'

Heel even kwam Ella in de verleiding om toe te geven; om tegen hem te zeggen dat zij dat ook graag wilde, omdat dat de Jake was op wie ze in de zomer verliefd was geworden. Maar voordat ze iets kon zeggen, zag ze weer voor zich hoe Jake samen met Sam Michael had uitgelachen en hem voor schut had gezet. En ook zag ze weer voor zich hoe ze Holden hadden behandeld. Ze kreeg het er opnieuw koud van en ze nam zich vastberaden voor niet voor zijn charme te bezwijken. 'Ik moet je iets vertellen.'

'Wat dan, schat? Zeg het maar.' Jake stond nog steeds tegen het bordes geleund, zijn handen in zijn zakken en zijn lange benen iets voor zich uit. Zoals hij daar stond in het maanlicht was hij het toonbeeld van zelfvertrouwen en sportiviteit.

'Ik wil dit niet.' Al keek hij haar nog zo vriendelijk aan, ze liet zich niet van de wijs brengen. 'Verkering met jou en alles wat daarbij hoort.'

Hij hield zijn hoofd een beetje schuin, alsof hij haar niet goed had verstaan. 'Heb je meer tijd nodig? Dat is prima. Dat begrijp ik.'

'Nee, daar gaat het niet om.' *Zo aardig als hij nu doet, is hij helemaal niet*, zei ze bij zichzelf. Zijn ware gezicht zag ze pas als hij op het schoolplein jongens pestte die zwakker waren dan hij. 'Ik wil geen verkering meer met jou.' Het klonk eerder moe dan boos. 'Het is uit.'

'Wat?'

'Doe nu maar niet alsof je verbaasd bent, Jake.' Ze deed een stap achteruit en wreef over haar armen. Het was vanavond fris buiten; nog even en het was alweer herfst. Met een triest lachje voegde ze eraan toe: 'Ik ken je niet eens goed.'

Hij deed zijn best om haar op andere gedachten te brengen, maar opeens was het alsof hij een knop omdraaide. Hij werd chagrijnig en gaf de moed op. 'Nou, goed... Ik zie je vast nog weleens.'

'Ja.' Ella deed een stap opzij om hem door te laten toen hij weer naar binnen ging. 'Vast.'

Jake vertrok, en een paar minuten later hoorde ze hem met gierende banden de straat uit rijden. Ze ging stil in een hoekje zitten, totdat het feest als een nachtkaars uitging. Het was al over enen toen ze naar bed ging, en haar moeder zat nog achter de computer op Facebook. Haar broers waren ondertussen ook thuisgekomen en volgens Ella stonken ze naar alcohol. Ze gedroegen zich ook vreemd.

Fantastisch, dacht ze. *Het hele gezin maakt er een potje van.* Haar vader was natuurlijk met het honkbalteam op reis, maar hij had al tien wedstrijden op de bank gezeten. Het was alsof alles om haar heen in elkaar stortte.

De volgende dag was het niet veel beter.

's Middags om een uur was de wedstrijd van haar vader en van alle gezinsleden werd verwacht dat ze erheen gingen. 'Maar als ik nu huiswerk moet maken?' Ella nam aan dat ze er zo onderuit kon komen.

Maar haar moeder nam niet eens de tijd om haar aan te kijken. 'Je huiswerk kun je later doen. Je vader verwacht dat we er allemaal zijn.' Ze was die ochtend weer naar de zonnebankstudio geweest en haar botoxinjecties waren ingewerkt, maar haar gezicht stond nog zo strak dat het aandeed als een masker. Ze droeg een zwarte spijkerbroek, laarzen met hoge hakken en een strakzittend, laag uitgesneden T-shirt. Ze lachte naar Ella. 'Hoe zie ik eruit?'

'Raar.' Ella wist niet wat ze anders moest zeggen.

'Zoiets zeg je niet tegen je moeder, Ella Jean.' De rimpels in haar moeders voorhoofd vielen meer op als ze boos was.

'Het is ook nooit goed.' Ella zette haar handen in haar zij. 'Je doet te veel je best om er jonger uit te zien.' Ze draaide zich om en liep weg.

'Ella, kom onmiddellijk terug.'

Ze bleef niet staan, keek niet achterom en zei pas weer iets tegen haar moeder toen ze met haar broers naar het sportveld reden om naar haar vaders wedstrijd te kijken. 'Dit is heel belangrijk voor je vader,' legde haar moeder uit. De hele auto rook naar haar parfum. 'Deze wedstrijd zou een keerpunt voor hem kunnen zijn.' Ze keek in de achteruitkijkspiegel om haar lipgloss te controleren. 'Ik ben blij dat jullie er allemaal bij zijn.'

Ze reageerden er geen van allen op. Ella had er een hekel aan om met z'n allen naar een wedstrijd te gaan. Ze voelde zich opgelaten als ze als het leuke gezin van Randy Reynolds allemaal tegelijk het stadion binnen paradeerden, zodat iedereen hen kon zien. Waar was dat goed voor? Ella hield haar zonnebril op. Haar leven leek wel een circus. Afschuwelijk vond ze het. De wedstrijd was zelfs vanaf hun zitplaatsen op de eerste rang een meelijwekkende vertoning. Hun vader stond maar één inning in het veld en sloeg drie keer een slagbal mis. Snuivend van woede liep hij terug naar de dug-out. Zij zaten pal naast de dug-out van de thuisploeg en haar broers begonnen te klappen om hem aan te moedigen, maar hij keek niet één keer hun kant op. Met een boos gezicht bleef hij voor zich uit staren.

Ella wilde maar één ding: naar huis. Vijf uur later werd aan haar wens voldaan. Haar broers gingen weer hun eigen gang, en haar moeder reed zo laat op de avond nog naar het fitnesscentrum om er een uur te trainen. Haar vader bleef uiteraard nog heel lang in het clubhuis. Ella was dus helemaal alleen in het grote huis van haar familie. *Ik vind dit afschuwelijk*, zei ze bij zichzelf. *Altijd zit ik hier in mijn eentje. Eenzaam en van slag.*

Ze sjokte naar boven, naar de rij kasten in hun ruime gang. Doelloos trok ze een paar kastdeuren open om te kijken wat erachter zat. In de vierde kast zag ze een stapel oude fotoalbums en plakboeken liggen. Ze haalde de stapel uit de kast en ging ermee op de grond zitten, haar rug tegen de muur ertegenover. Ze had verder toch niets te doen.

Ze bladerde in een plakboek met foto's uit de tijd dat ze in groep drie of vier zat. Haar broers waren toen nog klein en haar vader en moeder stonden meestal allebei op de foto's. Ella streek met haar vinger over de gezichten. Wat was er met haar familie gebeurd? Vroeger waren ze toch wel gelukkig geweest? Haar vader was natuurlijk vaak op reis, maar als hij thuis was gingen ze samen weekendjes weg of speelden de hele middag in het park. Als het 's zomers warm was, zwommen ze 's middags in het zwembad in de achtertuin.

Sinds wanneer gingen ze allemaal hun eigen gang?

Ze bladerde verder, totdat ze een foto tegenkwam die met Pasen was genomen. De drie kinderen stonden in hun zondagse kleren voor een mooie kerk. Ella bekeek de foto's aandachtig. Haar ouders hadden hen alleen maar met Pasen en Kerst meegenomen naar de kerk, voor zover zij zich kon herinneren. Maar ze had het idee dat er een tijd was geweest dat ze in God geloofde – in elk geval sterker in Hem geloofde dan de laatste tijd. Tegenwoordig praatten ze bij haar thuis nergens anders meer over dan over alledaagse dingetjes: de voetbalwedstrijden van haar broers, hun trainingen en hoe druk haar moeder het had met heen en weer rijden tussen het fitnesscentrum en de diverse schoonheidssalons. Ella en haar moeder praatten nooit echt met elkaar. Als ze per dag vijf woorden wisselden, was het veel en het ging dan altijd alleen maar om dingen als het avondeten, de afwas en huiswerk.

Ella legde het plakboek weer in de kast en pakte een album van de stapel dat er ouder uitzag. Voorop het album was een foto van Ella en haar ouders geplakt; zij was toen waarschijnlijk een jaar of twee, drie misschien. 'Zijn we elkaar toen kwijtgeraakt?' fluisterde ze. 'Nog voordat pa zijn geld ging verdienen met honkballen?'

Op de eerste pagina van het album zag ze foto's van haar ouders waarop ze blij en duidelijk verliefd waren. In die tijd verfde haar moeder zo te zien haar haar nog niet, en was ze een paar pondjes zwaarder. Niet veel zwaarder, maar net voldoende om er levensecht uit te zien – in plaats van de met veel kunst- en vliegwerk nagemaakte kopie van zichzelf die ze nu was.

Weer streek Ella met haar vinger over de foto. *God, als U bestaat, kunt U me dan vertellen wat er met mijn familie is gebeurd?*

Er kwam geen antwoord, maar dat verwachtte Ella ook niet.

Bij haar thuis werd eigenlijk nooit gebeden. Toen ze laatst naar Brian Brickell had gekeken, had ze even gewenst dat het anders was. Ze wist dat Brian christen was, omdat hij er openlijk voor uitkwam. Hij was aardig en hij nam het op voor jongens als Michael en Holden. En hij schreef Bijbelteksten in de zwarte strepen onder zijn ogen, zoals Tim Tebow dat ooit deed voor de Universiteit van Florida.

Voor deze ene keer wilde ze dat zij zo'n rotsvast geloof in God had.

Ze bladerde verder. De volgende bladzij was gevuld met foto's van een dagje aan het strand. Ella's ouders stonden erop, maar ook nog een ander echtpaar, en een jongetje van ongeveer dezelfde leeftijd als Ella. Op een van de foto's keken het jongetje en zij hand in hand naar de oceaan. Eronder was geschreven: *Ella en Holden op het strand van Tybee Island.*

Ella en Holden? Ze trok haar knieën op en hield het album dichter bij haar gezicht. Hoe heette die Holden verder nog?

Het jongetje en zij waren allebei zongebruind en blond – twee schatten van kinderen die onmiskenbaar dikke maatjes waren. Op nog weer een andere foto stonden ze met hun zessen. Haar familie en de familie van die Holden. Hun ouders zagen er blij en ontspannen uit, zoals mensen eruitzien als ze al een leven lang met elkaar bevriend zijn.

Ook deze keer bekeek Ella de foto's en bestudeerde aandachtig de gezichten. Ze kwamen haar geen van alle bekend voor. Haar ouders hadden vast geen contact meer met hen. Ella hield haar hoofd een tikkeltje schuin, verdrietig om wat ze kwijtgeraakt waren. Niemand won er iets bij als vriendschappen ophielden te bestaan. En deze mensen waren ongetwijfeld allang niet meer met elkaar bevriend, want Ella had geen flauw idee wie ze waren.

Op de volgende pagina's stonden dezelfde soort foto's. Onder een paar had haar moeder de namen van het echtpaar geschreven: Tracy en Dan, geen achternaam. En op alle andere kiekjes stonden Holden en zij. Wie hij ook was, hij had heel grote, blauwe ogen die haar min of meer bekend voorkwamen. Het was allemaal al heel lang geleden, maar misschien herinnerde ze zich er toch nog iets van.

Toen ze verder bladerde in het album, kwam ze bij een pagina met maar één uitvergrote foto, waarop zij en het jongetje samen dansten. Het zag er behoorlijk professioneel uit. Onder de foto...

Ella snakte naar adem. Haar voeten gleden naar voren en ze liet het album bijna vallen. Ze slaakte een kreet van verbazing.

Onder de prachtige foto stond: *Ella Jean Reynolds en Holden Benjamin Harris, drie jaar oud.*

Holden Harris? Zo heette die autistische jongen bij haar op school! Dat kon toch niet waar zijn? Ze had een jaar of tien met haar ouders in New York gewoond. Voor die tijd waren ze in Atlanta van Dunwoody naar Duluth verhuisd, en uiteindelijk vier jaar geleden van New York naar Johns Creek. Het jongetje op de foto's en de jongen die op het Fulton onder het lopen zijn armen op en neer bewoog, konden absoluut niet een en dezelfde persoon zijn. De jongen op de foto was normaal. Hij lachte en speelde en danste als een gewoon kind. Aan zijn ogen kon ze zien dat hij alles goed begreep en zich volledig bewust was van zijn omgeving, terwijl de Holden op het Fulton met een wezenloze blik in zijn ogen voor zich uit staarde.

Hoe langer ze naar zijn ogen keek, hoe duidelijker het werd. De jongen op de foto en de Holden op school hadden precies dezelfde ogen. En alsof ze naar een prachtige zonsopgang keek, begon het haar langzaam te dagen waarom Holden haar zo bekend was voorgekomen.

Lang geleden was Holden Harris haar beste vriend geweest.

Voorzichtig haalde ze een van de kleinere foto's van Holden en haar en een foto van hun ouders uit het album. Er moest ooit iets helemaal fout zijn gegaan. Hoe waren de twee gezinnen met elkaar in contact gekomen en wat had ertoe geleid dat ze elkaar nooit meer zagen? Maar de belangrijkste vraag was: hoe kon Holden er zo normaal uitzien op de foto's, terwijl hij nu overduidelijk niet normaal was?

Opeens moest ze aan de kaart denken die Holden haar had laten zien, de eerste keer dat ze hem langs het toneellokaal had zien lopen. Op de kaart hadden twee ogen gestaan en de woorden *Ik zie*. Hij had niet gedaan alsof hij haar kende, en hij had ook niets gezegd waaruit ze had kunnen opmaken dat hij haar herkende. Maar misschien hadden de woorden op zijn flitskaart een diepere betekenis. Het was misschien een poging geweest om haar te vertellen dat hij haar kende, dat hij in haar het kleine meisje kon zien dat ze geweest was – lang geleden. Dat zou toch kunnen?

Ella kwam er niet uit. Ze legde de albums weer in de kast

en ging beneden in het kantoortje van haar vader op zoek naar een lege dossiermap. Ze stopte de foto's erin en liep snel naar de dichtstbijzijnde computer. Haar speurtocht zou de hele nacht kunnen duren, maar dat kon haar niet schelen. Ze wilde per se te weten komen waarom Holden zo was veranderd, en hoe het kwam dat ze niet meer met elkaar bevriend waren. Om te beginnen googelde ze slechts één woord: *autisme.*

9

Tracy slaagde erin het toneellokaal binnen te komen en er plaats te nemen zonder Holdens aandacht te trekken. Er stonden ongeveer honderd stoelen in de ruimte en er was een klein podium, dat net groot genoeg was voor de repetities. Tracy probeerde rustig te blijven. Holden keek vandaag voor het eerst toe bij een repetitie, en Tracy was dankbaar dat mevrouw Bristowe haar toestemming had gegeven om er ook bij te zijn. Als Holden een woedeaanval kreeg, kon zij hem het beste helpen om weer rustig te worden.

Ze had er het hele weekend naar uitgekeken. Ze had Dan zelfs gebeld om hem het nieuws te vertellen. 'Holden mag toekijken bij de repetities van een dramaklas.'

De stilte aan de andere kant duurde iets te lang. 'Is dat goed voor hem?' vroeg Dan. Het klonk niet sarcastisch, eerder beduusd.

Tracy wilde niet dat zijn reactie haar enthousiasme temperde. 'Ja, natuurlijk. Het is een gewoon lesuur. Holdens therapeuten denken dat luisteren naar muziek hem zou kunnen helpen om zich iets beter te uiten.'

'Echt waar?' Dan stond zeker buiten, want op de achtergrond hoorde Tracy de wind huilen. 'O, maar dan... dat is geweldig.' Er viel een ongemakkelijke stilte. 'Zeg tegen hem dat ik van hem houd.'

Het gesprek duurde niet lang. Dan vertelde haar dat hij het nog steeds niet zo erg naar zijn zin had op de garnalenboot. Het gebied werd voortdurend geteisterd door stormen en hij was zijn longontsteking nog niet helemaal te boven. Tegen de tijd dat ze als afscheid tegen hem zei dat ze van hem hield, was ze bijna vergeten hoe opgewonden ze was geweest.

Maar nu ze hier achter in het lokaal zat en de repetitie zo dadelijk zou beginnen, kostte het Tracy moeite om op haar stoel te blijven zitten. Holden zat een paar rijen voor haar, maar toch nog een heel eind verwijderd van de andere leerlingen. Tracy was blij dat Holden haar niet kon zien. Ze wilde niet dat ook maar iets hem zou afleiden van deze buitenkans. Ze was er nog steeds van overtuigd dat Holden vorige week in het gymlokaal niet alleen maar ongezeglijk was geweest. Hij was daar aan het dansen geweest. Misschien had hij in gedachten met Ella gedanst, het vriendinnetje van zo veel jaren geleden. Hij had in het toneellokaal muziek gehoord, was stil blijven staan om te luisteren en was een poosje later, met de muziek nog steeds in zijn hoofd, gaan dansen.

Ja, zo moest het zijn gegaan, en zo ongewoon was dat toch niet?

Ze had mevrouw Bristowe die ochtend opgebeld om haar te vertellen wat ze had bedacht, maar de vrouw had niet meteen met die gedachte ingestemd. 'Dansen is een heel sociale activiteit.' Ze zei het op een toon die aangaf dat zij, met haar opleiding, het beter wist dan Tracy. 'Holden heeft een stoornis in het autismespectrum waarbij geen sprake is van socialisatie. Hij is compleet non-communicatief.'

Hierover hadden ze het al eerder gehad. 'Afgezien van de fliskaarten.'

'Ja, inderdaad, maar incidenteel gebruikmaken van een flitskaart is heel iets anders dan begrijpen dat je zin hebt om te dansen. Er is veel therapie voor nodig om zover te komen. Rondjes draaien, je armen op en neer bewegen... Dat soort herhaalgedrag is typerend voor jongeren met autisme.'

Tracy had geen zin om met de vrouw in discussie te gaan en ook niet om tijd te verspillen aan pogingen om uit te leggen hoe het werkte bij Holden. Hier, in het toneellokaal, kon ze het over een paar minuten met eigen ogen zien. Tot het zover was, bad ze geluidloos voor haar zoon. *Vader, dit is een kans... Misschien is dit het begin van het wonder waar ik om heb gevraagd. Wees Holden alstublieft nabij, Vader. Maak dat hij de repetitie niet verstoort. Als hij dat wel doet... Tja, als hij dat wel doet, mag hij hier niet blijven. Helpt U hem daarom, alstublieft.*

WACHT RUSTIG AF, DOCHTER, EN JE ZULT ZIEN HOE IK VOOR JOU DE OVERWINNING BEHAAL.

Het antwoord was krachtig en adembenemend. Heel haar hart, ziel en verstand raakten er zo van vervuld, dat ze er vol verwachting naar uitkeek. God was hierbij betrokken. Ze kon voelen dat Hij aan het werk was. Zij hoefde alleen maar rustig af te wachten en te zien wat het komende uur zou brengen.

Meneer Hawkins ging voor de klas staan en vertelde dat ze aan de slag zouden gaan met het lied van Belle. 'Deze keer zing je alleen wanneer jouw rol aan de beurt is. En jullie weten allemaal wat voor rol jullie hebben. De bakker, de boekhandelaar, Belle...' Teleurgesteld keek hij om zich heen. 'Waar is eigenlijk onze Belle? Ze had nu toch hier moeten zijn.'

Tracy keek aandachtig naar de dramadocent. Hij maakte een vermoeide indruk, alsof hij betwijfelde dat deze leerlingen het werkelijk voor elkaar zouden krijgen om volgend voorjaar de musical op te voeren. Ze zette die gedachte uit haar hoofd. Het ging nu niet om het lesuur drama, maar om Holdens reactie op de muziek. Ze keek naar zijn achterhoofd. Het lichtbruine haar was donkerder dan toen hij klein was, en het golfde nu enigszins. Meestal was dat echter niet te zien omdat hij zijn haar kort droeg. Tracy besloot niet meer naar zijn haar en knappe gezicht te kijken, maar haar aandacht te richten op de jongen die in zichzelf opgesloten zat. Wat voelde hij op dit moment? Was hij bang, opgewonden of heel benieuwd? Ze had er net als altijd geen idee van. Ze kon alleen maar zien wat iedereen kon zien. Hij was er en had een plekje uitgekozen, een heel eind bij alle andere jongeren vandaan.

Voordat meneer Hawkins begon te spelen, kwam een knap meisje het lokaal binnengerend. Ze ging op de voorste rij zitten, haalde haar script tevoorschijn, keek achterom naar Holden en glimlachte. Tracy kon niet zien hoe Holden daarop reageerde, maar het leek erop dat hij het meisje aankeek. Recht aankeek.

Meneer Hawkins keek even haar kant op. 'Fijn dat jij er nu ook bent, Belle.'

'Sorry.' Ze was zo te horen echt kwaad op zichzelf. 'Ik moest mijn script nog thuis ophalen.'

'Dat is dan wel meteen de laatste keer geweest,' zei de docent terwijl hij haar blik vasthield.

'Ja, meneer,' antwoordde ze en het speet haar zo te zien echt. Ze bleef recht voor zich uit kijken en sloeg haar script op.

Tracy vroeg zich af of het knappe meisje degene was geweest die ervoor gezorgd had dat Holden een plek in de klas had gekregen. Waarom zou ze anders naar hem hebben omgekeken toen ze binnenkwam? Tracy nam zich voor het meisje te bedanken, al wist ze absoluut niet wie ze was.

De leerlingen stonden op toen de muziek begon. Het meisje dat te laat was gekomen, zette het lied in. Ze had een heldere, mooie stem. Tracy glimlachte. Ze twijfelde er geen moment aan dat dit meisje een fantastische Belle zou zijn. Tracy was onder de indruk. De andere leerlingen zetten in wanneer hun lied aan de beurt was. Dit zou een heel professionele voorjaarsproductie worden.

Tracy kon alleen de rug van de leerlingen zien, maar ze ging zo op in het lied dat ze Holden bijna vergat. Toen ze weer naar hem keek, schoten er tranen in haar ogen. Wat ze zag, was precies wat ze had gedacht. Holden zat niet meer op zijn stoel naar het plafond of het lege tafeltje voor hem te kijken. Hij was opgestaan en deed precies wat leek te passen bij de muziek. Alle anderen hadden waarschijnlijk het idee dat Holden keer op keer in het rond draaide om uiting te geven aan wat hij op dat moment voelde, maar Tracy wist beter.

Holden was aan het dansen.

*

Nadat zijn dramaleerlingen het lied een paar keer hadden gezongen, laste Manny een korte pauze in. Het eerste lied klonk goed, vond hij, en het werd tijd om iets anders te gaan doen. Hij studeerde de muzieknummers nooit op volgorde in. De moeilijkheidsgraad was zijn leidraad. *Belle* was een van de moeilijkste stukken voor een ensemble en daarom wilde hij hierna het minder tijdrovende nummer *Dood het Beest* instuderen.

Hij moest het repetitierooster nog een keer voor Holdens moeder kopiëren, zodat ze kon zien welke repetities haar zoon kon bijwonen en welke vooral niet. Tot nog toe had de jongen het heel goed gedaan. Hij had af en toe op één plek rondgedraaid, maar verder waren er geen storende dingen gebeurd. Manny liep zijn eigen werkkamer naast het toneellokaal binnen. Hij zocht het rooster op en bleef even bij het raam staan. Twee verdiepingen lager, circa honderd meter verderop, was het rugbyteam aan het trainen. Vanmorgen was aan de leerlingen van het Fulton bekendgemaakt dat hun rugbyteam nog ongeslagen was. 'Jullie mogen trots op hen zijn. Heel trots,' had de schooldirecteur tegen de leerlingen gezegd.

Met half dichtgeknepen ogen keek Manny naar de horizon. Voor deze ene keer durfde hij het aan op iets te hopen wat zich in de tijd dat hij docent was op het Fulton nog nooit had voorgedaan: dat de musical de leerlingen datzelfde gevoel zou geven.

Hij ademde langzaam diep in en keek naar het repetitierooster in zijn hand, dat hij voor Holden had uitgeprint. De aanwezigheid van de jongen bracht iets teweeg waarvan hij opleefde. Waardoor zijn leven opnieuw zin kreeg. Als een jongere als Holden Harris ook maar enigszins baat kon hebben bij zijn afgezaagde lesprogramma drama, dan had hij zich toch niet helemaal voor niets ingezet voor het onderwijs op deze school. Toen de jongeren vandaag *Belle* zongen, was Manny onwillekeurig even enthousiast geworden. Het lied klonk fantastisch. Misschien was er toch kans op dat de musical een succes werd. Dat zou wereldkundig gemaakt kunnen worden. De school zou in dat geval achter hen staan. Ja, wie weet wat er nog kon gebeuren.

Jaren geleden zou Manny op een moment als dit hebben gebeden, maar hadden zijn gebeden ooit geholpen? Niet bij zijn scheiding en ook niet bij de daaropvolgende strijd om de voogdij over zijn twee dochters. Zij woonden nu in Los Angeles bij hun moeder. Nadien had hij vrijwel niet meer gebeden. Maar sinds Holden vandaag bij de achterste rij stoelen in het rond had gedraaid, was de aandrang om te bidden zo sterk geweest dat Manny voor het eerst in twintig jaar met God sprak.

Hij sloot zijn ogen. *Hier ben ik dan weer, God. Misschien weet U het niet meer, maar ik ben de man die U bent vergeten.* Manny voelde zich opeens schuldig; het sneed hem door de ziel. *Misschien is dat niet waar, God, maar ik had wel degelijk het gevoel dat U me was vergeten.* Het kostte hem moeite om de juiste woorden te vinden. Tijdens het lesgeven had hij nooit reden om te haperen, maar nu hij met God sprak... dat was moeilijker. *Hoe dan ook, God, er is hier een jongen aanwezig, Holden Harris heet hij, die het heerlijk vindt om ons te horen repeteren. Nu vroeg ik me af of... of U misschien iets voor hem kunt doen. Hij heeft autisme, God. Misschien kan de muziek hem bevrijden uit het wereldje waarin hij zit opgesloten, en misschien kan hij dan een heel andere jongen worden.* Hij voelde zich eigenlijk te schuldig om verder nog iets te vragen, maar hij kon nu niet meer terug.

Als God echt luisterde, kon Manny Hem maar beter alles tegelijk vragen. *Nog één ding, God. Er zal volgend jaar geen sectie drama meer zijn als de leerlingen niet komen kijken. Ik weet niet hoe ik ervoor kan zorgen dat ze komen, maar ik heb het idee dat U dat wel kunt. Als U dat probleem kunt oplossen, zou ik... zou ik verwonderd zijn, omdat daar een wonder voor nodig is. Bedankt dat U naar me hebt willen luisteren, God. Het spijt me dat ik zo lang niet gebeden heb.*

Hij deed zijn ogen open. 'Amen.' Hij keek nog één keer uit het raam voordat hij terugkeerde naar het toneellokaal. 'Neem je plaats weer in, babbelzieke jongelieden.' Dit was Manny's *modus operandi*: spreken alsof hij op Shakespeare was afgestudeerd. 'Jullie hebben nu lang genoeg gelanterfant.'

Het ontging hem niet dat de leerlingen giechelden om zijn woordkeuze. Hij vond het heerlijk om hen uit te dagen hun beperkte woordenschat te vergroten. Zij vonden dat ook leuk, maar hij had er een tijdje niet zo veel moeite voor gedaan. Hij keek het lokaal rond. 'Blijf maar staan.' Dertig leerlingen stonden dicht bij elkaar op de eerste paar rijen voor hem. 'Wie van jullie kent de muziek van deze musical?'

Bijna iedereen stak zijn hand op.

Manny wierp even een blik op Holden. Hij stond ook, maar hij draaide niet meer in het rond. Zijn ogen waren op het plafond vlak boven het raam van het lokaal gericht, maar Manny moest zich wel sterk vergissen als Holden niet af en toe naar hem keek. Alsof hij zich net als de andere leerlingen liet instrueren.

'Jullie zijn nu de dorpsbewoners en jullie zijn doodsbang voor het Beest.' Hij bladerde in de partituur op zijn piano. 'Als jullie dit nummer zingen, wil ik angst en vastberadenheid in jullie stem horen. Als ik dat niet hoor, zingen we het opnieuw. We blijven dat doen tot ver in december, als dat nodig is, om te weten hoe het voelt om bang te zijn.'

De muziek was somber en onheilspellend en het ritme

moest stampende voeten en harde klappen met landbouwwerktuigen weergeven om er een gewelddadig nummer van te maken. Manny vond het heerlijk om zijn leerlingen zover te krijgen dat ze zich bewust werden van de emotie in de muziek. 'Goed... vijf... zes, vijf-zes-zeven-acht!'

Het merendeel van de leerlingen begon op dezelfde toonhoogte, maar hij kon niet zeggen dat ze allemaal tegelijk inzetten. Manny speelde niet verder en ging tegenover hen staan. Na een lange stilte vroeg hij: 'Wie kan me vertellen wat *ensemble* precies betekent?'

Ella stak als eerste haar hand op.

'Goed, Ella, zeg het maar.'

'Het betekent dat alle stemmen samen als één stem klinken.' Enigszins verlegen haalde ze haar schouders op. 'Ik heb er vorig jaar een werkstuk over gemaakt.'

'Helemaal goed.' Manny was onder de indruk. De vraag had zijn cast in het verleden vaak met stomheid geslagen. Ze gingen er meestal van uit dat *ensemble* iedereen betekende, behalve degenen die een hoofdrol hadden. Manny liep voor zijn leerlingen heen en weer. 'Alle stemmen zingen als uit één mond.' Hij bleef staan en keek vooral naar zijn leerlingen op de tweede rij. 'Dat betekent dus dat elk woord klinkt alsof het wordt gezongen door hoeveel mensen?'

Ze keken elkaar aan en mompelden: 'Eén.'

Manny schudde zijn hoofd en wreef over zijn rechteroor, alsof hij het antwoord niet goed had kunnen horen. 'Hoeveel?'

'Eén.' Deze keer gaven ze luid en duidelijk antwoord, en ook allemaal tegelijk.

'Heel goed.' Hij liep terug naar de piano. 'We beginnen opnieuw.' Hij telde af en ze zetten in, veel sterker nu. Hun voordracht zou de komende maanden beter worden, maar hij kon in ieder geval de tekst verstaan. 'Luider!' riep hij boven de muziek uit. 'Zorg dat ik jullie angst voel!'

Het volume nam toe, en de angst die essentieel was voor het lied, werd tastbaarder. ''t Is een monster met bloed aan zijn klauwen...'

Even snel als het met het lied naar een climax ging, stierf het weg.

Manny hield op met spelen en draaide zich om. De helft van de leerlingen zong niet meer, maar keek naar Holden Harris. Hij liep aan de zijkant van het lokaal op en neer, zijn handen gevouwen vlak bij zijn kin, ellebogen recht opzij, zijn armen bewogen op en neer, alsof hij pijn had óf erg zenuwachtig was. Hij deed denken aan een angstige wilde eend, en verschillende leerlingen gniffelden om hem.

De opwinding van deze middag vloeide uit hem weg als lucht uit een oude band. 'Goed, jongens. Terug naar je plaats.' Hij keek Holdens moeder aan. 'Kunt u ons helpen?'

Tracy Harris was al op weg naar haar zoon, maar Holden wekte de indruk dat hij haar niet hoorde. Opeens bleef hij staan en liet zich op de grond vallen. Vervolgens voerde hij een aantal volmaakte push-ups uit. Echt volmaakt. Het was een indrukwekkender prestatie dan een van de spelers op het rugbyveld zou kunnen leveren.

Een paar meisjes deden een paar passen achteruit. 'Wat raar,' fluisterde een van hen zo hard dat iedereen het kon horen. 'Waarom doet hij dat?'

'Weet ik niet.' Een ander meisje lachte zachtjes en zei: 'Maar hij is er goed in.'

Het lesuur duurde nog zeven minuten, en Manny wilde de leerlingen heel graag weer in het gareel brengen. Maar de helft van de jongens stond intussen om Holden heen en ze telden zijn push-ups, zoals dat waarschijnlijk in een kleedkamer gebeurde waar bewezen moest worden wie meer mans was.

Holdens moeder bukte zich en legde haar hand op zijn schouder. Even later richtte ze zich op en gebaarde naar de leerlingen dat ze achteruit moesten gaan en haar zoon met rust moesten laten. 'Hij wordt er zenuwachtig van. Hij heeft behoefte aan ruimte om zich heen.' Het klonk verontschuldigend. 'Het komt wel weer goed met hem. Zingen jullie maar gewoon verder.'

De jongeren gingen terug naar hun plaatsen en zongen nog één keer het lied van het Beest. Holden kreeg genoeg van het opdrukken en ging hijgend in zijn stoel achter in het lokaal zitten. De spieren in zijn armen bolden op, en met zijn diepe, gevoelige blauwe ogen zag de jongen er beter uit dan alle jongens van de cast. *Hij zou precies goed zijn als de Prins*, dacht Manny. De rol van het Beest nadat het van gedaante was veranderd, was klein maar belangrijk. Manny had nog niet besloten wie uit het ensemble de rol kreeg. Niemand van hen zag er als een prins uit.

Niet één, behalve Holden.

Als hij niet autistisch was geweest zou hij de rol alleen al vanwege zijn uiterlijk kunnen spelen. Maar zover zou het niet komen, want Holden maakte weer zijn fladderbewegingen. Zijn armen gingen op en neer en hij knikte erbij.

Manny werd moedeloos. Waarom had hij eigenlijk de moeite genomen om te bidden? Er zou geen wonder gebeuren voor de sectie drama en ook niet voor Holden. Manny aanvaardde zijn teleurstelling. Daarmee was hij in ieder geval vertrouwd. Het gaf niet dat zijn verwachtingen eerder nog zo hooggespannen waren geweest.

Hij had eigenlijk ook niet verwacht dat bidden zou helpen.

10

Wat Ella betrof kon het lesuur drama niet snel genoeg afgelopen zijn. Ze was van plan Holden apart te nemen, om hem te vertellen dat ze ontdekt had dat ze vrienden waren geweest toen ze klein waren! En hoe fantastisch ze het vond dat ze elkaar nu hadden teruggevonden! Maar toen meneer Hawkins hen het luidste, meest intense gedeelte van het lied liet zingen, werd het Holden weer even te veel. Ella keek naar hem, niet bij machte ook maar iets te doen. Holden wist per slot van rekening nog niet wie ze was. Ze kon niet naar hem toe rennen en iets doen of zeggen waar hij steun aan had.

Holden had ondertussen genoeg gekregen van zijn pushups, maar bewoog wel nog steeds zijn armen. Het was alsof hij heel geconcentreerd een opdracht probeerde uit te voeren. Ella keek een paar keer achterom, maar Holden ontweek steeds haar blik. Hij keek naar een punt een centimeter of vijf links of rechts van haar, en één keer keek hij haar recht aan. Dat komt doordat hij autistisch is, zei ze bij zichzelf. Zulke mensen communiceren niet, maken niet vaak oogcontact en vertonen herhaalgedrag. Ze zitten opgesloten in hun eigen wereld, had ze op een website gelezen.

Gedurende de laatste, pijnlijke minuten van het lesuur liet meneer Hawkins iedereen nog een keer zingen. Maar een paar jongens moesten nog steeds om Holden lachen.

'Zou hij het Beest willen spelen?' fluisterde een van hen. 'Voordat je weet wat er gebeurt, verandert hij van gedaante.'

'Hé,' zei Ella zacht. Ze gaf de jongen een flinke tik op zijn schouder. 'Houd daarover op. Hij is autistisch.'

De jongen wilde iets lelijks tegen haar wilde zeggen, maar bedacht zich. Meneer Hawkins liet hen ophouden met zingen.

'Kom op, jongens! Is dit de beste prestatie die jullie kunnen leveren!' zei hij hoofdschuddend. 'Als dat waar is, is dat een grote teleurstelling. Als we niet eens vijf minuten alles kunnen geven, zal het resultaat werkelijk bedroevend zijn.' Hij wachtte totdat het stil was in het lokaal. 'Laat nu de angst in jullie stemmen doorklinken. Zing als uit één mond. Ensemble.' Hij begon piano te spelen. 'En... zet in!'

De cast slaagde er deze keer in het hele lied te zingen zonder te worden afgeleid. Meneer Hawkins liet hen gaan, en Ella pakte haar boeken bij elkaar. Ze draaide zich om naar Holden en zag dat een paar leerlingen naar hem toe liepen. Ze wilden iets aardigs tegen hem zeggen of hem een vraag stellen, maar Holden reageerde niet. Hij leek op het punt te staan op te springen en het lokaal uit te sprinten. Maar in plaats daarvan liet hij zijn hoofd hangen, greep de rand van zijn stoel vast en begon van voor naar achter te wippen. Dat gebeurde op zo'n heftige manier dat hij een paar keer moeite moest doen om te voorkomen dat hij op de grond viel. De leerlingen gaven uiteindelijk de moed op en liepen weg.

Ella beet op haar lip en deed een stap dichter naar Holden toe. *Daar gaan we dan*, zei ze bij zichzelf. *Hij weet straks vast wel weer wie ik ben en voelt zich dan misschien veilig genoeg om met me te praten.* Ze haalde een keer diep adem, maar op het moment dat ze op hem af wilde stappen zag ze achter in het lokaal een vrouw zitten die haar bekend voorkwam. Ze had daar vast al de hele tijd gezeten hebben, maar het was Ella niet opgevallen. De vrouw was... Ella's adem stokte van verbazing. Het was Holdens moeder, de vrouw op de foto's in het album van haar ouders.

Ella keek naar Holden, maar hij keek nog steeds strak naar de vloer en wipte ook nog steeds van voor naar achter. Ze had nog aan niemand verteld wat ze had ontdekt. Haar moeder was heel laat thuisgekomen en was ook de volgende dag bijna niet thuis geweest. Ella had haar nog niet verteld dat ze de rol van Belle had gekregen in de voorjaarsproductie. En ze was er absoluut nog niet aan toe haar vragen te stellen over Holden. Dat zou ze pas doen als ze Holdens moeder had gesproken. Ella had het idee dat zij haar een eerlijker antwoord zou geven.

Ze had uitgezocht wat autisme inhield en daar heel veel van geleerd, maar niet veel meer dan wat de foto's haar al duidelijk hadden gemaakt. Holden was er niet mee geboren. Sommige kinderen vertonen hun hele leven, dus al vanaf hun geboorte, tekenen van autisme. Maar Holden was een van degenen die in hun eigen wereld was gaan leven toen hij twee of drie jaar oud was. *Regressie* heet dat, volgens de website. De ouders proberen allerlei therapieën uit op hun autistische kinderen – behandelingen die inspelen op voeding, motorische vaardigheden, intelligentie en gedrag. Er bestaat zelfs zoiets als *chelatietherapie*. Sommige daarvan hebben resultaat, sommige niet, volgens de deskundigen.

Nadat de diagnose autisme is gesteld, vindt hij of zij bijna nooit meer een manier om aan de wereld in hun hoofd te ontsnappen. Ze slagen er maar niet in de deuren te ontsluiten en weer de realiteit binnen te stappen.

Mevrouw Harris was in gesprek met meneer Hawkins, en Ella liep daarom naar Holden toe. Hij wipte nu niet meer zo hard van voor naar achter en zat iets rechterop op zijn stoel, maar zijn ogen waren nog steeds neergeslagen. Ze ging langzaam op hem af, want ze wilde niet dat hij van haar schrok. De andere leerlingen hadden nu allemaal het lokaal verlaten en er liep ook al bijna niemand meer door de gang.

Ze was nog maar een paar passen bij hem vandaan. Op haar tenen overbrugde ze het laatste stukje. Daarna ging ze behoedzaam op de stoel naast hem zitten. Geluidloos zette ze haar rugtas op de grond en draaide zich naar hem toe. 'Holden?'

Hij hield op met wippen en keek recht voor zich uit.

Zulke blauwe ogen heb ik nog nooit gezien, dacht ze. Glanzend, argeloos en vol licht waren ze. Ella werd er zo door overrompeld dat ze even niet goed wist wat ze moest zeggen. Misschien was het al voldoende dat ze een glimp van zijn ogen had opgevangen, en dat één ding haar in ieder geval troostte: de wereld van Holden Harris was vast heel mooi. Anders zouden zijn ogen er niet zo hebben uitgezien.

Ze waagde nog een poging. 'Holden?' Instinctief wilde ze contact met hem maken, door bijvoorbeeld zijn schouder aan te raken, maar ze herinnerde zich dat je bij autistische jongeren afstand moest bewaren. Ze was misschien al te dichtbij gekomen. De juiste woorden ontglipten haar, maar ze probeerde het toch gewoon nog een keer. 'Holden?'

Hij verroerde zich niet en keek haar ook niet aan.

'Holden... ik heet Ella. Lang geleden waren wij met elkaar bevriend. Toen we twee of drie jaar oud waren.'

Holden wiegde nauwelijks waarneembaar van voor naar achter en bleef recht voor zich uit kijken. Toen haalde hij een stapel flitskaarten uit zijn rugzak. Met vlugge, stoterige bewegingen bekeek hij ze een voor een, alsof hij verschrikkelijk graag die ene kaart wilde vinden die hij haar wilde laten zien. Uiteindelijk trok hij de kaart ertussenuit. Aan de randen te zien was hij nieuwer dan sommige andere. Toen liet hij haar de kaart zien zonder dat hij haar aankeek. Het deed een beetje denken aan een goochelaar die zijn publiek een kaart laat zien; hij wil dat iedereen hem ziet, maar niemand mag hem aanraken.

Deze keer stonden op de kaart een hart en muzieknoten. Onder de afbeeldingen stond *Ik houd van muziek*.

'Dat dacht ik al.' Haar hart smolt. Ze zorgde dat haar woorden vriendelijk bleven klinken. 'Dat dacht ik al. Daarom wil je graag bij dit lesuur zijn, toch?'

Holden stopte de kaart weer tussen de andere en gooide ze een beetje door elkaar. Vervolgens nam hij ze door en sorteerde ze, alsof er systeem zat in de manier waarop hij er een stapel van maakte.

Ze bleef onwillekeurig nadenken over de kaart die hij haar had laten zien. Hij hield van muziek. Ze had hem het liefst omhelsd, maar ze bedwong zich ook deze keer. Hij had zich in ieder geval geuit, al stelde het nog niet veel voor. Ze legde haar handen gevouwen op haar knieën. 'Weet je nog wie ik ben, Holden? Weet je nog dat we met elkaar hebben gespeeld toen we klein waren?'

Hij draaide zijn hoofd een heel klein stukje, maar dat was voldoende om haar ervan te overtuigen dat hij haar gehoord had. Maar voordat hij haar kon aankijken zoals hij dat laatst in de kantine had gedaan, stond opeens zijn moeder naast hem. 'Hallo.' Ze lachte naar Ella. 'Jij bent zeker het meisje dat voor Holden is opgekomen?'

Meneer Hawkins was alweer naar zijn werkkamer naast het klaslokaal teruggegaan. Met bonzend hart kwam Ella overeind en antwoordde glimlachend: 'Ja, mevrouw. Ik heb aan meneer Hawkins gevraagd of Holden er dit lesuur bij mocht komen zitten, als u dat bedoelt.'

'Ja, dat bedoelde ik.' De vrouw leek ouder dan op de foto's. Ze was mager en had kraaienpootjes van vermoeidheid rond haar ogen. Maar ze was toch nog knap, met haar mooie jukbeenderen en het lange bruine haar dat ze simpelweg in een paardenstaart droeg. Ze legde haar hand op Holdens schouder. 'We moeten gaan. Holden heeft na school altijd therapie.'

Haar glimlach was warm en oprecht. 'Nogmaals bedankt dat je je om Holden hebt bekommerd.'

Ella wist niet goed of dit er het juiste moment voor was. Holden en zijn moeder hadden kennelijk haast, maar ze kon de waarheid niet langer voor zich houden. 'Herkent u mij, mevrouw?'

Mevrouw Harris keek nog eens goed en bleef glimlachen. Holden begon ondertussen weer verwoed zijn kaarten door te nemen. Het scheen zijn moeder niet op te vallen. Ze was misschien gewend geraakt aan Holdens vreemde gedrag. Mevrouw Harris schudde haar hoofd. 'Je komt me wel enigszins bekend voor.' Ze lachte nerveus. 'Moet je mij nu zien… ik heb me niet eens voorgesteld.' Ze stak haar hand uit. 'Ik ben Tracy Harris, Holdens moeder.'

Ella schudde haar de hand en hield oogcontact met haar. 'Ik ben Ella.' Ze liet een korte stilte vallen om haar voornaam te laten bezinken. 'Ella Reynolds.'

Het was voor Holdens moeder zo'n grote schok dat ze die in verschillende fasen verwerkte. Eerst was ze verbaasd en opgewonden, maar haar blijdschap sloeg daarna heel snel om in een diepe droefheid. Ze gaf Ella een zacht kneepje in haar hand en liet hem daarna los. 'Ella…' Haar ogen schoten vol tranen. 'Wie had ooit kunnen denken… Ik dacht dat ik je nooit meer terug zou zien.'

Ella knikte. Ook zij had nu tranen in haar ogen. 'Wat… wat is er gebeurd? Met u en mijn ouders?'

Mevrouw Harris wilde iets zeggen, maar bedacht zich. Haar kin trilde toen ze naar Holden keek, die nog steeds met zijn kaarten in de weer was. Opeens trok hij één kaart uit de stapel en liet deze eerst aan zijn moeder en daarna aan Ella zien. Het was dezelfde kaart als laatst, met bovenaan de ogen en daaronder de woorden *Ik zie*.

'Je *ziet*, Holden?' Mevrouw Harris maakte aanstalten om haar hand op zijn schouder te leggen, maar veranderde kennelijk van gedachten. In plaats daarvan sloeg ze haar armen over elkaar. 'Wat zie je?'

Ella vroeg zich ook van alles af. 'De eerste keer dat ik hem bij het lesuur drama naar binnen zag kijken, liet hij mij die kaart ook al zien.' Ze wilde het niet hardop zeggen, maar misschien had die kaart iets met haar te maken. Misschien betekende het zelfs wel dat Holden zich herinnerde dat hij haar al eens ergens had gezien. 'Maar ik wil nog steeds graag weten wat er tussen jullie vieren is voorgevallen.' Ella keek op naar Holdens moeder en haar blik sprak boekdelen.

Een gevoel van afgrijzen nam bezit van Ella. 'Holden?' Het klonk als gesmoord gefluister. 'Is dat de reden dat... dat u en mijn ouders...'

De vrouw kon haar tranen nu niet meer bedwingen. 'Het is allemaal lang geleden, Ella. Mensen veranderen.' Ze wierp een blik op haar horloge. 'Ik wil graag een keer met je praten, maar we moeten nu gaan.'

Ella kreeg een brok in haar keel. 'Ja, mevrouw,' zei ze knikkend. Ze raakte met haar vingertoppen Holdens elleboog licht aan. Hij had stevige armen, zoals die van de rugbyspelers met wie ze omging. Dat kwam waarschijnlijk door al die push-ups. Ella dacht aan de verdrietige mogelijkheid die in de lucht was blijven hangen en had het gevoel dat haar hart brak. 'Holden... ik ben blij dat ik je heb gevonden.' Ze depte een traan op die over haar wang naar beneden rolde en uit haar keel klonk een geluid dat een lach had moeten zijn, maar het klonk als een snik. 'Misschien... kunnen we weer vrienden worden. Dat zou ik fijn vinden.'

Holden zei niets. Hij liet de *Ik zie*-kaart weer tussen de andere glijden en stopte de hele stapel weer in zijn rugzak. Mevrouw Harris pakte Ella's hand en kneep er even in. 'Bedankt, dat je Holden helpt. Hij houdt echt van muziek.'

Ella merkte dat er een lachje op haar gezicht verscheen. 'Weet ik.'

Mevrouw Harris stuurde Holden in de richting van de deur en eenmaal aangekomen in de gang liep ze voor hem uit. Roerloos keek Ella hen na, haar blik op Holden gericht. Voordat hij het lokaal verliet deed hij iets, waardoor ze geloofde dat het niet onmogelijk was dat het wonder dat Holden Harris nodig had, gebeurde.

Hij keerde zich om en keek haar aan.

Niet dwars door haar heen of naar een punt vlakbij haar, nee, hij keek haar recht in de ogen. Het maakte toen niet meer uit dat hij zich omdraaide en weer begon te fladderen met zijn armen. En ook niet dat Ella nog steeds niet wist wat er in het verleden was gebeurd, waarom er een eind was gekomen aan de vriendschap tussen hun ouders en hoe ver Holden was weggegleden in zijn eigen wereldje. Ze was er desondanks al van overtuigd dat dit nog maar het begin was, omdat Holdens ogen niet alleen licht en onschuld hadden uitgestraald toen hij haar aankeek. Er had iets in geblonken wat er eerder nog niet in aanwezig was geweest: pure, kinderlijke hoop.

11

Holden popelde om voor Ella te gaan bidden. Ze hadden elkaar per slot van rekening teruggevonden omdat God zijn gebeden had verhoord. Eindelijk, eindelijk had Hij Holdens allerbeste vriendin bij hem teruggebracht. *Jezus, dank U voor deze volmaakte dag! U hebt ervoor gezorgd dat ik deel mag uitmaken van een groep toneelspelers, en dat ik begon te bidden toen iedereen het Beest probeerde te doden. Het is een aardig Beest, Jezus. Dat weet U. Niemand hoeft hem dood te maken. U zorgde ervoor dat het tromgeroffel ophield, en dat mijn moeder hier bij me was om mee te zingen. Maar het allervoornaamste is dat U Ella hebt teruggebracht! Bedankt daarvoor, God. Ik weet dat U van me houdt. Uw vriend Holden Harris.*

Een blij en voldaan gevoel nam bezit van Holden. Hij liet zijn gesprek met Ella nog eens de revue passeren terwijl hij met zijn moeder naar de auto liep. Ze was naar hem toe gekomen, even lief en aardig als ze iedere dag in de film was. 'Holden?'

Ja, Ella?

Haar glimlach vond hij het allermooist. 'Holden, weet je nog wie ik ben?'

Ja, natuurlijk. Ik wist niet goed of jij nog zou weten wie ik ben. Hij vond dat ze lekker rook. Naar bloemen en fris geurende zeep. *Vroeger renden we samen door de velden en dansten zingend almaar in de rondte, weet je nog?*

Ella wist het nog. Natuurlijk wist ze het nog.

Ons lievelingslied was Jezus houdt van mij. *Weet je dat ook nog?*

Een lied vulde de lucht om hen heen. De mooie, krachtige, volle klanken ervan verspreidden zich door het lokaal en zweefden door de ramen naar buiten, zodat de hele school en de hele stad, en zelfs de hele wereld, ze kon horen. Deze keer was het een lied met woorden – *hun* lied. Het lied dat Ella en hij vroeger altijd zongen. *Jezus houdt van mij! En dat is waar, want dat vertelt de Bijbel mij zonneklaar. De kleine kinderen behoren aan de Heer; Hij is sterk, al zijn zij broos en teer.*

Zelfs de kinderen die na schooltijd in de bussen stapten, konden het lied horen, en iedereen zong mee. Nou ja, bijna iedereen. Sommige leerlingen kenden de woorden nog niet. En Ella en hij begonnen door het lokaal te dansen en zijn moeder keek vanaf de zijlijn toe, precies zoals ze dat had gedaan toen ze nog klein waren. Ella's moeder was erbij en zong ook mee… waar ze nu ook was. Daarvan was Holden overtuigd.

En daarna hadden Ella en hij het over de musical gehad. *Belle en het Beest*. Holden moest heel hard bidden toen ze het Beest wilden doden. Het beest leek gemeen, maar was heel aardig en vriendelijk. En iedereen zag er nu eenmaal niet hetzelfde uit. Sommige mensen waren net als Gaston: ze leken aardig, maar zaten eigenlijk gevangen en waren verdrietig. Dat gold ook voor sommige leerlingen op school en zij droegen vaak een rugbyshirt.

Zij waren net als Gaston.

Maar het Beest was goed. Als Holden een rol in de musical mocht spelen, zou hij het Beest willen zijn en net zo aardig als het Beest willen zijn. Maar misschien wilde hij nog liever aan het eind de Prins zijn. Omdat het uiterlijk van de Prins was zoals het Beest vanbinnen was. Soms kon je niet zien hoe iemand echt was, omdat je het uiterlijk van iemand niet prettig vond – doordat ze nog niet geleerd hadden naar de muziek te luisteren.

Zijn moeder zei iets, maar de muziek begon weer anders

te klinken en werd ook weer luider. De strijkinstrumenten en het keyboard zorgden samen voor een heel mooi, meeslepend geluid. Holden zong mee, terwijl hij danste en bad voor Ella. Dit lied had hij nog niet vaak gehoord, maar misschien werd het uiteindelijk wel het allermooiste lied dat hij kende. Omdat hij al zijn hele leven op dit lied had gewacht. Het lied heette *Misschien krijgen Ella en ik nog een tweede kans om vrienden te worden.*

Onderweg naar therapie vertelde hij alles in een woordenloos gesprek zijn moeder.

12

Ella kon haar aandacht niet bij haar huiswerk houden. Ze had van Holdens moeder niet alle informatie gekregen die ze had willen hebben, maar de blik in de ogen van de vrouw had genoeg gezegd. Met de vriendschap tussen hun gezinnen moest het bergafwaarts zijn gegaan toen Holden tekenen van autisme begon te vertonen.

Hoe langer Ella nadacht over die mogelijkheid, hoe bozer ze werd. De zon scheen door het keukenraam naar binnen en wierp lichtstralen over het aanrecht. Ella duwde haar huiswerk opzij en liep naar boven om het album te pakken waarin de foto's van Holden en haar zaten. Ze ging op de grond zitten en bladerde erin. Ze kwam weer andere foto's tegen, en het werd haar duidelijk hoe de situatie feitelijk geweest was. Hun gezin en dat van Holden waren niet alleen met elkaar bevriend geweest. Ze waren elkaars beste vrienden geweest.

Ze vond een foto waarop Holden en zij naast elkaar op een tweepersoonsschommel zaten. Ze hadden een arm om elkaars schouder geslagen en in hun vrije hand hielden ze een hoorntje met chocolade-ijs. Op hun wangen en shirts zaten chocoladevlekken. Ella merkte dat haar boosheid zakte. Ze keek naar Holdens gezichtje; het straalde van blijdschap terwijl hij met een indringende blik naar het fototoestel keek. De foto was ongetwijfeld genomen terwijl hij ergens om moest lachen, en het was duidelijk dat Holden blij en gezond was.

Hoe langer Ella in de ogen van de drie jaar oude Holden keek, hoe meer ze ervan overtuigd raakte dat het kind dat zo graag plezier maakte, nog steeds ergens in de Holden van nu aanwezig was. Ze had er een glimp van opgevangen, toen hij over zijn schouder naar haar keek voordat hij met zijn moeder vertrok.

Ze hoorde dat er beneden een deur openging. 'Ella?' Het was haar moeder.

Haar boosheid laaide weer op. Ze gaf geen antwoord, stond op en stopte het fotoalbum onder haar arm. Op het moment dat ze de foto's van Holden en haar voor het eerst zag, had ze al geweten dat dit moment zou aanbreken. Nu ze ongeveer wist waarom de gezinnen niet meer met elkaar optrokken, was Ella erg boos op haar moeder. Ze liep de trap af, kwam de keuken binnen en zag hoe haar moeder haar sporttas op de grond liet vallen en een glas uit het keukenkastje pakte. Ze keerde zich om toen Ella dichterbij kwam. 'O, daar ben je, Ella. Hoe was het op school?'

Alsof jou dat iets kan schelen, wilde ze antwoorden. 'Goed.' Ze sloeg haar armen over elkaar en klemde het album tegen haar borst. Haar moeder dronk haar water op en keek naar haar spiegelbeeld in de glazen deur van de ingebouwde magnetron. De botox was volledig door haar gezicht opgenomen, zodat haar voorhoofd weer glad was. Te glad.

'Meer niet?' Haar moeder bleef naar haar spiegelbeeld kijken en duwde met haar vingers tegen de huid onder haar ogen en boven haar wenkbrauwen. 'Alleen maar goed?' Ze legde haar hand op haar platte buik, alsof ze wilde controleren of de training resultaat had gehad. Ze keek even naar Ella maar daarna meteen weer naar haar spiegelbeeld.

Ella leunde met haar heup tegen het aanrecht. Het liefst was ze hard gaan schreeuwen. Alles aan haar moeder leek onecht en oppervlakkig, en waarvoor? Haar vader was alleen maar bezig om het verleden vast te houden. Ondertussen raakten ze vrienden als de familie Harris kwijt. Wat schoot ze er nu eigenlijk mee op dat ze zogenaamd zongebruind was, behandelingen met botox had ondergaan en onophoudelijk trainde?

'Goed.' Haar moeder draaide zich om en zette haar handen in haar zij. 'Je zegt weinig. Is daar een reden voor?'

Als ze nu niets zei, zou ze uit elkaar klappen. 'Ik heb een vraag.' Ze sprak ieder woord nadrukkelijk en beheerst uit.

Haar moeder veegde haar asblonde haar uit haar gezicht en ademde uit, eerder lusteloos dan vermoeid. 'Stel hem maar.'

'Waarom zijn we niet meer bevriend met de familie Harris?'

Het duurde even voordat aan haar moeders gezicht te zien was dat ze besefte waar het om ging. Aanvankelijk deed ze haar mond open, alsof ze wilde zeggen 'welke familie Harris' of Ella om nadere uitleg wilde vragen. Maar haar mond ging weer dicht en ze stak haar kin naar voren. De verdedigende blik in haar ogen maakte dat het een ongemakkelijk moment werd. 'Je bedoelt Holden Harris' familie?'

'Ja, natuurlijk,' schreeuwde ze. Ze stak het album uit naar haar moeder. 'De Holden Harris die mijn beste vriend was toen ik drie was.'

'Schreeuw niet zo.' Haar moeder vulde haar glas weer met water. Zo probeerde ze ongetwijfeld tijd te winnen.

'Ik schreeuw niet, ik vraag gewoon iets.'

'Ja, op zeer luide toon.'

'Dat is omdat ik antwoord wil hebben.' Ella schreeuwde absoluut, maar ze was te boos om het toe te geven. Ze begon zachter te praten. Als ze haar moeder nog harder aanpakte, zou zij weglopen zonder verder nog iets te zeggen – dat deed ze namelijk altijd op zulke momenten.

Haar moeder nam een flinke slok water en zette haar glas op het zwart granieten aanrechtblad. 'Zeg... verveelde jij je zo dat je onze fotoalbums hebt doorgebladerd?'

Natuurlijk verveel ik me, wilde ze schreeuwen. In plaats daarvan bleef ze roerloos staan waar ze stond en deed verschrikkelijk haar best om kalm te blijven. 'Je hebt me geen antwoord gegeven. Waarom zijn we geen vrienden meer?'

'We gingen ieder een andere kant op.' Ze bestudeerde haar gemanicuurde vingernagels en keek Ella nauwelijks aan. 'Dat kan gebeuren.' Ze sloeg haar armen over elkaar en wierp Ella een ongeduldige blik toe. 'Je had heel veel vriendjes en vriendinnetjes toen je klein was.' Het klonk moedeloos. 'Waarom vraag je niet naar hen?'

'Omdat Holden bij mij op school zit.' Zo, nu had ze het gezegd. Ze zag hoe de verbazing toesloeg.

'Zit hij op het Fulton?' Voor het eerst die middag leek haar moeder zich om iets anders druk te maken dan om zichzelf. 'Maar dan volgt hij dus... gewone lessen?'

'Natuurlijk niet.' Ze deed haar best om geen sarcasme te laten doorklinken in haar stem. 'Hij is autistisch.'

Even verscheen er een trieste blik in haar ogen. Haar moeder keek naar de tegelvloer. 'Dat weet ik.' Ze voelde zich zo te horen opgelaten. 'Ik dacht alleen...'

Ella reageerde niet en de stilte werd ongemakkelijk. 'Geef nou antwoord op mijn vraag.' Ella wachtte tot ze haar moeders volle aandacht had. 'Waarom zijn we niet meer met hen bevriend?'

De bel ging en haar moeder kwam onmiddellijk in beweging. 'Dat heb ik je daarnet verteld, Ella.' Ze liep snel naar de voordeur en Ella keek haar na. Haar moeder had net als altijd niet veel meer aan dan een strak zittende maillot en een felblauw, mouwloos T-shirt. Wat voor bezorger er ook aan de deur was, hij zou zich ongetwijfeld verbazen.

Haar moeder kwam niet terug naar de keuken. Elle hoorde dat ze de trap in het voorste gedeelte van het huis op ging.

Ella dacht erover om het er maar bij te laten. Ze wist het antwoord toch al? Holden gleed weg in autisme en de familie Reynolds glipte weg via de achterdeur. Een andere reden kon er toch niet voor zijn?

Maar deze keer wilde ze de woorden uit de mond van haar moeder horen. Of misschien uit haar hart. Ze wilde meemaken dat haar moeder zich in allerlei bochten wrong en het onderwerp ontweek, totdat ze onder ogen moest zien dat het niet alleen Holden was die vijftien jaar geleden een verandering had doorgemaakt. Met doelbewuste stappen liep Ella de trap op. Als je de echtgenote van een beroepshonkbalspeler was, werden er bepaalde dingen van je verwacht, toch? Haar hart deed pijn toen de realiteit nog dieper tot haar doordrong. Het kon niet zo zijn dat de dochter van Randy en Suzanne Reynolds een autistisch vriendje had. Wat voor indruk zou dat maken?

Ella liep snel de gang door en duwde de deur van de werkkamer op de bovenverdieping met een vaart open. Haar moeder zat achter de computer en had ingelogd op Facebook. Ella wilde het voor de zoveelste keer uitschreeuwen. Waar was ze mee bezig, terwijl ze wist dat Ella met haar wilde praten? Voordat ze iets kon zeggen viel haar iets op. Er biggelden tranen over haar moeders wangen. Ella aarzelde. Ze probeerde in haar hart nog een greintje medeleven voor haar moeder te ontdekken. 'Dacht je' – ze sprak op vriendelijker toon dan daarnet – 'dat ik niet naar je op zoek zou gaan?'

Haar moeder zag er met haar ogen vol tranen verslagen uit. 'Ik dacht dat we uitgepraat waren.'

'Nee, dat waren we niet.' Ella bleef op dezelfde toon praten. 'Ik wil nog steeds het antwoord weten. Wat betreft Holden Harris.' Ze kwam een stap dichterbij en verbrak geen moment het oogcontact. 'Waarom zijn we geen vrienden meer?'

Haar moeder leek aanstalten te maken om zich er weer met een kort antwoord van af te maken, maar in plaats daarvan depte ze haar ogen en staarde uit het raam. Er kwam een zucht uit de diepste diepte van haar ziel. Toen ze zich weer omdraaide naar Ella, was de blik in haar ogen zachter dan Ella de laatste tijd gezien had. 'We waren dol op Holden. Hij was… een erg lief jongetje.' Haar glimlach deed de pijn in haar ogen niet verdwijnen. 'We hadden het er vroeger vaak over dat als jullie tweeën groot waren…' Ze slikte en schudde even haar hoofd. 'We hebben het geen van allen zien aankomen, Ella. Het was alsof… alsof we hem van de ene op de andere dag kwijt waren.'

Dat had Ella al zo ongeveer begrepen uit de foto's. 'Wat is dan de reden?' Ze vroeg het zacht, verdrietig om Holden en alles wat hij was kwijtgeraakt. 'Waarom zijn we geen vrienden meer?'

Haar moeders schouders zakten. 'Hij lachte en zong niet meer. Voordat we goed en wel wisten wat er gebeurde, wilde hij niet meer met je dansen, spelen of rondrennen, zoals hij anders altijd deed.' Haar verdriet veranderde nu min of meer in schaamte. 'Hij begon… dingen op te stapelen en jouw speelgoed op een rij te zetten als we bij elkaar waren.'

'En daarom haalde je ons uit elkaar?' Ella werd weer boos en moest moeite doen om die boosheid onder controle te houden. Ze gooide haar handen in de lucht. 'Omdat hij zich stil hield? Omdat hij dingen opstapelde?'

'Jij vond dat niet leuk, Ella.' Er klonk meer ergernis door in haar stem dan daarnet. 'Je kreeg de gewoonte om… om naar hem toe te gaan en hem op de schouder te tikken. Zo probeerde je gedaan te krijgen dat hij met jou rondrende, speelde of zong.' Ze kneep in haar neus en sloot haar ogen, alsof ze niet van plan was verder nog iets uit te leggen. Toen ze opkeek had ze weer een onbewogen gezicht. 'Ik denk niet dat jij het je nog herinnert, maar een paar weken later wilde hij niet eens meer… wilde hij je niet meer aankijken. En hij zei helemaal niets meer. Geen woord.' Ze leunde achterover in haar stoel. Het verleden was af te lezen van haar gezicht. 'Jij huilde soms, omdat je zo graag wilde dat hij… dat hij weer werd zoals hij geweest was.'

Hoewel Ella niet alles begreep van wat met autisme te maken had, wist ze wel dat er onmiddellijk een begin gemaakt moest worden met therapie. Hoe eerder hoe beter. 'Ik had nog steeds deel van zijn leven kunnen uitmaken. We hadden kunnen meehelpen aan het oplossen van zijn probleem, maar in plaats daarvan... Was de verandering te lastig, mam? Ging het daarom?'

Haar moeder schoof haar stoel bij het bureau vandaan en stond op. Het was duidelijk dat het gesprek was afgelopen wat haar betrof. 'Ja, het was lastig.' Ze sloeg haar armen over elkaar. 'Dat wil je toch graag horen? Best. We waren niet meer met elkaar bevriend omdat het te lastig was.' Ze keek Ella recht aan. 'Als je het niet erg vindt, ga ik nu douchen.'

Ze liep Ella voorbij, door de gang naar haar kamer. Ella verroerde zich niet. Ze keek uit het raam en liet de waarheid tot zich doordringen. Holden en zij waren dikke maatjes geweest, maar toen hij veranderde, toen hij autistisch begon te worden, werd het lastig en gingen hun ouders ieder hun eigen weg. Holden was destijds een heerlijk joch geweest, maar alles uit die tijd was verdrongen en vergeten. Zoals iemand zou kunnen vergeten dat hij zijn fototoestel of mobiele telefoon is kwijtgeraakt.

Ze hield zichzelf voor dat ze moest doorgaan met ademhalen.

Op wat voor manieren had Holden jaren geleden uit zijn eigen wereldje kunnen loskomen, als zij tweeën nog bevriend waren geweest? Ze hadden als kind beslist een sterke band gehad. Aan zo'n soort band zouden ze toch veel gehad hebben om hem te bereiken?

Ella pakte de rugleuning van de bureaustoel vast en keek naar de Facebookpagina die nog op het scherm stond. Haar moeder bracht hier veel te veel tijd door met het zoeken naar oude vrienden en mannen met wie ze vroeger uit was geweest. Dat is haar manier om aan de realiteit te ontsnappen, bedacht Ella. Zelfs op een middag als deze, terwijl ze wist dat Ella met haar wilde praten. In plaats daarvan was ze naar boven gegaan om waarnaar te zoeken? Een manier om…

Haar hart begon opeens in een vreemd ritme te slaan. Ze staarde naar het zoekvenster van Facebook en geloofde haar eigen ogen niet. 'Er zitten meer kanten aan het verhaal, hè, mam?' fluisterde ze.

Haar moeder ontweek het onderwerp 'Holden Harris' en uit haar manier van doen liet ze niet zien dat ze ermee zat. Toch moest dat zo zijn, want ze had er per slot van rekening om gehuild. Het verlies deed haar meer pijn dan ze wilde laten doorschemeren. Het kon ook zo zijn dat het uit elkaar gaan moeilijker was geweest dan ze Ella had willen doen geloven. Er moest iets zijn voorgevallen wat haar moeder diep had geraakt of haar had ontroerd, begreep Ella opeens. Haar boosheid maakte plaats voor verdriet. Ella had voor het eerst in lange tijd geen hekel meer aan haar moeder. Vijftien jaar geleden waren niet alleen Holden en zij elkaar als vrienden kwijtgeraakt. Dat kon ze opmaken uit de woorden die haar moeder had getypt in het zoekvenster.

Dat waren de woorden *Tracy Harris*.

13

Tracy miste de oude Holden het ergst op vrijdag.

Op de laatste dag van de schoolweek had ze altijd een reden om bij het Fulton langs te gaan voordat de school uitging. Formulieren invullen op de administratie, een gesprek met zijn docente, een kort consult bij de therapeute van de school. Wat dan ook. En op die dag ging Holden niet met de bus, maar reed altijd met haar mee naar huis.

Tracy klokte uit in de koffiekamer van de supermarkt en vertrok een uur te vroeg, zoals meestal op vrijdag. *Ik haal mijn zoon op van school*, zei ze bij zichzelf, terwijl ze naar het achterste gedeelte van het overvolle parkeerterrein liep. Ze schoof achter het stuur van haar blauwe autootje en de hele rit voelde ze zich zoals alle andere moeders, doordat ze deed wat iedere andere moeder zou doen. Dat was natuurlijk het probleem, de reden dat ze hem op vrijdag zo erg miste.

Als hij op de andere dagen uit het busje stapte, viel niet te ontkennen in wat voor situatie ze feitelijk verkeerde. Holden kampte met de aparte wereld van het autisme, Dan vocht tegen de zee bij Alaska, en Tracy streed op haar knieën voor het aangezicht van God tegen haar wanhoop. Iedere dag smeekte ze Hem om een doorbraak. Ze bleef bidden dat Holden iets tegen haar zou zeggen en haar zou aankijken, of dat ze hem weer zou kunnen knuffelen of zijn hand vasthouden. Ze miste heel veel, maar het allermeest het contact met hem. Ze kreeg geen lachje meer van hem, geen blik uit sprankelende ogen. Ze wist niet meer hoe het voelde om de kleine jongen in hem stevig in haar armen te houden. Ook raakte hij nooit meer met zijn vingers voorzichtig haar hand aan als ze een parkeerterrein overstaken of 's avond een boek lazen.

Ze miste zo veel dat ze er beter aan deed niet achterom en ook niet vooruit te kijken. Maar op vrijdag lukte haar dat niet. Dan dacht ze altijd terug aan wat er allemaal gebeurd was.

Het was geweldig dat Holden en Ella elkaar weer ontmoet hebben. Tracy was ervan overtuigd geweest dat ze elkaar nooit meer zouden terugzien. Er waren tientallen middelbare scholen in Atlanta en omstreken. Het kon alleen maar Gods leiding zijn geweest dat ze allebei op het Fulton waren beland. Het had er alle schijn van dat God een plan in werking had gezet dat Tracy niet helemaal kon begrijpen. Maar er was beslist iets wonderlijks aan de hand: ze zaten niet alleen op dezelfde school, maar Ella was ook echt weer met hem bevriend geraakt. Ze was voor hem op gekomen bij meneer Hawkins, de dramadocent. En dat had ze gedaan, voordat ze wist dat Holden en zij vrienden waren geweest toen ze nog klein waren.

Suzanne Reynolds' dochter... Maakte dat verschil?

Het verkeerslicht sprong op groen en Tracy paste haar snelheid aan aan die van het andere verkeer. De reden dat er een einde was gekomen aan haar vriendschap met Ella's moeder, was niet dat ze woorden hadden gekregen of verschrikkelijke ruzies hadden gehad. Het was geëindigd zoals dat gaat bij veel relaties en vriendschappen. Hoe meer dagen er verstreken, hoe minder zin Tracy had om Suzanne te bellen. En Suzanne moest er net zo over hebben gedacht, want de telefoon ging niet.

Een windvlaag streek langs haar natte wangen toen ze linksaf sloeg, de snelweg op die naar het Fulton voerde. *God, soms mis ik haar nog. Ik mis haar zoals ik Dan en Holden en alles van vroeger mis.* Ze knipperde met haar ogen om niet weer te gaan huilen. Meestal had ze het te druk om over alles wat ze miste na te denken. Haar bezigheden met Holden, het werk in de supermarkt. Maar op momenten als deze had ze het gevoel dat ze de last niet meer kon dragen; het was te zwaar geworden. *God, wilt U alstublieft spreken tot mijn vroegere vriendin en haar man. En dank U voor haar dochter.* Ze veegde weer een traan weg. Ella was net zo'n aardig meisje geworden als haar moeder vroeger, toen ze op de middelbare school zat. Nu ze Ella had gezien, merkte ze pas hoezeer ze Suzanne had gemist. Ze haalde haar neus op en probeerde haar emoties onder controle te krijgen. Ze kon niet huilend bij het Fulton aankomen. Ze had vandaag een afspraak met Holdens docent Lichamelijke Opvoeding. *Dus ik weet niet waar U mee bezig bent, Vader, maar ik kan wel merken dat U aan het werk bent. Dat is toch zo, God?*

GELIEFDE DOCHTER, IK GA IETS NIEUWS VERRICHTEN, NU ONTKIEMT HET – HEB JE HET NOG NIET GEMERKT? IK BAAN EEN WEG DOOR DE WOESTIJN, MAAK RIVIEREN IN DE WILDERNIS. IK HEB JE LIEF, DOCHTER... JE BENT NIET ALLEEN. OP DIT MOMENT NIET EN OOK LATER NIET.

Tracy raakte bijna van de weg. Het antwoord was zo duidelijk, zo krachtig, dat ze zichzelf erop betrapte dat ze in de achteruitkijkspiegel keek. Alsof God op de achterbank zat. Dit vers, Jesaja 43 vers 19, had ze al vele malen in haar gebeden over Holden geciteerd. Maar ze had nog nooit meegemaakt dat God als antwoord op haar gebed dit vers citeerde.

Tot op dit moment.

Nog maar een paar kilometer en ze was bij de school. Ineens kwam er een scherpe, levendige herinnering bij haar boven. Vijftien jaar geleden hadden Suzanne en zij in de keuken van de Reynolds zoete thee zitten drinken. Suzanne had opgemerkt dat de citroenen beter waren dan normaal of iets dergelijks, toen er opeens vanuit de achtertuin gelach had geklonken. Holden en Ella hadden de slappe lach gehad.

Het was zo'n levendige herinnering dat ze de citroen nog

kon ruiken, en kon voelen dat ze een koud glas in haar hand had. En ze wist ook nog hoe het gelach van hun kinderen had geklonken. Het klonk in haar hart, ziel en hoofd zoals het op die dag, lang geleden geklonken had.

Suzanne en zij hadden zich allebei omgedraaid. 'Hoor je dat?' Suzanne had geglimlacht en met glanzende ogen gezegd: 'Dat is het geluid van de jaren die voorbijvliegen.' Daarna had ze met haar vingers geknipt.

'Je hebt gelijk.' Tracy had naar hun kinderen gekeken. 'Nog even, en ze zitten al in de bovenbouw van de middelbare school!'

'Het zijn twee bijzonder lieve kinderen.' Suzanne keek uit het raam. 'Moet je ze nu toch zien.'

Tracy keek. En ze zag het nog steeds voor zich; het beeld was voor altijd in haar hart gegrift. Met een aantal paardenbloemen in zijn hand rende Holden achter Ella aan om de schommel heen. Toen hij haar bijna had ingehaald, draaide Ella zich vliegensvlug om en moesten ze allebei lachen. Eigenlijk lachten ze altijd. En Tracy zat tegenover haar beste vriendin en de zon scheen op de gezichtjes van hun kinderen. 'De helft is voor jou omdat jij mijn Ella bent! Goed? De helft is voor jou,' zei Holden.

Ella hield haar handen op en zei: 'Goed, geef me dan maar de helft!' Holden splitste het bosje paardenbloemen en legde de ene helft in Ella's handjes. Ella lachte naar hem, trok haar wenkbrauwen op en riep: 'En nu, Holden?'

'Nu gooi je ze in de lucht.' Holden gooide ze in de lucht en Ella volgde zijn voorbeeld. Ze giechelden toen de bloemen op hun hoofd vielen. Er bleven enkele paardenbloemen in hun haar zitten. Dat vonden ze allebei zo'n leuk gezicht, dat ze de bloemen opraapten van de grond en op hun hoofd legden, totdat ze eruitzagen als een stel bloemenkinderen. Ze bleven lachen, totdat de twee met vuile knieën tussen de paardenbloemen neervielen.

Het gelach stierf het eerst weg, daarna vervaagden hun gezichten en ten slotte werden de beelden weer een vage herinnering. Net als alle andere heerlijke momenten ontglipten de beelden haar weer om te worden opgeslagen waar ze thuishoorden. Het gemis drong zich op, drong zich heel sterk op. Tracy haalde haar vingers langs haar ogen en depte haar wangen droog, maar aan de pijn in haar hart kon ze niets veranderen. Het verleden gaf dit soort herinneringen alleen maar in bruikleen op momenten als deze, als Tracy iets deed wat heel gewoon was.

Naar het Fulton rijden om Holden op te halen.

14

Ella wist het niet zeker, maar ze had het idee dat Holden nog wist wie ze was. Hij bewoog die middag nog wel zijn armen op en neer tijdens de repetitie, maar hij deed geen push-ups. Op een gegeven moment had meneer Hawkins tegen hen gezegd dat ze even mochten pauzeren. Ella had omgekeken en Holden erop betrapt dat hij rechtstreeks naar haar keek en niet langs haar heen of dwars door haar heen. Dat had hij nu al een paar keer gedaan, maar zodra zij dat zag, keek hij weer naar iets anders. Toen de derde musicalrepetitie die ze samen hadden meegemaakt, afgelopen was, had Ella het vermoeden dat Holden meer begreep dan de leerlingen van het Fulton dachten.

Zodra het lesuur om was, ging Ella naast Holden staan. Hij zat nog enigszins van voor naar achter te wiegen op zijn stoel en zocht iets in zijn rugzak. Waarschijnlijk zijn flitskaarten. 'Holden, ik ben Ella. Herinner jij je me nog?'

Hij hield op met wiegen en ging rechtop zitten. Toen keek Holden langzaam naar haar op. Deze keer wendde hij niet meteen zijn blik af. Hij bleef oogcontact met haar houden en ze hoefde niet meer te weten wat zijn antwoord was. Zijn blauwe ogen vertelden haar alles wat ze wilde weten.

Hij herinnerde zich haar.

Hoe dat kon wist ze niet goed; vijftien jaar is een lange tijd. Toch was ze ervan overtuigd dat Holden het nog wist. En terwijl ze hier in meneer Hawkins' lokaal stond en de andere leerlingen al waren vertrokken, herinnerde Ella zich hem ook. Niet alleen van de foto's uit het album dat ze vandaag naar school had meegenomen. Ze wist nog hoe hij geweest was... wat voor hart er schuilging achter die verbazingwekkende ogen.

Ella hoorde iets achter zich en draaide zich om. Holdens moeder stond in de deuropening. Hun blikken kruisten elkaar en de vrouw glimlachte, maar haar ogen lachten niet mee. 'Hallo, Ella.'

'Dag, mevrouw.' Ella keek om naar Holden. Hij keek weer naar zijn rugzak. Daarnet hadden ze nog samen een klik gehad, maar daarvan was nu niets meer te bespeuren. 'Ik was alleen maar...' Ze keek mevrouw Harris aan. 'Ik zei iets tegen Holden. Ik vroeg of hij nog wist wie ik was.'

'Hmm.' Ze leek niet zo veel haast te hebben als gisteren. 'Je bent heel aardig voor hem, Ella. Ik bid voortdurend dat Holden een vriend of vriendin vindt. Ik bid voor hem om een wonder. Ik had alleen niet gedacht...'

'... dat ik dat zou zijn.' Ella hoorde teleurstelling doorklinken in haar stem. Had haar moeder Holden nu maar een eerlijke kans gegeven! Ze slaagde erin even te glimlachen. 'Ik heb er met mijn moeder over gesproken.'

Dat bericht leek hard aan te komen bij mevrouw Harris – even veranderde er iets in haar gezichtsuitdrukking. Ze kwam dichter naar haar toe en Ella kon de vrede in haar hart voelen. Kwam dat misschien doordat ze over een speciaal soort geloof of vertrouwen beschikte? Ze bleef aan de andere kant van Holden staan. 'Je vroeg of hij zich jou herinnert.' Haar gezichtsuitdrukking verzachtte en ze keek naar Holden en daarna weer naar Ella. 'Ja, Ella, ik weet dat hij zich jou herinnert.'

'Dat denk ik ook.' Ella zweeg even om zich ervan te laten doordringen. 'Hij keek me aan. Vlak voordat u hier aankwam.' Vanuit een ooghoek zag ze dat Holden naar iets zocht in zijn rugzak. Hij haalde zijn kaarten eruit en begon ze te schudden.

'Hij keek je *aan*?' Mevrouw Harris aarzelde. 'Je bedoelt dat hij jouw kant op keek? Naar een punt vlak bij jou?'

'Nee.' Er ontglipte haar een lachje. Een vrolijk lachje. 'Hij keek me recht aan. Dat heeft hij al een paar keer gedaan. Daarom ben ik gaan denken dat u gelijk hebt, dat hij nog weet wie ik ben.'

Holden trok een kaart uit de stapel, maar veranderde van gedachten en stopte hem er weer tussen. Mevrouw Harris keek naar hem en ging behoedzaam op de stoel naast hem zitten. 'Holden, ben je blij dat je Ella hebt gevonden?'

Ella verwachtte dat hij weer zou opkijken, maar hij bleef tussen zijn kaarten zoeken. Even later stond mevrouw Harris weer op en zei op gedempte toon: 'Hij... hij heeft mij al heel lang niet meer recht aangekeken. En hij praat ook niet meer sinds de diagnose is gesteld.'

Ella kreeg het gevoel of ze geraakt werd door een heleboel glasscherven. Ze kneep haar ogen halfdicht; ze kon niet geloven dat het waar was. Keek Holden zijn moeder niet aan? Was het niet ontzettend zwaar om in één huis te wonen met iemand die geen contact met je maakte? Maar er bestond geen twijfel over: hij had wel contact met haar gezocht.

Holden trok weer een kaart uit de stapel en deze keer hield hij hem omhoog, zodat zij hem konden zien. Ella en mevrouw Harris bogen zich er allebei iets dichter naartoe. Op de kaart waren een hart en muzieknoten afgebeeld, en iets wat leek op een ouderwetse radio. Eronder stond *Ik vind dit lied mooi.* Terwijl hij hem omhooghield keek Holden niet naar hen. Zijn ogen waren op een lege plek op de muur van het lokaal gericht.

Ella was teleurgesteld. Als Holden haar aankeek, hoe kort ook, dan was hij net als iedere andere jongere. Nee, hij was aardiger dan de andere jongeren, omdat hij vriendelijke, lieve ogen vol hoop had. Alsof er nooit iemand gemeen tegen hem deed of hem pestte. Alsof alles nog mogelijk was. Maar nu...

Ze keek Holdens moeder aan. 'Wat voor lied?'

De hulpeloze blik in haar ogen bezorgde haar een warme gezichtsuitdrukking en ze glimlachte even naar Holden. 'Dat weet ik niet goed. De muziekkaarten zijn nieuw.' Ze zuchtte. 'Holden houdt van alle soorten muziek. Het was erg lief van je, Ella dat jij ervoor hebt gezorgd dat hij dit lesuur mag meemaken.'

'Hij deed een poging om hier te blijven staan en toe te kijken. Toen zijn klas langsliep.' Ze haalde één schouder op. 'Ik vond dat hij toestemming moest krijgen om te blijven.'

'Ja, nog bedankt daarvoor.' Ze keek Ella doordringend aan, alsof ze in haar het kleine meisje van vroeger zag. 'Je was zo'n lief kind. Ik heb altijd gedacht dat je een aardig meisje zou zijn als je groot was.' Ze raakte de zijkant van Ella's gezicht aan en heel even was het alsof er tranen in haar ogen schitterden. 'Ik was er niet van overtuigd dat we jou ooit weer zouden zien.'

Ella moest opeens aan het fotoalbum denken dat ze had meegenomen. Het lag aan de andere kant van het lokaal. 'Wacht even.' Ze ging het snel halen. Ella had niet verwacht dat ze een klik zou hebben met Holdens moeder. Tot nog toe had ze de indruk gehad dat de vrouw en haar moeder elkaars tegenpolen waren. Ze was spraakzaam en open. Niets aan haar was vals, gekocht of geïnjecteerd. Misschien had het ermee te maken dat ze daarnet iets had gezegd over bidden. Bij Ella thuis deden ze dat niet.

Toen Ella terugkwam met het fotoalbum, zag ze dat Holden de muziekkaart terug in de stapel stopte en ze langzaam begon te sorteren. Ella ging niet naast hem zitten, maar een paar stoelen verderop. Ze gebaarde dat Holdens moeder naar haar toe moest komen. 'Ik heb dit album meegebracht van thuis.'

Mevrouw Harris kwam naast haar zitten. Ze staarde naar het album en raakte voorzichtig de buitenkant aan. 'Dit herinner ik me. We hebben er allebei een volgeplakt.' Ze keek Ella aan. 'Je moeder en ik.'

Ella liet haar hand eroverheen glijden. 'Hierdoor ben ik te weten gekomen wat er met Holden is gebeurd. Ik was van plan hem de foto's te laten zien.' Ze wierp een blik op Holden. 'Maar misschien is het daar nog te vroeg voor.'

'Ja.' De vrouw keek ook naar Holden - heel even maar. 'Misschien wel, ja.'

Ella legde het album open en sloeg een paar bladzijden over, op zoek naar de foto's waarop ook de familie Reynolds voorkwam. 'Deze vind ik leuk.' Ze wees naar een foto waarop Holden en zij met gekruiste benen in een achtertuin zaten – waarschijnlijk de tuin van de Reynolds. Ze zaten met hun gezichten naar elkaar toe bellen te blazen. 'We hadden het leuk samen, hè?'

'Altijd.' Ze glimlachte. 'Ik herinner me die dag.'

Ella bladerde door en stopte bij een foto van de moeders met hun hoofden schuin naar elkaar toe en een scheve lach op hun gezichten. 'U en mijn moeder... waren jullie elkaars beste vriendin?'

Mevrouw Harris leunde enigszins achterover. 'Ja.' Er ontsnapte haar een lichte zucht. 'We waren heel dik bevriend.'

Ella bestudeerde de foto. 'Hoe hebben jullie elkaar ontmoet?' Holdens moeder boog zich weer voorover, haar blik op de foto gericht. 'Op de eerste dag dat we allebei naar de middelbare school gingen. Jouw moeder volgde drie uur dezelfde lessen als ik en we droegen hetzelfde blauwe shirt. Toen het laatste lesuur begon, vertelde ze aan de docent dat we een tweeling waren.' Ze glimlachte om de goede herinnering. 'Vanaf die dag waren we dikke maatjes.'

Ella vond het een mooi verhaal, maar... dikke maatjes? Ze merkte dat de glimlach van haar gezicht verdween. 'U bedoelt... echt dikke maatjes?'

'Heb je het trouwalbum van je ouders gezien?' Het gezicht

van Holdens moeder had een zachte uitdrukking.

'Een hele tijd geleden.' Ze zag voor zich hoe haar ouders de laatste tijd waren geweest, nooit samen en ook nooit met elkaar in gesprek. Ze knipperde met haar ogen om het beeld kwijt te raken. 'De foto's liggen bij ons thuis in de servieskast. Ik geloof dat het al een hele poos geleden is dat iemand ze heeft bekeken.'

'Ik was je moeders getuige.' Ze raakte de gezichten onder het plastic aan. 'En zij mijn getuige. Onze echtgenoten waren dankzij ons ook met elkaar bevriend, maar je moeder was... Ja, ze was voor mij als een zus.' Haar ogen glinsterden weer en haar glimlach was vrijwel helemaal verdwenen. 'Ik mis haar nog steeds.'

'Waarom belt u haar niet?' Ella vond het afschuwelijk dat haar moeder een vriendin als mevrouw Harris was kwijtgeraakt. 'Ik wil maar zeggen... Was het erg naar? De manier waarop er een einde aan kwam?'

'We hadden geen ruzie. Daar ging het helemaal niet om.'

Holden wiegde weer van voor naar achter, niet te wild en niet te snel, maar er zat hem iets dwars. Ella wilde dat ze wist wat. Begreep hij wat ze zeiden? Wist hij nog dat hun families met elkaar bevriend waren geweest, en dat hun moeders als zussen waren geweest? Ze keek Holdens moeder weer recht aan. 'Het kwam doordat... doordat alles veranderde, hè?'

Mevrouw Harris zuchtte. 'Vorige keer had ik graag meer tijd voor je gehad om erachter te komen hoe het met je ouders is.' Ze keek langs Ella naar de bewolkte lucht. 'Nadat onze vriendschap voorbij was, waren er dagen dat ik niet goed wist waar het verdriet dat ik Holden kwijtraakte ophield, en waar het verdriet dat ik je moeder kwijtraakte begon. Het liep meestal allemaal in elkaar over, vooral nadat Holdens vader was weggegaan.'

'O.' Ella was ontgoocheld. 'Zijn Holdens vader en u gescheiden?'

‘Nee.’ Ze glimlachte weer op een trieste manier. Ze keek even naar Holden. Als hij al meeluisterde, liet hij het niet blijken. Het wiegen werd trager en hij was weer met zijn kaarten in de weer. Mevrouw Harris keek Ella aan. ‘Mijn man werkt op een vissersboot in Alaska. We zien hem bijna nooit.’

‘O.’ Ella dacht erover na. Het speet haar voor Holden dat zijn vader niet in de buurt was. Hij was in de loop van de tijd veel kwijtgeraakt, en nu ze het er toch over hadden, wilde Ella van mevrouw Harris de reden weten. ‘Wat is er dan gebeurd? Waardoor is er een einde gekomen aan de vriendschap tussen onze families?’

‘Dat was lang geleden, Ella.’ Ze wekte niet de indruk dat ze er iemand de schuld van wilde geven. ‘We hadden allemaal moeite met Holdens diagnose.’

‘Op wat voor manier?’

De vrouw aarzelde opnieuw, alsof ze overwoog hoeveel ze zou zeggen. ‘Je moeder maakte zich zorgen om Holden. En ze vroeg zich af wat voor uitwerking zijn autisme op jou zou hebben. Of het aangeleerd gedrag was of besmettelijk, en wanneer het over zou gaan.’

Ella kon zich voorstellen dat haar moeder op die manier had gereageerd. Dat Ella autistisch zou worden was voor haar een groter zorg dan het feit dat ze Holden kwijtraakten.

Mevrouw Harris vouwde haar handen en staarde er even naar. ‘Ik was… nou ja, ik reageerde niet zo goed op de vragen van je moeder. Ik schoot in de verdediging.’ Ze trok een schouder op. ‘Ik denk dat de vriendschap bekoelde.’

‘Dat vind ik jammer.’ De puzzelstukjes vielen op hun plek. Ella stelde zich voor dat haar moeders onzekerheid wat Holden betrof uiteindelijk een wig tussen hen dreef. En mevrouw Harris kon Holden niet blijven verdedigen, zonder over te komen als iemand die op ruzie uit is.

‘Ik weet nog wanneer het gebeurde… wanneer de breuk definitief werd.’ Mevrouw Harris wierp nog een keer een blik op de foto's. 'We belden elkaar steeds minder en spraken ook minder vaak af. Jouw ouders namen je mee naar Florida voor de trainingen in het voorjaar.' Ze glimlachte naar Ella. 'Je vader was in die de tijd min of meer de beste slagman in de honkbalcompetitie.'

'Het is lang geleden dat hij de bal zo goed raakte.'

'Ja... maar toen jullie een maand later terugkeerden uit Florida, namen we geen van tweeën contact op. De weken werden maanden, maanden werden jaren.' Ze liet een lange stilte vallen. 'Vijf jaar later nam ik op kerstavond mijn jaarboek van de middelbare school mee naar de veranda aan de achterzijde van ons huis en huilde een uur lang.'

Ella wist niet goed wat ze zeggen moest. Ze wilde de vrouw vragen waarom ze nooit zelf het initiatief had genomen om te bellen, als ze haar vriendin zo erg miste. Of waarom de mannen geen contact met elkaar opnamen. Maar ze wilde niet onbeleefd of brutaal overkomen. Het verbaasde haar dat Holdens moeder haar al zo veel in alle eerlijkheid had verteld.

'Ik heb altijd gehoopt...' Ze knipperde met haar ogen om de tranen terug te dringen en leek op te gaan in herinneringen aan een ver verleden. 'Er is nooit iemand voor haar in de plaats gekomen.'

'Maar ze leefde niet me u mee... wat Holden betreft.' Over dat stukje kon Ella praten.

'Autisme schrikt sommige mensen af.' Ze streek met haar vingers langs haar ogen en keek naar Holden. Hij hield nog steeds zijn kaarten in zijn handen, maar hij keek nu strak uit het raam. Mevrouw Harris zuchtte. 'Autisme is... laten we zeggen, ingewikkeld.'

Ingewikkeld? Holdens moeder hoefde echt niet zo aardig te zijn. De ware reden was niet zo fraai en te hardvochtig om hardop te zeggen. Vooral waar Holden bij was. Ja, mevrouw Harris had kunnen bellen nadat er zo veel tijd was verstreken.

Maar Ella's moeder was degene die was afgeschrikt door een kind met autisme. Zij had medeleven kunnen tonen, de helpende hand kunnen bieden, of op zijn minst een luisterend oor gehad kunnen hebben voor wat Holdens moeder moest doorstaan. Maar in plaats daarvan was ze de andere kant op gerend.

Hoe treurig was dat? Ella merkte dat de tranen haar in de ogen schoten. Ze keek weer naar de foto's. 'Ik ken mijn moeder niet echt. Ze heeft me nooit iets over u en over jullie vriendschap verteld.'

De waarheid deed kennelijk pijn. Het kostte mevrouw Harris moeite om uit haar woorden te komen. 'Sommige dingen zijn te verdrietig om erover te praten, denk ik.' Ze leek het zowel tegen zichzelf als tegen Ella te zeggen. Dit detail, dat haar moeder nooit iets over deze speciale vriendschap had gezegd, maakte het nog pijnlijker. Dat kon niet anders. Holdens moeder haalde een keer diep adem en probeerde te glimlachen. 'Ik wil er dit over zeggen. Je moeder en ik hebben veel plezier gehad.' Ze knikte alsof ze er zichzelf nog van wilde overtuigen. 'Ze maakte me altijd aan het lachen. We trokken iedere dag met elkaar op. We werden ongeveer in dezelfde tijd verliefd en trouwden in hetzelfde jaar. Haar bruiloft was in het voorjaar, de mijne in de zomer.'

Ella luisterde vol verbazing. Van een vrouw die ze nog maar net hier, in een leeg klaslokaal, had ontmoet kwam ze meer over haar moeder te weten dan ooit tevoren. Ze wilde er best de hele avond blijven zitten, als dat betekende dat ze nog meer van dit soort bijzonderheden te horen kreeg.

'Een paar jaar later... kregen we allebei een baby. Er zat maar drie maanden tussen.'

'Wie is de oudste?'

'Hij.' Mevrouw Harris lachte lief naar Holden. 'Dat klopt toch, Holden?'

Hij keek hen geen van beiden direct aan, maar uit de blik

in zijn ogen was op te maken dat hij optimistisch was. Het gaat allemaal goed; alles klopt, leek zijn gezicht uit te drukken. Ella keek naar de klok aan de muur. 'Mevrouw Harris, ik moet gaan.' Ze moest voor vieren kleding van haar moeder ophalen bij de stomerij. Het stond op het lijstje dingen die haar moeder af en toe van haar verlangde. Ze zei er nog net niet bij: 'Dat kun je toch op zijn minst voor me doen.'

'Ik wil graag nog een keer meer horen, als dat goed is.'

'Zeker.' De vrouw keek weer zo lief. 'Dan zul je bij mij thuis langs moeten komen. Ik heb zelf een videofilm over jullie tweeën samengesteld.'

Ella begon enthousiast te worden. 'Dat doe ik graag. Dank u wel.' Ze stond op en Holdens moeder volgde haar voorbeeld. 'Ik heb nog één vraag.'

'Zeg het maar.' Mevrouw Harris liep naar Holden toe en legde behoedzaam haar hand op zijn rug. Haar aanraking was een soort signaal, want Holden borg zijn flitskaarten op en kwam overeind. Hij wiegde een beetje, maar hij bewoog zijn armen niet en leek ook niet gespannen.

'Mag Holden meespelen in de schoolmusical?' Ze had met de gedachte gespeeld sinds de eerste keer dat ze hem bij de deur van het lokaal had zien staan. 'Als ik ervoor kan zorgen dat hij mee mag doen, bedoel ik.'

Het gezicht van de vrouw vertrok enigszins nerveus. Ze keek even naar Holden. 'Ik denk echt dat hij dat geweldig zou vinden.' De kille realiteit temperde haar enthousiasme. 'Maar ik ben bang... Het is voor Holden al een hele opgave om deel uit te maken van het publiek.' Ze wilde Holden niet kwetsen. Zoveel was wel duidelijk. 'Snap je wat ik bedoel?'

Ella moest haar gelijk geven, maar ze wilde de moed nog niet opgeven. 'Als hij zich voor de lessen drama laat inschrijven, kan hij in ieder geval een rol krijgen als hij dat wil. In het ensemble.'

Holdens moeder gaf Ella een klopje op haar schouder. Het

was alsof ze tegen Ella wilde zeggen dat ze haar tijd verspilde, maar in plaats daarvan fluisterde ze: 'Stel dat God voor het wonder zorgt dat Holden op een podium kan staan zonder iets vreemds te doen. Dan hebben we nog het geld niet om deze lessen te betalen.' Ze omhelsde Ella en legde haar hand tegen haar gezicht. 'Maar dank je wel dat je om hem geeft.' Glimlachend keek ze Ella aan. 'Je bent een heel aardig meisje, Ella. Je bent precies geworden zoals ik dacht dat je zou worden.'

Holden stond geduldig te wachten, maar hij draaide om zijn as en hield zijn handen weer gevouwen onder zijn kin.

'Wacht.' Mevrouw Harris diepte een pen en een blocnote op uit haar tas. Ze schreef snel iets op. 'Alsjeblieft, dit is ons telefoonnummer. Ik meende het toen ik zei dat je langs moest komen. Bel zodra het je uitkomt.' Ze nam Holden mee naar de deur. 'Wil je me een plezier doen, Ella?'

Er kwam te snel een einde aan deze ontmoeting. Ze wilde eigenlijk nog met Holden praten en hem het fotoalbum laten zien, maar daar was geen tijd meer voor. 'Wat dan?'

'Doe je moeder de groeten van me.'

'Zal ik doen.' Ella lachte nog één keer naar haar. Toen pakte ze haar spullen bij elkaar en liep naar een andere deur, op weg naar de parkeerplaats voor de bovenbouw. Ze botste bijna tegen Michael Schwartz op. 'O... sorry.'

'Geeft niet.' Hij deed een stap opzij en stond even te dubben. Hij had een tas voor een muziekinstrument bij zich. Daar zat waarschijnlijk de fluit in, waarmee de rugbyspelers die dag op de gang de gek hadden gestoken. Verlegen keek hij haar recht aan. 'Wat jij voor Holden doet... dat is echt cool.'

Dat raakte Ella. Werd er op school over gesproken dat Holden steeds in het toneellokaal zat? 'Hoe wist je dat?'

'Ik houd hem in de gaten,' antwoordde hij met een scheve grijns. 'Anders maken die rotjongens hem af. Zij willen een school waar niemand onopvallend of anders is, weet je? Iedereen moet precies zijn zoals zij.'

Het was alsof ze een plens ijskoud water in haar gezicht kreeg. Michael was een van de weinige leerlingen op het Fulton die het voor Holden opnamen. Maar wie nam het op voor Michael? Ze zag voor zich hoe Jake en zijn vriend hem in een hoek hadden gedreven en ze hoorde hen weer zeggen: *'Jij speelt dwarsfluit... dat doen de meeste homo's... mafkees... dit is onze gang.'* Hoe had ze ooit op een jongen als Jake verliefd kunnen worden?

'Jij speelt dwarsfluit, hè?' Die vraag had ze hem nog nooit gesteld. Ze had van zichzelf geen interesse mogen hebben in een jongen als Michael, die heel anders was dan de leerlingen met wie zij altijd optrok.

'Ja.' Hij tilde zijn tas een stukje op. 'Ik speel in het orkest. We zijn bezig met de voorjaarsproductie.'

'Ja, dat dacht ik zal.' Dat betekende dat Michael deel zou nemen aan de repetities in de weken die voorafgingen aan de voorstelling in april. 'Ik heb een rol in de musical.'

'Ja.' Hij lachte zachtjes. 'Jij bent Belle. Dat weet iedereen.'

Michael Schwartz en zij zaten nu al drie jaar op het Fulton. Hij was een jaar jonger, maar ze zag hem vaak – in de gangen of in de kantine. En hij volgde ook een paar dezelfde lesuren als zij. Maar ze had nog nooit op deze manier met hem gekletst. Ze was in bepaalde opzichten ernstiger gehandicapt dan Holden. Wat voor excuus had ze om te wikken en te wegen met wie ze wel en met wie ze niet praatte?

Ella liet niet blijken hoe boos ze op zichzelf was. 'Het zal leuk zijn om het volgende semester samen te repeteren.' Ze wilde hem vragen, waar hij na schooltijd naartoe ging en wie zijn vrienden waren.

'Ja.' Hij keek een andere kant op, maar richtte zijn blik toch weer op haar, alsof hij aanstalten maakte om door te lopen. 'Dat zal wel.'

De moed zonk Ella in de schoenen. Michael geloofde haar niet, ze had drie jaar lang gedaan alsof hij niet bestond. Ze wilde hem vragen nog even bij haar te blijven, maar ze kon natuurlijk niet in één keer goedmaken wat er tot nog toe was gebeurd. Ze had geleefd binnen de grenzen van haar eigen groepje oppervlakkige, vervelende vrienden en vriendinnen, zonder bereid te zijn met jongeren om te gaan die buiten dat groepje vielen.

Maar dat wilde ze niet meer.

Ze keek even naar de grond terwijl ze naar woorden zocht. 'Hé...' Ze hield de banden van haar rugzak stevig vast en van schaamte praatte ze zachter dan daarnet. 'Het spijt me dat Jake en die jongens laatst zo gemeen tegen je waren.' Ze wierp hem een verontschuldigende blik toe. 'Het zijn echt rotjongens.'

'Ja, dat kun je wel zeggen.' Hij haalde zijn schouders op, maar zijn grijns werd minder overtuigend. 'Het geeft niet. Dat soort jongens krijgen altijd wat ze willen.' Met zijn vingers stevig om het hengsel aan zijn dwarsfluittas liep hij weg. 'Tot ziens, Ella.'

Roerloos keek ze hem na. 'Ja, tot ziens, Michael.' Voor het eerst had ze laten blijken dat ze van elkaar wisten hoe ze heetten.

Ella liep langzaam naar haar auto, de zon scheen op haar schouders. Michael had gelijk. Jongens als Jake kregen altijd wat ze wilden. Het waren eigenlijk helden, omdat ze goed konden rugbyen.

Maar misschien kwamen Holden en Michael dit jaar eindelijk aan de beurt. Michael kon in het orkest op zijn dwarsfluit spelen en Holden kreeg misschien toch een rol in de musical, en de hele school zou komen kijken. LaShante zou haar helpen om iedereen er enthousiast voor te maken. Dat moest toch te doen zijn?

Ella glimlachte om wat ze in gedachten voor zich zag. Toen ze bij haar auto aankwam, werd ze helemaal in beslag genomen door één gedachte: mevrouw Harris bad om een wonder. Er gebeurden misschien echt wonderen, en misschien gebeurden ze als mensen erom baden. Mevrouw Harris bijvoorbeeld. Als dat waar was, was God misschien met een wonder bezig. Voor mevrouw Harris, Ella's moeder en Holden. En misschien zelfs voor Michael.

Voor hen allemaal.

Ze dacht aan wat Holdens moeder had gezegd. Als hij zich al voldoende zou kunnen beheersen om zwijgend op de achterste rij van het ensemble te staan, zou er toch nog geen geld zijn om de dramalessen te betalen. Maar er kon geen sprake zijn van een wonder als Holden niet op zijn minst een kans kreeg. Dit jaar bedroegen de kosten bijna tweehonderd dollar. Ella had er nooit aan gedacht dat dat een obstakel zou kunnen zijn. Terwijl ze naar haar auto liep, wist ze wat ze zou doen nadat ze de gestoomde kleding van haar moeder had opgehaald.

Ze ging een manier bedenken om aan het geld voor Holdens dramalessen te komen.

15

Holden danste naar de auto van zijn moeder. Zo had hij een paar minuten geleden met Ella door het klaslokaal gedanst. Ze hadden almaar in de rondte gedanst, ze hadden gelachen en het mooie lied bleef klinken. Het was zijn lievelingslied en het heette *Misschien krijgen Ella en ik nog een tweede kans om vrienden te worden.*

Iedereen die op het schoolterrein langsliep, was blij en aardig. Holden lachte naar hen, maar hij bad ook voor hen. Voor iedereen afzonderlijk. Omdat sommige jongeren eigenlijk best aardig waren, maar dat niet durfden te laten zien. De rugbyspelers bijvoorbeeld en sommige meisjes die vaak lachten. Holden bad dat ze zouden laten zien hoe aardig ze waren, zodat iedereen het zou kunnen zien en voelen. Dat zou voor iedereen op het Fulton goed zijn.

Is dit niet de mooiste dag die we ooit hebben meegemaakt, mam? Hij lachte naar haar toen ze bij de auto aankwamen. *Wat een fijn gesprek met Ella.*

'Instappen, Holden.' Zijn moeder deed het portier voor hem open. 'Vergeet niet je gordel om te doen.'

Dat vergeet ik niet, want gordels zorgen ervoor dat we veiliger zijn. Hij hoorde hoe de muziek aanzwol en de strijkinstrumenten inzetten. Toen zijn moeder instapte, lachte hij weer. *Ik ben blij dat u bij Ella en mij was. Ik vind dat we allemaal weer vrienden moeten worden, niet alleen zij en ik.*

'Ella zei dat jij haar vandaag hebt aangekeken.' Zijn moeder bleef recht voor zich uit kijken, haar blik gericht op de weg.

Ja, ik heb haar aangekeken. Holden voelde zich beter dan

ooit. *Ik heb toch gezegd dat ik Ella kan zien. En zij kan mij zien. We hebben elkaar altijd kunnen zien met onze ogen, maar we konden ook bij elkaar in het hart kijken.*

Zijn moeder zei iets, maar door de muziek hoorde Holden het niet goed. Het was mooie, bemoedigende muziek zonder tromgeroffel. Holden haalde een keer diep adem en legde zijn hoofd tegen de rugleuning van de stoel. Dit was de beste dag van zijn leven omdat Ella nog wist wie hij was, en omdat Ella en zijn moeder elkaar ook hadden teruggevonden.

Het mooiste vond hij nog dat Ella het fotoalbum tevoorschijn haalde. 'Ik heb dit meegebracht om aan je te laten zien, Holden,' had ze tegen hem gezegd.

Dat is heel aardig van je, Ella. Hij zag de foto's in het boek en had zin om te zingen. *Ik herinner me die foto's*, zei hij tegen haar. *We hadden toen veel plezier. Vooral als we bellen aan het blazen waren.*

'We hadden het leuk samen, hè?' Ella keek blij, alsof ze het fijn vond om herinneringen op te halen.

Ja, zeker. We speelden, lachten en zongen de hele dag. Dat klopt toch, mam?

'Ja, de hele tijd.' Zijn moeder glimlachte. Ze glimlachte altijd. 'Ik herinner me die dag.'

Holden wist het ook nog. *Jij was zo grappig die dag dat we bellen bliezen, Ella. Je wilde een bel blazen die helemaal tot in de wolken zou opstijgen, en je zei tegen mij dat ik ook zo'n grote moest blazen. We bleven het allebei proberen, en uiteindelijk kreeg je een heel blije blik in je ogen en zei: 'Zie je dat?! Ik denk dat Jezus die misschien wel ziet!' We zetten onze handen achter ons in het zachte gras, leunden achterover, en zagen hoe de bellen in een lange sliert opstegen naar Jezus. Eerst één bel, toen twee, toen drie... Weet je nog?*

'Ja, natuurlijk weet ik dat nog.' Ella vertelde nog veel meer over de tijd dat ze klein waren, maar dat deed ze met haar ogen. Haar woorden waren niet te horen, omdat de muziek harder klonk. De mooie klanken van zijn lievelingslied, vertolkt door blaasinstrumenten, piano en fluiten, vulden het klaslokaal en ook Holdens hart en ziel. Het fluiten was mooi omdat het Michaels muzieksoort was. Michael speelde op de dwarsfluit.

Ik vind dit een mooi lied, zei Holden tegen Ella en tegen zijn moeder. En zij glimlachten omdat één ding zeker was: zijn moeder en Ella hoorden de muziek.

Holdens hart stroomde over van geluk en daardoor kon hij tijdens de rit naar huis geen minuut meer wachten met bidden. *Jezus, dank U voor deze bijzondere dag, en voor de fantastische tijd met Ella en mijn moeder. Ik kan het allemaal als een schilderij voor me zien, God. Ella, Michael en ik in de voorjaarsproductie. En mijn moeder en Ella's moeder zullen weer vrienden worden, iedereen zal van iedereen houden en niemand zal ooit nog lelijk doen, omdat op heel het Fulton goedheid de vrije loop zal krijgen. Het zal een bijzondere tijd worden, God. En ik weet zeker dat het zo ver komt, omdat het vandaag al zo'n fantastische dag was en U daarvoor hebt gezorgd. Alle goede dingen komen bij U vandaan. Wees alstublieft bij Ella en spreek tot haar. Soms denk ik dat zij er behoefte aan heeft Uw stem te horen. Dank U, Jezus. Ik weet dat U van me houdt. Uw vriend, Holden.*

Ja, alles zou goed komen omdat hij nu samen met Ella in de musical zou spelen, en dat kwam alleen maar doordat hij er iedere dag om had gebeden. God verhoorde zijn gebeden vandaag, toen Ella daarover begon. 'Mag Holden meespelen in de musical?'

En zijn moeder had geantwoord: 'Ja, natuurlijk mag hij meespelen. Hij zou het geweldig doen in de musical. Hij vindt *Belle en het Beest* ook prachtig.'

Dat was dus geregeld.

Hij zou samen met Ella in *Belle en het Beest* optreden, dat was een van hun lievelingsvideo's geweest toen ze klein waren. Dat wist hij nog, omdat zijn moeder altijd dat lied zong over thuis, dat is waar je hart woont. En dat was waar, maar een enkele keer toch ook niet. Op dit moment kon hij niet zeggen dat zijn hart thuis woonde.

In het toneellokaal van meneer Hawkin, op de elfde rij bijna helemaal achterin, tussen de grote muziekposter met een afbeelding van de pianotoetsen, zeven octaven en vijfentwintig akkoordsoorten per vier posities, dat is in totaal honderd akkoorden per octaaf met twaalf verschillende grondtonen, wat betekent 1200 akkoorden per octaaf of 8400 mogelijke akkoorden... Daar tussen de muziekposter die Holden mooi vond, en het raam met zes vierkante ruitjes, op de tweede stoel van rechts en op de vierde stoel recht achter Ella, pal onder de zacht tikkende klok aan de muur van het lokaal...

Daar woonde zijn hart.

16

Ella rekende af bij de stomerij en reed daarna naar de andere kant van het parkeerterrein. Ze had behoefte aan een stille plek om geconcentreerd na kunnen te denken. Ze zou haar vader overvallen met haar telefoontje, want ze belde hem eigenlijk nooit. Ze haalde haar telefoon tevoorschijn en zocht zijn nummer op.

Terwijl de telefoon overging merkte Ella dat haar hart een vreemd ritme kreeg. *Waarom ben ik zo bang?* Ze sloot haar ogen en schermde haar gezicht af met haar vrije hand. *Hij is toch mijn vader!*

Hij nam op het allerlaatste moment op, net voordat er zou worden overgeschakeld naar de voicemail. 'Met Randy.'

Het deed pijn dat hij haar telefoonnummer niet herkende, maar daar wilde ze niet bij stil blijven staan. Ze zou zijn nummer ook niet hebben herkend. Als ze elkaar zagen, zeiden ze vrijwel nooit iets tegen elkaar, laat staan door de telefoon. 'Pa... met Ella.'

'O, dag, Ella.' Hij klonk alsof hij haast had, alsof hij dit telefoontje zo snel mogelijk achter de rug wilde hebben. 'Wat is er aan de hand?'

Ella hoorde op de achtergrond geroezemoes. 'Randy, leg neer... Hé, heb je soms een vrouwtje aan de lijn?'

'Houd je in, Simmons. Het is mijn dochter.' Op de achtergrond klonk het geluid van tegen elkaar stotende gewichten.

Hoe meelijwekkend het commentaar van die Simmons ook was, haar vaders reactie bewees één ding: hij gaf genoeg om haar om toe te geven dat hij zijn dochter aan de lijn had. De gedachte raakte haar zo, dat ze even zweeg.

'Ella.' Zo te horen was hij er niet helemaal met zijn gedachten bij. 'Ik heb het druk, lieverd. Gaat het om iets dringends? Heb je iets nodig?'

'Liefde en gesprekken, een vader die is geïnteresseerd in wat ik doe,' had ze het liefst geantwoord. Tandenknarsend probeerde ze haar boosheid onder controle te krijgen. 'Ik heb geld nodig. Tweehonderd dollar.' Dat was het bedrag dat Holden moest betalen als hij mee mocht spelen in de musical. Ze vond het vervelend dat ze hem alleen om deze reden belde, maar ze had hem verder niets te zeggen. Ze was niet van plan uit te leggen waar ze het geld voor nodig had.

'Ik versta je maar half, Ella. Had het met geld te maken?' Er werd op de achtergrond gelachen. 'Kun je iets luider spreken?'

Ella voelde zich opeens dom. Hoe kwam ze erbij contact op te nemen met haar vader? Wat had het voor zin? Ze wilde hem geen minuut langer meer aan de lijn hebben. Hoe ze ook aan het geld voor Holden kwam, het zou niet bij haar vader vandaan komen. Nee, ze besloot hier en nu dat ze dat bedrag zelf bij elkaar zou krijgen. Ze kon misschien wel een baantje zoeken, of iets anders verzinnen. Haar vader wachtte nog. 'Laat maar zitten, pa. Ik spreek je nog wel.'

'Het spijt me.' Hij klonk verslagen. Het lawaai op de achtergrond overstemde hem ook nu weer. 'Ik kan je niet goed verstaan. We spreken elkaar vanavond, goed?'

Er prikten tranen in haar ogen. 'Goed.' Ze verbrak de verbinding zonder gedag te zeggen. Hij zou het toch niet verstaan.

Halverwege de weg naar huis bedacht ze dat ze geen baantje kon zoeken. Daar had ze geen tijd voor naast de repetities voor de musical en haar huiswerk. Maar voordat ze te ontmoedigd kon raken, kwam ze op een ander idee. Ze zou iets kunnen verkopen. Haar iPod touch bijvoorbeeld. Daarvoor had ze toch twee keer zo veel betaald? Een van haar vriendinnen wilde hem vast wel voor de helft van de prijs van haar overnemen.

Ella liet de telefoon in haar schoot vallen. Haar handen beefden, maar ze popelde om vanavond haar vriendinnen te bellen. De leerlingen van het Fulton zaten nooit om geld verlegen... Iemand zou morgen haar iPod kopen. Daarna kon Holden officieel leerling worden in de klas die repeteerde voor de theaterproductie.

En daarna, geloofde Ella met heel haar hart, zou er van alles kunnen gebeuren.

*

Suzanne vroeg zich af of ze erbij neer kon vallen en zou kunnen sterven. Niet omdat het zo schokkend was, maar omdat Ella er nu van wist. Ze schaamde zich zo, dat het haar moeite kostte om adem te blijven halen. Ze deed alles wat in haar vermogen lag om jong te blijven. Ze was in staat zichzelf uit te hongeren om in een kleine maat spijkerbroek te passen, haar lichaam bruin te laten worden en botoxbehandelingen te ondergaan. Maar ze was niet in staat haar man te dwingen naar huis te komen.

Hun huwelijk stelde niet veel meer voor.

Er kwam een herinnering aan twintig jaar geleden bovendrijven. Ze had Randy's huwelijksaanzoek geaccepteerd, Haar moeder vierde dat feit samen met haar en nam haar een paar minuten apart. Haar vader en haar broers en zussen zaten in de kamer ernaast toen haar moeder haar op gedempte toon twee adviezen gaf: zorg dat je superslank blijft en kijk de andere kant op. 'Let op mijn woorden: Randy zal op een gegeven moment honkballen op hoog niveau. Beroepshonkballers hebben andere normen en waarden.'

Suzanne werd misselijk van deze zogenaamde wijsheden van haar moeder en wendde zich daarom tot Tracy Harris, haar beste vriendin in die tijd. Een betere vriendin had ze nooit gehad. Tracy was christen en Suzanne en Randy waren daardoor ook in God gaan geloven. Een jaar voordat beide stellen trouwden gingen ze voor het eerst gezamenlijk naar de kerk, en Suzanne merkte dat er bij haar vanbinnen iets veranderde. Randy merkte dat ook, naar eigen zeggen in ieder geval. Hij werd zelfs lid van de mannenvereniging van de kerk en een jaar lang reden Dan Harris en hij iedere maandag naar het kerkgebouw om samen hun geloof te versterken.

Tracy gaf Suzanne een heel ander advies dan haar moeder toen ze met Randy in het huwelijk trad. Suzanne wist nog precies wat ze had gezegd omdat ze de eerste paar jaar veel had gehad aan Tracy's wijze opmerkingen. *Heb in de eerste plaats God lief en in de tweede plaats je man. Denk eraan dat je hem complimentjes geeft, want als je dat niet doet, doet iemand anders het. Zet je altijd voor honderd procent in. Als jullie dat allebei doen, hebben jullie zekerheid in de perioden dat iemand zich enigszins losmaakt.*

Maar wat betekende precies *zich enigszins losmaken*? Randy had aandacht voor haar als hij raak sloeg, als hij genoemd werd in de sportbladen en wedstrijden won. Hoe vaker hij op de bank zat, hoe minder hij thuisbleef en tijd met haar doorbracht. De laatste tijd besefte hij niet eens dat zij er ook nog was – hoe ze er ook uitzag.

De eerste vier jaar had Randy af en toe een inzinking en kwam hij niet naar huis, maar naderhand gaf hij uitleg en bood zijn excuses aan. Daarna ging het altijd een tijdje weer goed tussen hen. Vooral in het jaar dat Dan en hij samen naar de Bijbelstudiekring voor mannen gingen. Maar op momenten als deze, moest Suzanne eerlijk toegeven dat Randy en zij hun leven nooit aan Christus hadden toegewijd. Ze hadden het erover dat ze dat besluit wilden nemen, en keken toe wanneer andere mensen dat inderdaad deden, maar er was altijd een reden voor dat het er bij hen niet van kwam. Ze hadden meer informatie nodig... ze wilden zeker zijn van hun zaak... ze begrepen niet alles wat de Bijbel leerde...

Maar na de breuk in hun vriendschap met Tracy en Dan gingen de Reynolds niet meer naar de kerk. Even snel als de winter inviel, verkilde hun toch al niet zo sterke geloof. In het begin leek het niet belangrijk. Randy speelde goed en ze verhuisden naar New York, waar hij het ene na het andere succes behaalde. Maar ook in die tijd vond hij het lastig om goed te communiceren, vooral als de ploeg verloor of hij minder vaak raak sloeg dan hij wilde. Als ze beter haar best deed, bedacht Suzanne, vaker sportte, zorgde dat ze mooier bruin werd en er jong bleef uitzien, zou hij vaker thuis willen zijn. Maar nu geruchten de ronde deden dat Randy niet gevraagd zou worden om te spelen, deed hij alsof hij geen vrouw, geen thuis en zelfs geen kinderen had. Alsof hij weer lid van een studentenvereniging was en altijd met zijn maten optrok... aan gewichtheffen deed met zijn maten... uitging met zijn maten...

Suzanne wist niet hoeveel ze nog zou kunnen verdragen.

Ze ging naar haar kamer en deed de deur op slot. Misschien werd het tijd om de waarheid onder ogen te zien. Het was niet alleen zo dat haar huwelijk niet veel meer voorstelde, haar hele leven was eigenlijk een schertsvertoning geworden. Ze had de laatste tijd het idee dat ze niet meer voor vol werd aangezien. In andermans ogen was ze de vrouw van een profhonkballer, die er weer als iemand van negenentwintig probeerde uit te zien, terwijl haar man een vervagende droom najoeg.

Hij kon beter op zijn hoogtepunt van zijn sportprestaties afscheid nemen dan zich onderwerpen aan de kritiek van de media en aan de vernedering dat ze hem lieten gaan. Vooral nadat hij ooit heel goed was geweest en hoog op de keuzelijst had gestaan. Terwijl Randy alle mogelijke moeite deed om zich weer met hart en ziel in te zetten, maakte zij overuren bij haar pogingen om zijn aandacht te trekken. Maar wat was ze ermee opgeschoten?

Ze ging naar de badkamer en keek naar haar spiegelbeeld. Wat ze ook aan haar gezicht deed, ze slaagde er niet in er weer zo uit te zien als toen ze jong was. Het had niets te maken met haar teint of met de blonde plukjes in haar haar. Haar ogen vormden het probleem. Ze waren ouder dan ze feitelijk was en wat ze ook probeerde, niets leek te helpen. Niet alleen Randy zat aan de grond; zij ook.

De spiegel vertelde haar de mogelijkheden die ze had. Ze zou hem uiteraard bellen om hem te vragen eerder thuis te komen, zoals ze ongeveer één keer per week deed. Maar hij zou net als altijd aan de bar blijven zitten praten over honkballen en pas na twaalven naar huis komen. Dan liep hij door het huis alsof zij onzichtbaar was. Als er al andere vrouwen in het spel waren, dan was dat Suzanne nooit ter ore gekomen en ze had er ook nooit bewijzen van gevonden. Ze nam aan dat hij haar trouw was – grotendeels in ieder geval. Maar hun huwelijk was nog slechts een formaliteit. Het was dan ook geen wonder dat haar zelfvertrouwen na verloop van tijd was uitgesleten als een zandbank voor de kust tijdens een storm.

Suzanne knipperde met haar ogen, maar ze kreeg er de lege blik in haar ogen niet mee weg. Het sprak voor zich dat ze het onderspit zou delven. In het feit dat ze Randy Reynolds' vrouw was vond ze haar trots en eigenwaarde. En het had nog een voordeel: Randy's salaris. Ook als hij op de bank zat verdiende hij nog altijd goed. Ze hoefde haar bezoekjes aan botoxklinieken, schoonheidssalons, kapsalons en kuuroorden niet op te geven.

Afschuw vulde haar ogen terwijl ze naar zichzelf keek. Wat was er van haar terechtgekomen? Hoe had ze het zover kunnen laten komen dat ze een slavin van haar image en reputatie was geworden? Een vrouw die haar ziel had verkocht voor een bedrag met vijf nullen op haar bankrekening? En nu had Ella Holden gevonden. Hoeveel moeite zou het haar kosten om Tracy te ontlopen? Het bracht haar in verlegenheid dat ze geen vriendinnen meer waren, en Suzanne had geen flauw idee wat ze tegen Tracy zou moeten zeggen als ze elkaar weer zouden zien.

Maar het ergste vond Suzanne nog dat ze zich realiseerde dat ze na twintig jaar huwelijk nog leefde volgens het afschuwelijke advies dat haar moeder haar had gegeven. Haar moeder was dertien jaar geleden na een kort ziekbed overleden aan longkanker. Maar als haar moeder haar nu had kunnen zien, zou ze geen medelijden met Suzanne hebben. Ze zou trots op haar zijn. Volgens haar moeders maatstaven deed Suzanne het uitstekend omdat ze nog steeds superslank was.

En ze had zich ook zeker de kunst eigengemaakt om de andere kant op te kijken.

17

Het zag ernaar uit dat er die dag weer een storm zou opsteken. Dan zat op zijn hurken op zijn werkplek op de garnalenboot, op alles voorbereid. De vangst was de laatste tijd zo goed geweest, dat Tracy de rekeningen die waren blijven liggen en ook de therapeuten kon betalen. Misschien was er zelfs wel genoeg geld binnengekomen om iets opzij te leggen. In dat geval zouden ze gedekt zijn voor de eerstvolgende keer dat de zee te ruw was om te vissen, een boot pech kreeg of apparatuur het begaf.

'Er is zo te zien weer afschuwelijk weer op komst.' Een van de vissers kwam wijdbeens naast Dan staan en keek naar de horizon in de verte. 'Zulke donkere wolken heb ik nog nooit gezien.'

'We zijn er in ieder geval op voorbereid.' Dan moest denken aan de laatste soortgelijke storm. Die was bijna zijn dood geworden. Hij zou deze keer beter opletten, de garnalen sneller binnenhalen en zorgen dat hij benedendeks kwam. Vorige week was er zo snel een storm komen opzetten dat ze niet eens hadden kunnen uitvaren. Maar nu was er geen tijd meer om terug te keren. Ze zouden deze storm moeten trotseren. Bovendien was er op dit moment een overvloed aan garnalen. Hoe groter de vangst, hoe groter ieders aandeel. Dat was het motto van mannen als hij.

Dan voelde dat zijn mobiele telefoon trilde in zijn achterzak. Hij bewaarde hem in een goed af te sluiten zakje van dubbel plastic dat hij in het droogste gedeelte van zijn broek opborg. Ze hadden niet altijd bereik, maar als ze dat wel hadden vond hij het prettig om even naar huis te bellen. Hij probeerde het een paar keer per week, maar nu was het vier dagen geleden dat hij Tracy gesproken had. Ze waren bijna dag en nacht aan het werk geweest.

'Je wordt gebeld? Neem maar op.' De man naast hem keerde terug naar zijn werkplek. 'Maar houd het kort. We kunnen geen man missen.'

Dan nam aan dat ze nog tien, hooguit vijftien minuten tijd hadden. Hij haalde de telefoon uit zijn zak en liet hem uit het dubbele plastic glijden. Het was Tracy. Hij kreeg ongeveer een keer per maand een telefoontje van zijn ouders, maar verder onderhield hij geen contact met mensen uit zijn vroegere leven. Het leven voordat Holden autistisch werd. Hij drukte de juiste knop in en hield de telefoon tegen zijn oor. Het andere oor bedekte hij met zijn vrije hand, omdat de wind het hem anders onmogelijk maakte om ook maar iets te verstaan.

'Hallo?' Een woeste golf sloeg wegstuivend water in zijn gezicht.

'Dag.' Ze klonk gekwetst, afstandelijk. 'Het is alweer even geleden.'

'Ja.' Hij negeerde het prikken van het zoute water in zijn ogen. 'Sorry. We hebben het druk gehad.'

'Hmm.' Ze liet een korte stilte vallen. 'Het is daar bij jou heel winderig, zo te horen.'

'Er is een storm op komst.' Dan tuurde met half dichtgeknepen ogen naar de oprukkende donkere wolken. 'Het lijkt er waarschijnlijk op dat ik dat altijd zeg.'

'Ja, klopt. Maar is alles goed met je?' Haar stem klonk bezorgd. 'Kun je schuilen?'

'Maak je over mij maar geen zorgen.' Hij sloot even zijn ogen. Het was heerlijk om haar stem te horen. Hij kon met Kerst pas naar huis komen, over drie maanden, maar wie weet kreeg hij eerder de kans om terug te gaan. 'Ik mis je.'

‘Ik mis jou ook.’ Er begon opwinding door te klinken in haar stem. ‘Dan, ik bel je, omdat... omdat God met Holden bezig is. Ik meen het.’

Dan deed zijn ogen open en keek naar de ruwe zee rondom hun oude schip. ‘Wat wil je daar nu precies mee zeggen?’ Hij hield zijn emoties onder controle. Holden was nog nooit zichtbaar vooruitgegaan.

‘Aan het begin van de week... heeft hij Ella gevonden.’ Ze was moeilijk te verstaan door de harde wind. ‘Ella Reynolds, Dan. Ze zijn elkaar tegengekomen op het Fulton.’

Dan merkte dat hij minder enthousiast werd. Een vriendin van vroeger terugvinden was één ding. God aan het werk zien in Holdens leven was iets heel anders. ‘De familie Reynolds.’ Hij hoorde zelf de effen toon waarop hij het zei. ‘Dat is lang geleden.’

‘Er is meer aan de hand...’ Tracy begon te vertellen hoe Ella zich tot Holden aangetrokken had gevoeld en hem had willen helpen. En dat zij ervoor had gezorgd dat Holden de repetities mocht bijwonen voor de musical die in het voorjaar zou worden opgevoerd. ‘En dat was voordat ze wist wie hij was. Ze wist ook niet dat ze lang geleden bevriend waren geweest.’

Dan wilde er graag van uitgaan dat Holden het haar had verteld. Holden herinnerde zich Ella ongetwijfeld. Hij keek tenslotte iedere dag naar die video van hen tweeën. En dat hoelang al? Langer dan Dan zich kon herinneren. Maar dat kon niet waar zijn.

Het begon ondertussen harder te waaien. Het gesprek kon niet lang meer duren. Nog even en de storm brak los. Hij begon harder te praten om zich beter verstaanbaar te maken. ‘Hoe heeft ze het verband gelegd?’

‘Dankzij een fotoalbum. Ze bekeek familiefoto’s en zag er een paar van ons allemaal samen. Holdens naam stond eronder, denk ik, en Ella trok daaruit haar conclusies.’

Dan wist nog hoe gespannen de sfeer tussen de gezinnen was geweest nadat Holden was veranderd. 'Is ze... lijkt ze op haar moeder?'

Tracy aarzelde. 'Ze is zoals Suzanne vroeger was. Ze is aardig en eerlijk en ze wil graag dat Holden meespeelt in de musical die komend voorjaar wordt opgevoerd. Het is *Belle en het Beest*.'

Tracy moest iets voor hem verborgen houden, want anders was dit een bizar idee. 'Holden kan nog nauwelijks één lesuur uitzitten zonder push-ups te doen.'

'Hij doet zijn best. Ik wil per se geloven dat het hierdoor anders wordt.'

'Daar gaat het niet om.' Dan moest het gesprek beëindigen. De storm kon hen ieder moment overweldigen. 'Het kost hem grote moeite, Tracy.'

'Dat weet ik.' Haar enthousiasme nam gedeeltelijk af. 'Maar Dan, Ella zei dat Holden haar heeft aangekeken. Recht in haar ogen.'

Dit detail zorgde voor het eerst voor een klein glimpje hoop. Hij greep de zwengel voor zich vast. 'Dat is mooi, maar heeft hij jou ook aangekeken? Of zijn therapeuten?'

'Nee, en mij de laatste tijd ook niet.' De manier waarop ze dat zei, maakte duidelijk dat ze zich niet liet ontmoedigen. 'Maar het is een begin.' Ze nam nauwelijks de tijd om adem te halen. 'Ik weet het niet, hoor Dan, maar ik heb het gevoel dat er iets staat te gebeuren; dat God een begin maakt met iets wat indrukwekkender is dan wij ons kunnen voorstellen.'

Een donderslag deed de lucht trillen, niet ver van de plek waar hij nu stond. Zijn inschatting was niet juist geweest. De storm barstte nu al los en het gesprek had nog maar acht, misschien negen minuten geduurd. 'Dat is mooi, Tracy. Echt waar. Het enige wat wij kunnen doen is blijven bidden.'

Ze gaf niet meteen antwoord. 'Ja, meer kunnen we niet doen.' Soms kon hij aan het eind van een gesprek de tranen in haar ogen bijna zien. Dit was zo'n moment. 'Ik wil zo graag dat je eerder naar huis komt.'

'Ja, dat zou ik ook wel willen.' *Vooral nu.* De bliksem flitste onaangenaam dichtbij. 'Hé, ik moet ophangen. Ik bel je over een paar dagen weer, goed?'

Opnieuw een korte stilte. 'Ik houd van je, Dan.'

'Ik oo...' Dan kreeg opeens de ingesprektoon en keek op het schermpje van zijn telefoon. De verbinding was verbroken. Hij liet de telefoon in het plastic zakje glijden en stopte hem weer in zijn zak. En toen zag hij opeens iets wat hij in de vijf jaar dat hij nu op zee was, nog nooit had gezien.

Een minstens acht meter hoge golf die recht op hen afkwam.

'Extreem hoge golf!' werd er geschreeuwd aan de andere kant van het dek door een stuk of zes vissers en dekknechts. 'Zoek dekking! Extreem hoge golf! Extreem...'

Meer tijd kregen ze niet. De golf had het schip moeten kapseizen, maar de kapitein was op de een of andere manier zo ver uitgeweken dat ze hem frontaal op de boeg kregen. Dan dook ineen onder de zwengel en drukte zijn lichaam tegen de zijkant van het schip. Ondertussen greep hij zich vast aan wat hij maar vastgrijpen kon. Maar tegen de golf kon hij niet op. Hij werd uit zijn schuilplaats gerukt en heel even maakte hij helemaal geen contact meer met de boot. Spartelend in het ijskoude water sloeg hij zijn armen en benen uit om houvast te vinden op het schip onder hem. Het water was zo koud dat hij ervan overtuigd was dat hij niet eens zou kunnen ademen, als hij erin slaagde zijn hoofd boven de golf uit te steken.

Hoe bestaat het dat dit nu nog een keer gebeurt? *God, help me! Alstublieft...*

Op het moment dat hij er zeker van was dat alle hoop verloren was, smakte zijn lichaam tegen een mast aan. Omdat hij er zich er niet aan kon vastgrijpen, wikkelde hij zijn lijf eromheen en klampte zich er met de enkels aan vast. Nog steeds had hij geen adem gehaald en hij wist dat het nog maar een kwestie van tijd was. Zo dadelijk verloor hij het bewustzijn en zou de dood er snel op volgen.

Als U me nu thuishaalt, God, dan kan ik daar vrede mee hebben. Ik heb U lief en dat is altijd al zo geweest. Maar Vader, als U met Holden bezig bent, als U van plan bent in zijn leven een wonder te doen, zorgt U er dan alstublieft voor dat ik blijf leven. Het water kolkte rond zijn gezicht en mond. Zijn longen schreeuwden om lucht. Zo dadelijk zou hij zout zeewater binnen krijgen. *Vader, ik zal ophouden met vissen. Ik zal thuisblijven en ander werk zoeken. Ik zal doen wat U wilt, Vader, als U me maar niet laat sterven, zonder dat ik heb gezien hoe Holden weer de oude wordt. Zelfs al stelt het niet veel voor, Vader. Als hij mij kan aankijken zoals hij Ella heeft aangekeken, wil ik alles doen om te blijven leven. Alstublieft, God... Alstublieft...*

Juist op het moment dat Dan water in zijn longen kreeg hoorde hij een zuigend geluid. De golf trok zich terug. Hij snakte een paar keer achter elkaar naar adem en stikte bijna in het water dat hij in zijn keel had gekregen. Wat was er gebeurd? Leefde hij werkelijk nog of was dit de hemel? Hij probeerde op handen en knieën overeind te komen, maar zijn gevecht met de golf had hem uitgeput. Met zijn bont en blauw gebeukte lichaam bleef hij op het slingerende schip liggen.

De kapitein duwde de deur van de stuurhut open en schreeuwde over het dek: 'Iedereen benedendeks. We moeten koppen tellen.'

Hij was niet in de hemel. Een telling betekende toch dat er mannen ontbraken? Van de mannen die naast hem hadden gestaan, waren sommigen overboord geslagen. Dat was gebeurd in het moment dat de extreem hoge golf met geweld om zich heen had geslagen. De storm was nog niet op zijn hoogtepunt en het begon nu pas echt te plenzen. Dan had dit eerder meegemaakt. Hij moest benedendeks zien te komen, anders konden ze over een paar minuten zijn naam toevoegen aan de dodenlijst. Hoeveel man zou er al op de lijst staan?

Hij probeerde weer overeind te komen, maar viel op zijn buik. *Vooruit, Dan. Je kunt het.* Terwijl hij daar lag herinnerde hij zich zijn gebed. Hij had God gesmeekt hem te laten leven als de kans bestond dat Holden zou veranderen, en dat hij zijn zoon terugkreeg, al was het maar gedeeltelijk. En nu lag hij hier, levend en wel! Dat moest dan toch iets te betekenen hebben? Hij haalde zich Holden voor de geest, die onvermoeibaar dag in, dag uit naar therapie ging en zijn huiswerk deed, zonder ooit vooruitgang te boeken.

Nieuw leven, nieuwe kracht stroomde door hem heen terwijl hij zijn teerhartige, dappere zoon voor zich zag.

'Maak dat je benedendeks komt, nu meteen!' riep de kapitein. 'Wacht er niet mee. Er doemt weer een golf op aan de horizon.'

Op handen en knieën begon Dan te kruipen. Hij kon dit best. Als Holden zich door de stille wereld van het autisme kon worstelen, kon Dan zorgen dat hij benedendeks kwam. Dat was toch wel het minste wat hij kon doen. Hij zette door en negeerde de splinters in zijn knieën. Hoe vaak zou hij dit nog doen? Hoe vaak moest hij nog bijna een gevecht met de zee verliezen, voordat hij naar huis ging? *Doorzetten, Dan*, zei hij tegen zichzelf. *God, U hebt me al een keer gespaard. Helpt U me dan ook nu alstublieft om benedendeks te komen. Alstublieft...*

IK BEN EEN STERKE TOREN, MIJN ZOON... SNEL ERHEEN EN JE BENT VEILIG.

Het antwoord gaf hem nieuwe kracht. Veel mannen raakten hier op zee hun band met God kwijt, maar dat was bij Dan niet gebeurd. Hij voelde dat de golf dreigend op hen afkwam. Terwijl hij het luik optilde en zijn lichaam door het gat schoof, voelde hij de schaduw op zich van de tweede extreem hoge golf die als een waanzinnig monster op hen neer zou dalen. Hij kwam net aan in het ruim toen de golf over het schip heensloeg. Hij stootte zijn hoofd tegen de poot van het bed dat het dichtst bij hem stond en hield zijn adem in, ervan overtuigd dat het schip zou omslaan.

Maar dat gebeurde niet.

De storm woedde en het schip slingerde, maar er waren geen extreem hoge golven meer. Dan slaagde erin in een kooi te klauteren en bleef het eerste uur roerloos liggen. In de tijd dat hij nu op Alaskaanse vissersboten werkte, had hij angstaanjagende golven gezien. *Deadliest Catch* gaf het leven aan boord precies goed weer, dat was hem wel duidelijk geworden. Maar hoe realistisch een tv-serie ook was, ze konden nooit de doodsangst weergeven die je meemaakte als je volledig was overgeleverd aan de genade van de zee.

Hij kon Holdens gevechten niet leveren, dus waarom dacht hij eigenlijk dat hij wel strijd kon leveren met de Alaskaanse zee? En wat te denken van Tracy's idee dat God bezig was iets te doen in Holdens leven? *God, ik geef het op. Ik geef me over. Ik doe een beroep op Uw barmhartigheid.*

WEES VASTBERADEN EN STANDVASTIG... IK BEN MET JE.

Hij was nog steeds suf van uitputting, zijn ribben duwden tegen zijn zijden terwijl zijn longen zwoegden om meer lucht binnen te krijgen. Maar toen Gods woorden bij hem binnenkwamen vulden ze hem met kracht en vrede, een vrede waarvan hij veel te lang niet had geweten. Stel dat hij na achttien jaar geen vechtlust meer had? Misschien moest hij maar voorgoed naar huis gaan om zijn vrouw en zoon opnieuw te leren kennen.

Hij hoorde dat twee vissers en één dekknecht op zee waren omgekomen toen de extreem hoge golf toesloeg. De onstuimige zee had een hele reeks reusachtige golven voortgebracht. Twee kleinere schepen waren daardoor gekapseisd en hun bemanningsleden en nog zeven anderen waren overboord geslagen, de ijskoude zee in. In het hele land stond dit verhaal met grote koppen in de kranten en op Fox News werd dagenlang over niets anders gesproken. Dan belde Tracy zodra hij weer bereik had. 'Ik wil je laten weten dat ik veilig ben,' zei hij tegen haar. Nadere bijzonderheden bewaarde hij voor later.

Hij wist nog niet zeker of hij Alaska voorgoed zou verlaten, maar in de dagen na de storm ging er geen minuut voorbij zonder dat Dan zich verwonderde. Hij had aan God gevraagd of hij mocht blijven leven als het waar was dat Hij echt iets in Holden aan het bewerkstelligen was, zoals Tracy beweerde. Nu Dan nog leefde, kon dat voor zijn enige kind, zijn grote zoon, maar één ding betekenen.

Misschien, heel misschien had Tracy gelijk.

18

Ella verkocht haar iPod aan Jenny, een van de cheerleaders, en nam het geld op maandagochtend mee naar de administratie. Ze deed de deur open en liep naar de balie waarachter mevrouw Henley zat. De vrouw lachte zelden. Niemand wist hoelang ze eigenlijk al op het Fulton werkte. Mevrouw Henley zat een eindje verderop achter haar computer te typen. Ze moest hebben gehoord dat Ella binnenkwam, maar typte nog even door voordat ze zich omdraaide. Ze keek op haar horloge. 'Officieel is de balie pas over vijf minuten open.'

'Goed.' Ella glimlachte. Ze hield de tweehonderd dollar stevig vast. Niets kon vandaag haar enthousiasme dempen. 'Ik wacht wel.'

Mevrouw Henley slaakte een zucht van frustratie. 'Dat hoeft niet.' Ze was dik en bewoog zich traag. Het kostte haar veel moeite om uit haar stoel te komen. 'Wat kan ik voor je doen?'

Ella legde de biljetten op de balie. 'Ik ben Ella Reynolds en ik wil graag voor Holden Harris de dramalessen betalen.'

De vrouw trok één wenkbrauw op en keek Ella bedachtzaam aan. 'Holden Harris?' Ze schudde haar hoofd. 'Hij heeft geen toestemming gekregen om dramalessen te volgen. Hij heeft autisme, Ella.'

Ella was zo met Holden begaan dat haar vastberadenheid alleen maar toenam. 'Dat weet ik. Hij kijkt nu alleen maar toe bij de repetities voor de musical, maar zijn moeder en ik denken dat hij er graag een rol in wil spelen.'

Ze knikte langzaam en zei sarcastisch: 'Je meent het. Denken Holdens moeder en jij dat?' Ze sloeg haar armen over elkaar en leunde op de balie. 'Heeft een van jullie met meneer Hawkins overlegd? Het is zijn theaterprogramma.'

Ella had niet verwacht dat ze zo moeilijk zou doen, maar ze vermande zich. Ze moest rustig blijven en ze was zeker van haar zaak. Haar blik viel op het naamplaatje op de rand van de balie. Roberta Henley, Hoofd Administratie. Misschien moest ze het anders aanpakken. Ella ademde langzaam in. 'De dramasectie heeft toch geld nodig?'

'Eh...' Mevrouw Henley keek Ella boos aan. 'Ja, dat is waar. De dramasectie is een grote kostenpost op de begroting van het Fulton.'

'Nou, daarom...' Ze schoof de biljetten iets dichter naar de vrouw toe. 'Dit is het geld voor de dramalessen voor Holden Harris. Als het lukt hem op het podium te krijgen is dat fantastisch. Lukt dat niet, dan mag de school het bedrag houden.' Ze glimlachte. 'En maakt u zich maar geen zorgen over meneer Hawkins. Ik zal tegen hem zeggen dat er voor Holden is betaald. Je weet maar nooit.'

'Wat weet je maar nooit?'

'Of er met Holden niet een wonder gebeurt.' Ze had gewonnen! Ze wist gewoon dat de overwinning ophanden was, en ja hoor, mevrouw Henley pakte het geld aan. Ze haalde een paar vellen papier uit een van haar dossiermappen en gaf ze aan Ella. 'Zijn moeder moet ervoor tekenen.'

'Ja.' Ella bleef glimlachen terwijl ze achteruit naar de deur liep. 'Ze zet vandaag nog haar handtekening.'

De harde blik in de ogen van mevrouw Henley verzachtte. 'Ik weet dat je het goed bedoelt, Ella Reynolds.' Aan de manier waarop de vrouw sprak was duidelijk te horen dat ze geboren en getogen was in het zuidelijk deel van de Verenigde Staten.

'Ik ben blij dat u dat zegt, mevrouw.' Ella woonde al haar hele leven in datzelfde gebied. Toch kostte het ook haar moeite om mevrouw Henley te verstaan.

'Toch is het weggegooid geld, Ella. Holden Harris zal niet op een podium gaan staan zingen. De docenten van de afdeling speciaal onderwijs op deze school zijn nog steeds bezig met pogingen om hem het op en neer bewegen van zijn armen af te leren.' Ze wierp Ella een blik toe waaruit eerder medelijden sprak dan verbijstering. 'Je kunt met geld smijten omdat je zo graag wilt dat de jongen een plek krijgt in de theatergroep, maar dat verandert niets aan het feit dat Holden nu eenmaal autistisch is. Hij kan zich niet bij andere leerlingen aansluiten. Hij zal nooit van zijn leven op dat podium een rol spelen in de voorjaarsmusical.'

'Bedankt voor uw bezorgdheid, mevrouw.' Ella trok haar schouders recht. Wat verdrietig dat het personeel op deze school niet geloofde dat Holden kon veranderen. Met die instelling was er weinig hoop. 'Misschien is het wel zo dat Holden nooit met ons allemaal op het podium zal staan, maar hij krijgt er nu in ieder geval de kans voor.' Ze glimlachte nog één keer. 'Dag, mevrouw.'

Toen Ella de deur uit liep, voelde ze zo'n rijk, diep en vreemd gevoel, dat ze even moest blijven staan om te weten te komen wat voor gevoel dat was. Het was blijdschap, het soort blijdschap waarvan ze zich niet meer kon heugen wanneer ze het eerder had ervaren. En opeens was ze er dankbaar voor dat ze geen geld had aangepakt van haar vader, want het allermooiste was nog dat ze nu echt zelf iets voor Holden had gedaan.

*

Ze vertelde die middag nog niet aan meneer Hawkins dat er betaald was voor Holdens dramalessen. Met iedere dag die verstreek kwam ze wel iets dichter bij het moment dat ze dat zou doen. Dat had natuurlijk met Holden te maken. Tijdens ieder lesuur drama zag ze kleine veranderingen in zijn manier van doen. Op maandag betrapte ze hem er drie keer op dat hij naar haar keek, en iedere keer keek hij haar iets langer aan.

Toen ze zich de volgende dag omdraaide en zag dat hij weer naar haar zat te kijken, glimlachte ze en Holden glimlachte terug. Tenminste, dat dacht ze. De andere dagen had hij rond gelopen met een glimlachje op zijn gezicht, alsof hij de gelukkigste leerling van de school was. Maar deze keer was het anders. Deze keer glimlachte hij naar haar.

Op woensdag was Holden in staat de hele repetitie op zijn stoel te blijven zitten, zonder ook meer één keer een push-up te doen. Tijdens een van de lange nummers uit de musical keek Ella twee keer even naar hem en zag dat zijn lippen bewogen. Probeerde hij het lied woord voor woord mee te zingen zonder geluid te maken? Na het lesuur liep Ella naar het bureau van meneer Hawkins. 'Hebt u ook gezien dat er bij Holden iets verandert?'

'Verandert?' Meneer Hawkins keek op. Hij zat het script van *Belle en het Beest* te bestuderen en maakte aantekeningen in de kantlijn.

Ella liet niet merken dat ze teleurgesteld was. Misschien zag zij de veranderingen alleen maar omdat ze zo aandachtig keek. Of beeldde ze zich die veranderingen alleen maar in? 'Het is u niet opgevallen?'

'Hmm. Hij heeft de repetities deze week niet verstoord, als je dat soms bedoelt.'

'Hij doet mee. Vandaag keek ik twee keer achterom toen we aan het zingen waren, en beide keren bewogen zijn lippen! Dat moet toch iets te betekenen hebben.'

Meneer Hawkins rolde nog net niet met zijn ogen, maar met zijn lichaamstaal bereikte hij hetzelfde resultaat. 'Ik verwacht niet van je dat je precies weet wat autisme inhoudt, Ella, maar je moet toch weten dat grillig herhaalgedrag erbij hoort. Probeer daarom maar niet te veel conclusies te trekken uit Holdens zonderlinge manier van doen.' Hij richtte zijn aandacht weer op het script. 'De jongeman geniet van de tijd dat hij bij ons is. Daar is alles mee gezegd, en als ik jou was zou ik niet zo mijn best doen om er meer achter te zoeken.'

Ella had hem willen vertellen dat ze het geld voor de dramalessen voor Holden betaald had, maar ze had de indruk dat dit er niet het juiste moment voor was. Ze deed een paar stappen achteruit. 'Nou, toch bedankt dat u het goedvindt dat hij bij ons in de klas zit, meneer.'

Haar docent legde zijn rechteronderarm op zijn bureau en draaide zich om haar recht aan te kunnen kijken. 'Mag ik eerlijk tegen je zijn, Ella?'

'Ja, meneer.' Zou meneer Hawkins nu toegeven dat hij ook veranderingen bij Holden had waargenomen? Met grote ogen wachtte ze af.

'De tijd dat we repeteren is kort en vliegt om. Daarom is Holden Harris niet het belangrijkst – of hij nu vorderingen maakt of niet. Dit wordt zonder enige twijfel de belangrijkste voorjaarsmusical die het Fulton ooit op de planken heeft gebracht.'

'Ja, meneer.' Ze hield haar frustratie voor zich. Ze wist wel hoeveel er van de voorstelling afhing. Maar veel belangrijker was wat ze als groep zouden kunnen doen voor Holden Harris.

'Ella.' Hij sprak op iets vriendelijkere toon. 'Ik waardeer het dat je je zo onbaatzuchtig inzet voor Holden Harris, maar ik wil graag dat je je slechts op één ding concentreert.' Hij maakte een theatraal gebaar naar één kant. 'Jij moet als Belle overkomen als het liefste, onschuldigste meisje dat er bestaat. Het is een typische Disneyrol waarmee je alle leerlingen van deze school in vervoering kunt brengen, en ervoor kunt zorgen dat onze theaterzaal tot de laatste plaats bezet is.' Hij liet een korte stilte vallen, waarin hij niet één keer met zijn ogen knipperde. 'Probeer dat alsjeblieft te onthouden.'

'Maar als we nou…'
'Ella!'
Ze beet op haar lip om te voorkomen dat ze tegen hem inging. Ze moest zorgen dat meneer Hawkins aan haar kant stond, als ze het voor elkaar wilde krijgen dat Holden een plek op het podium kreeg. 'Ja, meneer.' Ze knikte er zo gehoorzaam mogelijk bij. 'Ik zal het onthouden. Bedankt, meneer.'

Ella sprak Holdens moeder nu iedere vrijdagmiddag. Nadat Holdens moeder het formulier had ondertekend waarmee ze toestemming gaf dat Holden optrad, vertelde Ella haar deze keer hoe gefrustreerd ze was. 'Niemand denkt dat hij kan meespelen in de musical. Nooit van zijn leven.'

'Dat kunnen we hen niet kwalijk nemen.' De vrouw straalde vrede uit, en dat maakte het gemakkelijk om met haar samen te zijn. Ze legde uit dat autisme in verschillende gradaties voorkomt binnen een heel spectrum van abnormale gedragingen. 'Sommige jongeren hebben een vorm die het Aspergersyndroom wordt genoemd, of minder uitgesproken vormen van autisme.' Haar ogen konden haar verdriet niet verhullen. 'Zo'n jongere is Holden niet. De docenten weten dat, dus ook meneer Hawkins. Zij gaan alleen maar uit van wat volgens onderzoeken en bewijzen typerend is voor de stoornis, en dat is dat een leerling als Holden nooit in staat zal zijn om mee te spelen in een voorstelling.'

Ella kwam veel over Holden te weten tijdens hun gesprekken. Mevrouw Harris legde uit dat Holden niet aangeraakt wilde worden. 'Dat komt vaak voor bij jongeren met een stoornis in het autistisch spectrum.' Voor zover men wist zorgden aanrakingen voor te veel prikkels bij mensen met ernstig autisme. Ook als iemand met een borstel over zijn huid ging, raakte hij in paniek of viel op de grond om snel achter elkaar een aantal push-ups te doen.

'Ik probeer het af en toe wel, maar ik heb hem niet meer

bij de hand gehouden of geknuffeld sinds hij drie was,' had mevrouw Harris Ella vorige week vrijdag verteld. Ze had met haar ogen geknipperd om de tranen terug te dringen.

'Niet één keer?' Zoiets kon Ella zich niet voorstellen.

'Overdag in ieder geval niet. Hij slaapt licht, maar soms lukt het me om stilletjes zijn kamer binnen te glippen en in de stoel naast zijn bed te gaan zitten, alleen maar om dicht bij hem te zijn. Dan raak ik soms zijn gezicht of zijn haar aan.'

Voor Ella was dat het allerverdrietigst, dat Holden zich nooit door iemand liet aanraken. Ze had bij maatschappijleer geleerd dat aanrakingen ongelooflijk heilzaam zijn. Ze had onderzoeken gelezen over baby's die in weeshuizen verbleven. Daaruit kwam naar voren dat ze het beter deden naarmate ze meer aandacht kregen. Na dat gesprek met mevrouw Harris was Ella ervan overtuigd dat het antwoord op de vraag hoe ze Holden het beste konden bereiken, gedeeltelijk lag in een bepaalde vorm van aanraking.

De dagen verstreken en Ella merkte dat ze zich steeds sterker tot Holden aangetrokken voelde. De geluidloos uitgesproken woorden veranderden zo nu en dan in geneurie in precies de goede toonsoort. In plaats van strak uit het raam te kijken maakte hij zo nu en dan oogcontact met meneer Hawkins. Hij wiegde niet zo vaak meer van voor naar achter en speelde ook niet meer zo vaak met zijn flitskaarten. Er veranderden dingen voor Holden, hoe klein ook, en Ella was vastbesloten hem te helpen. Hij was toch ooit gezond geweest? Dan kon hij ook best weer gezond worden. Niets kon haar van het tegendeel overtuigen. Toch besloot ze nog niet aan meneer Hawkins te vragen of Holden mocht meespelen in de musical. Daar zou ze mee wachten totdat het nog iets beter met hem ging.

De week daarna deed Ella haar best om nog iets duidelijker te zingen en haar tekst meer te benadrukken. Als ze Holden wilde helpen, moest ze om te beginnen voor meneer

Hawkins zo goed mogelijk presteren. Dat was een betere benadering dan met hem in discussie gaan. Als hij blijer werd van wat ze voor het voetlicht bracht, zou hij ongetwijfeld ook zelf zien hoe Holden veranderde.

Ella hoefde niet lang te wachten. De belangrijkste doorbraak bij Holden kwam op die donderdag. Het was de derde donderdag in oktober en bijna twee weken na haar gesprek met meneer Hawkins.

De klas zong het laatste lied van de voorstelling, de herhaling van de herkenningsmelodie van *Belle en het Beest*, toen Ella achter zich een onbekende stem hoorde. Deze was niet zo helder als die van de anderen en hij zong iets te hard, maar het was op de een of andere manier toch een bekende stem. Ze draaide zich om, in de veronderstelling een nieuwe leerling in de rijen achter haar te zien staan. In plaats daarvan zag ze iets wat enkele andere leerlingen ook hadden gezien.

Holden Harris zong.

Hij keek hen geen van allen aan, haar ook niet. Hij hield zijn blik gericht op een plek boven in het lokaal, waar de muren en het plafond samenkwamen. Maar het viel niet te ontkennen dat Holden echt met hen meezong. Ella had het liefst de repetitie onderbroken om dit te vieren, maar ze wilde niet dat Holden ophield met zingen. Ella zong door, maar probeerde ondertussen zo onopvallend mogelijk meneer Hawkins' aandacht te trekken.

Toen dat eindelijk lukte, wees ze naar Holden. Meneer Hawkins richtte zijn aandacht onmiddellijk op het achterste gedeelte van het lokaal. Aan zijn ogen zag ze hoe schokkend hij het vond dat hij Holden hoorde zingen. Het ritme van het lied klopte niet helemaal meer, maar hij bleef naar Holden kijken terwijl hij doorspeelde.

Ella had het liefst luidkeels gelachen van blijdschap, of door de klas gerend en overwinningskreten geslaakt. Maar ze wilde niet dat het raam dat in Holdens hoofd openging, weer dichtviel. Daarom zong ze door totdat het lesuur was afgelopen. Terwijl ze haar script in haar rugtas stopte, keek ze heimelijk toe toen een stuk of vijf jongeren op Holden af stapten.

'Hé, man.' Dit kwam uit de mond van de jongen die Gaston speelde. 'Fijn om jou te horen zingen.' Hij probeerde Holden een high five te geven, maar Holden keek alleen maar strak naar de grond en knikte. Het verschil was deze keer dat Holden niet van voor naar achter wiegde en ook niet zijn armen op en neer bewoog.

Met half dichtgeknepen ogen bleef Ella naar hem kijken. Had ze zich zijn reactie verbeeld? Ze keek nog aandachtiger, maar wanneer een lid van de cast op hem afging en 'Goed gedaan' of 'Je klonk goed' tegen hem zei, deed Holden steeds hetzelfde. Hij knikte even op het juiste moment.

Toen alle anderen weg waren, ging Ella naar hem toe. Er was al een vast patroon ontstaan. Iedere dag liep ze met hem mee naar de bus, behalve op vrijdag; dan wachtte zijn moeder hen hier op school op. Ella moest opschieten, want Holden moest op tijd zijn voor de bus. Hij zat nog toen ze een eindje bij hem vandaan bleef staan. 'Ik hoorde je zingen, Holden. Mooi!'

Hij knikte, maar deze keer bleef hij niet naar de grond kijken. Hij hief zijn hoofd op en hij lachte. Vervolgens deed hij iets wat Ella de adem benam. Hij begon te zingen. *'Eeuwenoud verhaal, steeds opnieuw bedacht. Altijd zo gegaan, altijd zo geweest… Belle en het Beest.'*

Ella sloeg een hand voor haar mond; ze wist niet wat ze nu liever deed: lachen of het uitschreeuwen van blijdschap. *Doe normaal,* zei ze tegen zichzelf. *Straks neemt hij van schrik de benen.* Ze onderdrukte haar gevoel van opwinding. 'Goed gedaan. Precies zoals het moet.' Ze deed een stap in de richting van de deur. 'Kom, je moet op tijd zijn voor je bus.'

Holden stond op en samen verlieten ze het lokaal. Vlak

voordat ze de gang op liepen, werd Ella's aandacht getrokken door iets achter haar. Ze keerde zich om en wat ze toen zag, deed haar bijna even breed lachen als toen Holden begon te zingen.

Meneer Hawkins had van achter zijn bureau alles gezien.

*

Net als altijd keek Tracy die middag toe, toen Holden uit de bus stapte. Niets wees erop dat zij zich deze dag haar hele leven zou herinneren. Ze was het natuurlijk met Ella eens. Holden veranderde. Langzaam, geleidelijk leek hij meer aansluiting te vinden. Tracy vond het moeilijk dat Holden alleen maar aansluiting zocht bij Ella. Aan de manier waarop zij tweeën hun middagen en avonden doorbrachten, was nog helemaal niets veranderd.

Ze waren vanmiddag met zijn tweeën, omdat Kate bij een vriendinnetje was gaan spelen. Het motregende toen ze naar huis liepen, maar dat maakte geen verschil voor Holdens manier van lopen. Hij deed een paar passen, draaide één keer in de rondte, deed weer een paar passen en draaide nog een keer rond. Dit was iets nieuws, iets wat hij pas deed sinds hij weer contact had met Ella. Tracy probeerde een reden te verzinnen waarom hij in het rond draaide, maar ze kon alleen maar bedenken dat hij op zoek was naar Ella. Misschien kwam telkens nadat hij een paar passen had gedaan, de gedachte bij hem op dat Ella hier had moeten zijn, en dat het niet zo was.

Wat dat ronddraaien ook veroorzaakte, Holden maakte een gelukkige indruk. Hij had met die argeloze blik in zijn grote ogen altijd al op een prettige manier de wereld in gekeken, maar de laatste tijd leek hij voortdurend rond te lopen met een lach op zijn gezicht. Hij leek veel minder last te hebben van een stoornis dan sommige boze klanten in de supermarkt.

Thuisgekomen gingen ze zwijgend aan de keukentafel zitten en at Holden iets lekkers – net als altijd. Tracy stelde meestal geen vragen, omdat ze het moeilijk vond dat hij nooit antwoord gaf. In plaats daarvan maakte ze opmerkingen waarvan ze aannam dat ze juist waren. 'Met wiskunde ging het goed vandaag, Holden. Je bent heel goed in wiskunde.'

Hij keek haar niet aan en reageerde er ook niet op een andere manier op.

'Volgens Ella doe je het goed tijdens het lesuur drama. Ze wil graag dat je meespeelt in de voorstelling. Ik denk dat je dat wel weet, Holden.'

Wat Holden toen deed was zo buitengewoon, dat Tracy zichzelf moest voorhouden dat ze niet droomde. Als reactie op haar opmerking over het lesuur drama knikte Holden. Hij maakte geen oogcontact en zijn gezicht veranderde ook niet van uitdrukking. Zijn blik bleef gericht op de rozijnen die hij netjes in een cirkel op de rand van zijn bord had gelegd. Maar dat veranderde niets aan het feit dat hij had geknikt, als antwoord op haar opmerking.

Ella had haar verteld dat Holden de laatste tijd in allerlei opzichten was vooruitgegaan. Dat hij haar vaak aankeek, en dat hij de indruk wekte dat hij meezong omdat hij zijn lippen bewoog. Tracy had dat nog niet met eigen ogen gezien. Daarom vond ze het moeilijk om te geloven dat het waar was. Maar nu... nu deed Holden precies wat hij volgens Ella kon doen.

Hij reageerde op haar!

God, het is een wonder! Waar U ook mee bezig bent, gaat U er alstublieft mee door! Er stroomden tranen over Tracy's wangen zoals de rivieren door de wildernis die ze zo vaak in haar gebeden had genoemd. Het liefst was ze naar haar zoon toe gerend om hem in haar armen te nemen, maar ze mocht niet in beweging komen. In de loop van de tijd hadden Holdens therapeuten haar nadrukkelijk één ding voorgeschreven: als

Holden tekenen van vooruitgang begon te vertonen, mocht ze er niet te veel aandacht aan besteden. Als iemand zich al aan autisme ontworstelde, moest dat stapje voor stapje gebeuren.

Ze veegde haar tranen weg en zorgde ervoor dat ze geen geluid maakte. Holden mocht haar emoties niet zien. Op een moment als dit moesten er geen vreemde of onbekende geluiden worden gemaakt, omdat Holden een gevoelig gehoorsysteem had. Ze wachtte totdat ze het gevoel had dat haar keel niet meer zo hard werd dichtgeknepen. 'Ik denk dat jij het als lid van de cast heel goed zou doen. Je houdt zo veel van muziek.'

Ze bleef hem in het oog houden, omdat ze die reactie zo verschrikkelijk graag nog een keer wilde zien. En ja, voordat ze tijd had gehad om te bidden, deed Holden het weer. Hij knikte. Daarna draaide hij zijn hoofd in de richting van de woonkamer.

'Het is tijd voor de film, hè?'

Weer een knikje, zijn grote ogen straalden en daar was ook weer dat nieuwe, lieve lachje. Hij stond op en liep naar de woonkamer, zij volgde hem op de voet. De film stond net als altijd startklaar, en Tracy ging op de bank zitten, pakte de afstandsbediening en drukte op de startknop.

Holden zat anders altijd op de grond een eindje bij het scherm vandaan en ging helemaal op in de film, maar nu deed hij heel iets anders. Haar hart sloeg over.

Hij kwam naast haar op de bank zitten.

Het was geen plek pal naast haar, maar wel zo dichtbij dat Tracy nauwelijks durfde te ademen of zich te bewegen. Ze kon niets anders doen dan zich op dat moment realiseren wat overduidelijk was: hij had er absoluut met opzet voor gekozen naast haar te gaan zitten. Uit eigen beweging had Holden het jarenlang bestaande gedragspatroon doorbroken, alsof hij deze keer graag samen met haar naar de film wilde kijken.

Tracy's ogen schoten opnieuw vol tranen en weer moest ze zich uit alle macht verzetten tegen de aandrang om een luide kreet te slaken. De afgelopen vijftien jaar waren Holden en zij altijd op een armlengte afstand van elkaar gebleven en had ze ook helemaal niet geweten wat er in hem omging. Vijftien jaar lang had ze voor Holden gebeden, en God gevraagd haar op de een of andere manier te laten zien dat daarbinnen nog steeds ergens haar lieve Holden aanwezig was. Vijftien jaar lang had niets op gebedsverhoring geduid.

Tot vandaag.

Ze kon niet voorkomen dat er tranen over haar wangen biggelden, maar ze slaagde erin geen geluid te maken. Ze wilde niets doen wat dit moment zou bederven, en ze moest zichzelf voorhouden dat dit echt gebeurde. Holden zat naast haar. Dat had hij vijftien jaar lang niet gedaan. Tracy sloeg haar armen strak om haar middel om te voorkomen dat ze haar armen naar hem uitstak en hem tegen zich aan drukte.

Toen ze zich niet meer kon inhouden, deed ze het enige wat ze durfde te doen. Ze legde haar hand naast zich op de bank, op de plek tussen hen in. Er verstreek een minuut en de tranen begonnen weer over haar wangen te stromen. Toen, op het moment in de film dat Ella en Holden naast elkaar *Jezus houdt van mij* stonden te zingen, gebeurde het.

Zonder haar aan te kijken, zonder op de een of andere manier aan te geven dat er zo dadelijk iets ongewoons zou gebeuren, bracht Holden zijn arm dichter naar die van haar en pakte heel licht haar vingers vast. Tracy voelde dat ze beefde, maar ze bad met heel haar hart dat Holden het niet merkte. Ze sloot haar ogen en liet de tranen komen. Warme, louterende tranen waren het, die zich jaar in jaar uit in haar hadden opgehoopt terwijl ze op dit ene moment had gewacht.

Om weer hand in hand met haar zoon op de bank te zitten.

19

Holden maakte voor Ella een heel nieuwe wereld toegankelijk. Vanaf begin november ging ze zo vroeg naar school, dat ze Holden kon opwachten op de plek waar de bus hem afzette. Daarna liep ze met hem over het schoolterrein naar de vleugel, waarin de leerlingen van het speciaal onderwijs les kregen. Na haar vijfde lesuur wiskunde zocht ze hem weer op en gingen ze samen naar de repetities.

Op de eerste dinsdag van november kwam Ella eerder bij de bushalte aan dan anders. Terwijl ze daar stond te wachten, zag ze dat Jake en zijn nieuwe vriendin in zijn auto kwamen aangereden en samen de school binnengingen.

LaShante hield haar op de hoogte van alles wat er gaande was onder de jongeren met wie ze eerder altijd optrok. Het verbaasde haar niet dat Jakes nieuwe vriendin een slechte reputatie bleek te hebben. Jake had een voorkeur voor meisjes die geen nee konden zeggen. Tegen de jongens van het rugbyteam scheen hij gezegd te hebben dat hij het met Ella had uitgemaakt omdat ze zo saai was. Het maakte haar niet uit wat hij rondvertelde, zij was van hem af.

Vanaf de parkeerplaats liep een groep cheerleaders naar binnen. Hun gelach schalde over het schoolterrein. Ella tuurde in hun richting. Ze wist nog hoe het voelde om deel uit te maken van die groep. Ze liepen door de school alsof het gebouw van hen was, en ze twijfelden er geen moment aan dat iedere jongen op school hen fantastisch vond en dat alle andere meisjes wilden zijn zoals zij.

LaShante trok ook niet meer zo vaak met hen op. Ze was

een paar keer komen kijken in het toneellokaal en ze had Holden zelfs een keer horen zingen. 'Wat een leuke jongen!' zei ze. 'Ik vraag me alleen af of hij wel weer echt... normaal wordt, zeg maar. Zoals wij.'

Ella vond het niet vervelend dat haar vriendin dit hardop zei. 'Wat is normaal? Misschien bestaat zoiets helemaal niet.'

Ze had het nu niet alleen over de leerlingen van het Fulton, maar ook over haar eigen familie. Haar vader kwam tegenwoordig nog minder vaak thuis. Haar broers woonden praktisch bij de overburen, en haar moeder zag ze ook alleen maar langs flitsen omdat ze voortdurend onderweg was, van de zonnebankstudio naar het fitnesscentrum en weer naar de schoonheidssalon.

Hoe langer ze optrok met Holden, hoe normaler hij leek, eerlijk gezegd.

Ze keerde zich om omdat ze de bus hoorde aankomen. Ze zag hem tot stilstand komen en de deur opengaan. Holden stapte altijd als eerst uit en bleef dan staan wachten, totdat de andere leerlingen het trapje af kwamen. Zodra de eerste leerling langsliep, vouwde hij zijn handen onder zijn kin en begon zijn armen op en neer te bewegen.

Ella vond het niet meer zo gênant, maar ze wilde graag weten waarom hij dit deed. Ze had wel een vermoeden. Misschien probeerde hij zo zijn gezicht een beetje te verbergen voor de andere jongeren. Of het was zijn manier om hallo te zeggen. Ze wist het niet goed, maar ze had in ieder geval al één conclusie getrokken: Holden deed het opzettelijk, omdat hij zijn armen altijd op dezelfde momenten op deze manier bewoog. Als hij uitstapte, als ze over het schoolterrein liepen én als ze een groepje jongeren passeerden.

Dat Holden zich zo gedroeg had dus met de andere leerlingen van het Fulton te maken. Ella wist niet wat Holden daarmee bedoelde. Ze had al zo veel over autisme gelezen, dat ze wist dat de therapie, veranderingen in het dieet en integratie in het reguliere onderwijs soms een verandering teweegbrachten. Soms deed er zich iets voor wat voor een doorbraak zorgde, maar ze bleven anders dan anderen. Soms kwamen de verschillen tot uiting in hun manier van doen of in de manier waarop ze omgingen met sociale situaties, maar voor degenen die uit de gevangenis van het autisme tevoorschijn kwamen, was het een miraculeuze verandering.

Op zo'n verandering hoopte ze voor Holden.

*

Hij keek op, zag haar en glimlachte. Dat zou hij eerder ook niet gedaan hebben. Toen hij op haar afkwam, moest ze zichzelf voorhouden dat hij autisme had. In zijn spijkerbroek en blauwe blouse leek hij een gewone jongen, die oogcontact met haar maakte. Als hij nu eens niet autistisch was geworden? Ella had over die mogelijkheid vaak nagedacht. Hun families zouden dan nog met elkaar bevriend zijn en misschien gingen ze dan ook nog naar de kerk. Haar ouders hadden dan misschien een supergoed huwelijk en Holden en zij... Wie weet. Misschien waren Holden en zij dan wel op een even bijzondere manier verliefd op elkaar geworden als ze als kind vrienden waren geweest.

Dat was allemaal mogelijk geweest als Holden niet autistisch was geworden.

Ze bleven elkaar aankijken totdat hij bij haar was; op dat moment keek hij op naar de grote, witte wolken in de winterlucht. 'Hoi, Holden.' Dat zei ze altijd, al reageerde hij er nooit op. Hij begon tegenwoordig vaak zomaar voor haar te zingen, soms ook terwijl ze samen opliepen. Iedereen was ervan overtuigd dat Holden opmerkelijke vorderingen maakte.

Toch had hij nog geen woord tegen haar gezegd.

Ze waren halverwege de vleugel voor het speciaal onderwijs toen ze langs de tafels buiten op het plein kwamen. Ella hoorde geschreeuw en zag dat een aantal scholieren op het geluid afging. Er was iemand in moeilijkheden. 'Kom mee.' Ze liep de hoek om, zodat ze kon zien wat er aan de hand was, al was het maar vanaf een afstand. Zodra ze kon zien wat er gebeurde, bleef ze staan en Holden ook.

'Ja, Jezus houdt van mij. Ja, Jezus houdt van mij,' zong Holden terwijl de lach van zijn gezicht verdween. 'Dat is wat de Bijbel tegen mij zei.'

Het liefst had ze tegen hem gezegd dat hij stil moest zijn. Dit was niet het goede moment om te zingen. Maar dat kon ze niet doen, omdat zíj was afgeweken van de volgorde waarin hij de dingen altijd deed. En autisten moesten alles doen zoals ze het gewend waren te doen. Met een hand boven haar ogen keek ze naar een stelletje scholieren dat dicht bij een van de lunchtafels stond. Er schreeuwde iemand boven alle anderen uit en Ella herkende het geluid.

Het was Jake.

Opeens had ze het afschuwelijke voorgevoel dat Jake het weer met iemand aan de stok had. Misschien wel met Michael Schwartz. Het was al een paar weken geleden dat ze hem had gezien. Ze was zo in de ban van Holden dat ze alle andere jongeren op school min of meer vergat. Ze wilde op het geruzie af lopen, maar Holden wilde er zo ver mogelijk vandaan blijven.

Ze besloot de veilige route te nemen. 'Laten we maar gaan.' Ze keerde om en Holden bleef naast haar lopen. 'De lessen beginnen zo.'

'... Altijd zo gegaan, altijd zo geweest...' zong Holden, en toen begon hij de melodie te neuriën, duidelijk meer op zijn gemak dan daarnet. Hij bleef staan om zijn kaarten uit zijn rugzak te halen. Hij was er niet meer zo druk mee in de weer, maar vertrouwde er nog wel op. Misschien gaven ze hem het idee dat hij met iemand in gesprek was? Ella wist het niet goed, maar ze vond het leuk om af te wachten welke kaart hij er precies tussenuit haalde.

Hij vond de kaart waarnaar hij op zoek was, en gaf hem aan haar. Er stonden twee ongelukkige mensen op. Onder het plaatje stonden de woorden *Is er een probleem?*

Dat had hij goed gezien. 'Ja.' Ze zei het op kalme toon, zodat hij zich geen zorgen zou maken. 'Daar achter ons, maar wij maken ons er niet druk om, goed? Laten we nu maar naar jouw klas toe gaan.'

'Goed.' Holden keek eerst naar haar en toen naar zijn stapel kaarten.

'Wat?' Ella lachte. Ze had Holden nog steeds niet aangeraakt, maar nu raakte ze zonder erbij na te denken zijn schouder aan. Het was een lichte aanraking, maar ze hield even haar adem in. Zou hij erop reageren? Toen hij dat niet deed, liet ze haar hand op zijn schouder liggen. 'Je hebt iets tegen me gezegd, Holden. Weet je dat?'

Er krulde zich weer een lach om zijn mond terwijl hij de kaarten in zijn rugzak terug stopte en hem dichtritste. Toen keek hij weer naar haar. 'Goed.'

Het liefst was ze met Holden alle docenten en alle therapeuten langsgegaan die betwijfelden of er bij Holden iets zou kunnen veranderen, maar dat zou niet goed voor hem zijn. In plaats daarvan nam ze hem mee naar zijn lokaal. Toen Holden zijn rugzak neerzette bij de andere en zijn stoel opzocht – zoals hij altijd deed – liep Ella naar de docente. 'Hij heeft iets tegen mij gezegd.' Ze lachte vol zelfvertrouwen. Ze had Holdens belangrijkste docente al een paar keer gesproken. Het was een aardige mevrouw, maar ze scheen vast te houden aan haar mening dat er niet veel verandering kon optreden bij mensen met autismespectrumstoornissen.

Ella betwijfelde of ze in wonderen geloofde.

De wenkbrauwen van de docente gingen een stukje omhoog. 'Heeft hij iets tegen je gezegd?' De twijfel droop ervan af.

'Ja. Ik zei tegen hem dat we naar zijn klas gingen en hij zei tegen mij: "Goed."' Het maakte Ella niet uit of de docente haar geloofde. Ze had geen tijd meer om erop door te gaan. Ze zwaaide en liep naar de deur. 'Ik wilde alleen maar dat u het wist.'

Eenmaal buiten moest Ella weer aan het probleem denken, zoals Holden het had genoemd. Ze liep snel terug naar de tafels op het plein, maar daar stonden nog maar een paar scholieren: Jake en zijn maatjes en... ja hoor, Michael Schwartz. Wat er zich had afgespeeld moest onderbroken zijn door de bel voor het begin van het eerste lesuur. Ze rende naar hen toe, maar bleef staan toen ze zag wat er aan de hand was. Ze werd woedend.

Er moest gevochten zijn, want een van de rugbyspelers had een blauw oog. Misschien was de ruzie begonnen met een probleem tussen deze speler en Michael. Het kon ook zo zijn gegaan dat hij toevallig langsliep... Het enige wat Ella zeker wist was dat de grond bezaaid lag met dingen uit Michaels rugzak: tientallen losse papiertjes, notitieboekjes, potloden, munten. Telkens wanneer hij bukte om iets op te rapen, gaf Jake hem een schop. Vervolgens begonnen Jake en de etterbakken met wie hij optrok, te lachen alsof ze nog nooit zoiets grappigs hadden meegemaakt.

'Moet je maar niet langslopen terwijl er wordt gevochten, en dan denken dat we je niet zien,' zei Jake. 'Dit is ons gedeelte van de school, mafkees.'

'Zo is dat,' lachte Sam, en hij wees naar de vleugel voor speciaal onderwijs. 'Daar hoor jij thuis.'

Nu was het mooi geweest. Ella kon dit geen moment meer verdragen. 'Hé!' Ze stormde op de jongens af. 'Maak dat je wegkomt, Jake... Sam. Ryan.'

'Wat?' Jake draaide zich vliegensvlug naar haar om. Heel even leek het erop dat hij ook haar te grazen zou nemen.

In plaats daarvan liet hij zijn vechtlustige houding varen en keek grinnikend naar zijn kameraden. Maar zijn ogen spuwden vuur. Woedend gooide hij haar een hele reeks scheldwoorden naar het hoofd, maar daar maakte ze zich niet druk om.

'Misselijk word ik van jou,' siste ze hem toe. Toen liep ze hem straal voorbij naar Michael toe. Zonder dat het haar was gevraagd begon ze stukjes papier en potloden op te rapen. 'Gaat het?'

Michael stond op. Zijn gezicht was bleek. 'Wat doe je?'

'Ik help je.' Ze kwam ook overeind. Jake en zijn vrienden lachten hen uit en kwamen dichter bij hen staan.

'Wat lief.' Jake wist van geen ophouden. 'Een paar vriendinnen die elkaar helpen.'

'Ik zei...' Ella keerde zich naar hem om, 'wegwezen. Laat hem met rust!'

'Ella...' De stem van Michael klonk moeizaam. 'Het is goed zo. Ga nu maar.'

Jake kreeg niet de kans om nog iets te zeggen. Kennelijk had een van de maten een docent gezien, want opeens renden ze weg, nog steeds lachend. Binnen de kortste keren stonden alleen Michael en Ella daar nog. Ze hurkte opnieuw neer en hielp hem zijn spullen bij elkaar te rapen. Maar Michael bleef staan en keek alleen maar toe. Ze stopte, keek naar hem en vroeg: 'Is er iets?'

'Ja.' Hij gebaarde in de richting waarin Jake en de andere jongens weggerend waren. 'Ben je soms de leukste thuis, Ella? Je hebt me daarnet gered in het bijzijn van de meest gevreesde jongens van deze school.' Hij liep een paar passen bij haar vandaan en kwam toen weer terug. 'Daar laten ze me natuurlijk niet ongestraft mee weg komen.'

'Wat zij deden,' het klonk luider dan haar bedoeling was, 'deugt niet, Michael. Je moet niet over je heen laten lopen.'

'Dat maak ik zelf wel uit.' Hij veegde de aarde van zijn

blouse die erop was achtergebleven na die laatste trap van Jake. 'Ik red me wel als die jongens in de buurt zijn. Als ik maar niet in de weg loop, gebeurt er niets.'

'Ja, dat heb ik net gezien,' zei Ella verontwaardigd. Hoe durfde Jake jongens als Michael ervan te overtuigen dat het niets gaf als je gepest werd! 'Waarom liep je vandaag dan wel in de weg?'

'Daarom.' Michael griste de spullen uit haar hand en stopte ze in zijn rugzak. Toen zakte hij door zijn knieën om snel de rest van zijn spullen bij elkaar te graaien. Bijna alles was nat en vies geworden, maar hij kon nu in ieder geval naar zijn lokaal gaan.

'Daarom?!'

'Ja, gewoon daarom.' Hij slingerde zijn rugzak over zijn schouder. 'De jongen met wie ze vochten, zit bij mij in het orkest. Die stoere rugbyspelers hebben besloten dat iedereen die meespeelt in het orkest, homo is of een mafkees. Ik moest hem daarom wel helpen.'

Ella sloeg haar armen over elkaar en liet haar hoofd hangen. Was dit echt waar? Was Jake zo ongevoelig, dat hij alleen maar om de stoere bink uit te hangen vocht met iemand uit het orkest?

'Ik heb geen hulp nodig, snap je. Nu niet en nooit niet.' Zo te horen was hij niet boos, alleen maar bang. Nu hadden Jake en zijn maten een reden temeer om hem te pesten. 'Ik weet dat je het goed bedoelt, Ella, maar ik meen het... laat me maar gewoon met rust.' Michael liep een paar passen achteruit en speurde ondertussen het schoolplein af. 'Het is goed zo.' Hij pakte zijn rugzak stevig beet en liep weg.

Ella keek hem na, maar toen hij nog maar een paar stappen had gezet, riep ze: 'Wacht!'

Michael bleef staan en keerde zich langzaam om. Hij zag eruit alsof hij in huilen wilde uitbarsten. Maar dat kon hij absoluut niet doen. Als Jake en die andere jongens erachter kwamen, had hij geen leven meer. Zijn schouders zakten een eindje. 'Wat?'

'Wie heeft Jakes vriend een blauw oog bezorgd?'

'Ik.' Hij aarzelde even, voordat hij eraan toevoegde: 'Ik zei toch al dat ik hiernaartoe ben gekomen omdat toch iemand het moet opnemen voor de leden van het schoolorkest en de bandleden. Voor iedereen onder ons die niet Jake Collins heet, snap je?'

'Ja, dat snap ik.'

'Iemand moest het hem betaald zetten.' Na een korte aarzeling zette hij zich weer in beweging. 'Tot ziens, Ella.'

'Dag.' Ze zei het zo zacht dat hij het niet hoorde. Wat een afschuwelijke situatie! Ze was het liefst rechtstreeks naar de administratie gelopen om aan te geven wat er was voorgevallen, zodat Jake en zijn aanhangers geschorst of, beter nog, van school gestuurd werden. Maar Michael had gelijk. Als ze hem nog een keer hielp, maakte ze het er voor hem alleen nog maar moeilijker op. Vooral als ze doorvertelde wat er was gebeurd.

Ze vond het erg dat Michael in moeilijkheden verkeerde, maar ze zou het niet in haar hoofd halen er iets van te zeggen. Onderweg naar haar lesuur Engelse literatuur veranderde ze van gedachten. Ze zou een hekel aan zichzelf krijgen als ze niet op zijn minst op de administratie verslag ging uitbrengen. Via de hoofdingang liep ze naar de balie van de administratie en vroeg of ze een adjunct-directeur te spreken kon krijgen. Het Fulton was zo groot dat ze er drie hadden.

Een van hen kwam naar de balie. 'Hallo, Ella Reynolds.' Hij glimlachte onspannen, zich er duidelijk niet van bewust hoe leerlingen dag in dag uit op het schoolterrein werden behandeld.

'Ik heb iets te melden.' De eerstvolgende vijf minuten vertelde ze wat er precies met Michael en andere orkestleden gebeurde. Ella lette erop dat ze geen detail oversloeg. 'Maar...

als die jongens erachter komen dat ik het heb verteld, zullen ze Michael mores leren. Ik wil alleen maar dat u ervan weet.' Ze had de juiste beslissing genomen, maar het gaf haar eigenlijk geen voldoening. De rugbyspelers werden vast niet ter verantwoording geroepen, en jongens als Michael en Holden zouden het alleen maar moeilijker krijgen. Tegen pesten kon je niet veel beginnen, omdat de slachtoffers nooit wilden vertellen wat er voorviel. Als ze praatten, liepen ze het risico dat ze het de volgende keer nog zwaarder te verduren kregen. Daarom hielden ze hun mond.

Ella zag Michael weer voor zich. Ze had de indruk gekegen dat hij schrok toen hij haar zag. En wat hij had gezegd zou haar altijd bijblijven: *Het is goed zo... Ik red me wel.* Maar dat was niet waar. Op een gegeven moment zou iemand echt gewond raken, omdat leerlingen elkaar onder druk zetten of de mentaliteit van bendes vertoonden – en dat gebeurde allemaal zogenaamd voor de lol. Maar het was niet leuk; het was pesten en dat was gemeen. Nee, het was ronduit slecht.

Onderweg naar haar klas moest ze haar best doen om niet te gaan huilen. Ze kon niet voorkomen dat leerlingen op het Fulton werden geplaagd, en ze kon leidinggevenden niet dwingen een manier te vinden om aanvallen op de orkestleden te voorkomen. Ze dacht aan Holdens moeder die iedere dag voor haar zoon bad. Waarom probeerde ze eigenlijk zelf niet te bidden? Ze wist natuurlijk niet hoe ze dat moest doen, maar ze had mevrouw Harris horen bidden. Het leek veel op praten. Ze begon langzamer te lopen en geluidloos te bidden. Alleen God hoefde het maar te horen.

Dag, God, met mij... Ella Reynolds. Dit is de eerste keer dat ik iets tegen U zeg, in ieder geval voor zover ik het me kan herinneren. We hebben hier op het Fulton Uw hulp nodig. De leerlingen zijn verschrikkelijk. Dat ziet U toch wel? Ze zweeg even, maar er kwam geen antwoord. *Ik wil me ertegen verzetten of zorgen dat er iets verandert, maar ik weet niet waar ik moet beginnen. Er lopen hier zo veel leerlingen rond die bang zijn voor anderen. Geeft U mij alstublieft de kans om hierin verandering te brengen, God. Als U luistert, laat U mij dan zien hoe ik een eind kan maken aan de gemeenheid op ons schoolterrein. En help Holden om steeds meer uit zijn eigen wereldje te komen. Bedankt dat U naar me hebt geluisterd. Amen.*

Onder het bidden had ze zich veilig gevoeld. Ze had de indruk gehad dat ze zweefde, veilig was. Ella kon niet veel doen voor de leerlingen die verdriet hadden, geplaagd en getreiterd werden. Voor leerlingen als Michael. Maar ze kon wel blijven doen wat ze steeds al had gedaan: een vriendin zijn voor Holden Harris. Ze kon de pestkoppen aangeven en ze kon doen wat ze daarnet had gedaan: bidden.

20

De façade stond op instorten. Suzanne voelde aan dat de oude, vertrouwde leugens niets meer uithaalden. Het was niet meer genoeg dat ze over een investeringsprogramma beschikten en een BMW en een skiboot in hun garage hadden staan. Het was niet meer voldoende om de vrouw van Randy Reynolds te zijn. Ze leidde een zinloos, leeg, ongeïnspireerd leven. Zodra ze wakker werd wilde ze het uitschreeuwen, en 's avonds kon ze niet zonder een handvol pillen in slaap komen. Er moest iets veranderen, want anders zou ze uiteindelijk in een psychiatrische inrichting terechtkomen, vastgebonden in een stoel.

Het was zondagochtend na de zoveelste slapeloze nacht. Randy was dinsdag voor het laatst thuis geweest. Het seizoen was voorbij, maar er werden volop privétrainingskampen georganiseerd. Randy wilde zich zo goed mogelijk voorbereiden op het moment dat zijn contract ter sprake kwam.

Ze voerde haar rek- en strekoefeningen uit en kreeg het bekende branderige gevoel in haar buikspieren. De laatste tijd reageerde ze haar woede af op haar buikspieroefeningen, maar dat gaf haar geen voldoening. Ze liep naar het raam en duwde haar voorhoofd tegen het koude glas. Het grote gazon voor hun huis lag er ook nu, vlak voor het invallen van de winter, mooi bij. Terwijl ze daar stond, moest ze aan een oude film denken, waar Tracy en zij naar hadden gekeken toen ze nog op de middelbare school zaten.

De originele versie van de *Stepford Wives*.

In een flits zag ze scenes uit de film aan zich voorbijtrekken.

Het was zo'n verhaal met een griezelig einde geweest, waarvan ze een onbehaaglijk gevoel kreeg als ze er op donkere avonden aan terugdacht. De verhaallijn nam haar nu weer volledig in beslag. In de loop van de tijd waren de vrouwen van Stepford geleidelijk vervangen door robots die sprekend op hen leken. De twee belangrijkste personages waren met elkaar bevriend en zij namen zich vastberaden voor dat het hun niet zo zou vergaan als de andere vrouwen. Op een gegeven moment gaat een van hen bij de ander op bezoek en blijkt ze er anders uit te zien dan gewoonlijk. Haar jurk is netjes gestreken, haar haar zit volmaakt in model en haar gezicht is mooi opgemaakt.

Angstaanjagende muziek weerklinkt en de niet-veranderde vrouw vuurt de ene na de andere vraag af. Uiteindelijk raakt ze met het mes waarmee ze uien fijnsnijdt, de hand van haar perfect ogende vriendin. Er komt geen bloed uit, alleen maar draadjes en radertjes. De vriendin is een robot geworden, een machine waarvan alleen de buitenkant nog gelijkenis vertoont met wie ze vroeger was.

Suzanne knipperde met haar ogen en de herinnering verdween. Zo voelde zij zich de laatste tijd, als een robot. Ze wist nog dat Tracy en zij hun handen voor hun ogen hadden geslagen bij dat griezelige gedeelte van de film. Later op de avond waren ze het erover eens geweest dat zij niet volmaakt wilden zijn, niet gefixeerd op hoe ze eruitzagen. Ook zouden ze nooit hun uiterste best doen om een bepaald imago hoog te houden.

Maar wat was er gebeurd? Suzanne was het evenbeeld van zo'n vrouw uit Stepford geworden. Een vrouw zonder hart, zonder ziel, zonder gevoelens. Ze wendde zich van het raam af en liep afwezig haar inloopkast binnen. Zo veel kleren. Ieder shirt, iedere trui, elke strak zittende broek vertegenwoordigde een wanhopige poging om... ja, om wat te bereiken? Vast te houden aan een bepaald imago? Om de schone schijn op te houden?

Ze trok een T-shirt en een zwarte legging aan en ving een glimp van haar spiegelbeeld op. Wat was ze aan het doen? Deze legging droeg ze wanneer Ella vrienden mee naar huis had genomen. Dat was haar manier om te bewijzen dat ze er nog steeds mocht zijn, dat ze er nog steeds voor kon zorgen dat een jongen van achttien omkeek.

Walgend van zichzelf trok ze met heftige gebaren de legging uit en stopte hem weer in de la. Trainingspak. Dat was beter. Comfortabele kleding was geschikter voor een zondagochtend. Ze zocht het op, trok het aan en liep doelloos door de gang op de bovenverdieping. Ineens moest ze denken aan de tijd dat ze op zondag nooit een trainingspak droeg; dat zou ongepast geweest zijn, omdat ze dan naar de kerk gingen. Dat was in de tijd dat Tracy en zij nog vriendinnen waren.

Ze liep zachtjes langs de kamers van de kinderen en keek eerst even bij Ella en daarna bij de jongens om het hoekje. Het was pas acht uur, dus het duurde minstens nog een uur voordat zij opstonden. Ze dacht aan haar man, aan de reden waarom hij niet thuis was. Ik moet trainen, had hij tegen de kinderen gezegd, maar ze hadden door dat hij loog. Aan de waarheid was niet te ontkomen: hij wilde niet thuis zijn.

De kinderen hadden waarschijnlijk alle drie medelijden met haar. Ze was het trieste mikpunt van spot, en na verloop van tijd zouden ze leren de andere kant op te kijken. En dan? Zou ze oud worden zonder dat ze werd gerespecteerd door de mensen die het meest van haar hadden moeten houden? Randy zou haar op een gegeven moment verlaten. Hij stond al met één voet buiten de deur. De gedachte joeg haar angst aan en verergerde haar bezorgdheid.

Suzanne was nooit anders betiteld dan als Randy Reynolds' vrouw.

Ze begon rustiger adem te halen en liep door naar het andere eind van de gang, naar de inbouwkasten in de muur. Ze keek ernaar; ze waren halfvol en stoffig. Toen ze dit huis hadden laten bouwen, was het de bedoeling geweest de kasten te vullen met plakboeken en fotoalbums. Er zouden zo veel mooie herinneringen zijn dat ze aan één kast niet genoeg zouden hebben.

Ze telde de albums snel. Het waren er in totaal twaalf, tien van de tijd voordat Ella vier geworden was, twee van de tijd daarna. Suzanne voelde dat er tranen in haar ogen opwelden. De boodschap was oorverdovend. Alle goede momenten, bijna iedere mooie herinnering was uit de tijd voordat Ella naar de kleuterschool ging.

Ze deed een stap dichterbij om het opschrift op de rug van de albums te bekijken. Er was er een bij van haar eigen middelbareschooltijd en van de zomer nadat ze haar diploma had gehaald. Er stond een plakboek bij van Randy's eerste belevenissen als honkballer en eentje waarvan het opschrift eenvoudigweg luidde: *Verlovingsjaar*. Er was een apart album met foto's van de bruiloft en ook nog een met foto's van hun huwelijksreis. Verder stonden er nog drie dikke fotoboeken van de tijd voordat Ella vier was geworden. Het boek ernaast besloeg volgens het opschrift een periode van drie jaar, maar voor het laatste jaar was er niets in geplakt.

Het ooit hechte gezin was uit elkaar gevallen, of dat nu kwam doordat ze niet meer van elkaar hielden of doordat ze nooit meer samen lachten. Wat er ook de reden van was, Suzanne zou niet weten hoe ze dit probleem moest oplossen.

Het fotoalbum uit hun tweede huwelijksjaar stond het dichtst bij haar. Ze trok het uit de kast en nam het mee naar haar werkkamer. Ze draaide haar bureaustoel, zodat ze uitkeek op het reusachtige raam en hun achtertuin. Hun perfect onderhouden achtertuin. *Het mooiste huis in de straat*, hield ze zichzelf voor. *Iedereen denkt vast dat ik het echt goed voor elkaar heb.* Maar dat was helemaal niet waar. Als de kinderen er niet waren geweest, zou ze het zomaar allemaal kunnen achterlaten. Dat was eigenlijk best een verleidelijk idee.

Ze sloeg het fotoalbum op en op de voorpagina prijkte een foto van Tracy en haar. Ze liepen allebei achter een wandelwagen over het trottoir en hieven hun glas met ijsthee, hoogstwaarschijnlijk naar Dan. Hij was degene die de foto's maakte. Randy deed dat beslist niet. Wanneer hij erbij was, was het precies andersom; dan werd hij op de foto gezet.

Opeens wilde ze alle foto's stuk voor stuk aandachtig bekijken. Ze sloeg de bladzij om en daar waren ze weer, Tracy en zij naast elkaar op de schommelbank, Holden bij Tracy en Ella bij haar op schoot. Suzanne trok het album iets dichter naar zich toe om de foto's nog beter te bekijken.

Ik herinner me die dag. Het was een van de eerste keren geweest, dat ze Tracy had verteld dat ze bang was dat het Randy als knappe beroepshonkbalspeler moeite zou kosten om haar trouw te blijven.

'Maar jij hebt je geloof,' had Tracy tegen haar gezegd. 'Blijf dicht bij Jezus, dan red je het wel.'

Suzanne was niet overtuigd. 'Hoe zit het dan met die mensen die zeggen dat ze christen zijn, maar er dan toch een potje van maken?'

Ze wist nog dat Tracy erom had geglimlacht. Nadat ze Holden een kus op zijn hoofd had gegeven, had ze heel rustig gezegd: 'Iedereen maakt fouten. Niet de manier waarop we onderuitgaan is kenmerkend voor ons christenen, maar de manier waarop we weer overeind krabbelen.'

Het antwoord irriteerde Suzanne. 'Een gelukkig leven wordt dus niet gegarandeerd. Ook niet als het een leven met God is?'

Daar moest Tracy even over nadenken. 'Ik denk dat het afhankelijk is van wat je onder *gelukkig* verstaat.' Ze begon zacht te schommelen. 'Als je Jezus volgt, mag je verzekerd zijn van eeuwig leven... en dat God je nabij is; dat Hij van je houdt.' Haar antwoord leek diep uit haar ziel te komen, toen ze er op rustigere toon aan toevoegde: 'Als je dicht bij Jezus blijft, ga je niet meer zo vaak onderuit.' Ze glimlachte. 'Als je echt voor God leeft, helpt Hij je te stoppen met de dingen die niet goed zijn, voordat het helemaal uit de hand loopt.'

Dat laatste klonk zo logisch dat Suzanne in de loop der jaren nog heel vaak aan de woorden van haar vriendin had teruggedacht. Als Jezus dichtbij was, konden ze misschien echt alles wat zich in hun leven voordeed doorstaan. Maar dat was al minstens tien jaar niet meer het geval. Suzanne keek aandachtig naar haar gezicht op de foto, haar ogen. Ze straalden van levendigheid en vertrouwen. In die tijd geloofde ze nog, en ze kon zich op dit moment nog min of meer herinneren hoe dat voelde.

Haar blik ging naar Tracy. Zij straalde blijdschap en verwachting uit en lachte onbezorgd, alsof de tijd geen vat kon krijgen op haar innerlijke vreugde. Er kwam nog een herinnering bovendrijven, aan de laatste keer dat Suzanne Tracy had gesproken, in het voorjaar, een week voor het trainingsseizoen begon. Het was een formeel gesprek geweest, te ongemakkelijk om lang te duren. Tracy had haar destijds heel anders aangekeken. De blik in haar ogen was afwerend en beschermend geweest, boos zelfs.

Het probleem was Holden.

Ze hadden geen van allen ooit eerder meegemaakt dat een oergezond, normaal kind ongemerkt opging in een andere wereld. Hoe hadden ze moeten weten hoe ze daarmee om moesten gaan? Suzanne sloeg nog een paar bladzijden om, totdat ze bij een close-up van Holden en Ella kwam. Ze kon duidelijk zien dat hij blaakte van levenslust. Hij maakte prima oogcontact, had een directe interactie. Het sprak voor zich dat Suzanne vragen stelde toen het kind begon te veranderen. Het was een afschuwelijke achteruitgang, en telkens wanneer ze na de verandering samen waren, kon Suzanne aan niets anders denken dan aan de brandende vraag: stel dat het Ella ook overkomt?

Suzanne wist dat het niet besmettelijk was. Maar stel dat Ella Holden ging nadoen, of dat het kwam door iets wat bij de familie Harris in huis hing? Nu leek het een belachelijke gedachte, maar dat was destijds niet zo geweest. Als Holden Harris zich kon terugtrekken in zijn eigen wereld, zodat alleen zijn stoffelijk omhulsel achterbleef, dan kon dat met ieder kind gebeuren.

Het vervelende was dat Tracy de vragen op zichzelf begon te betrekken. Suzanne merkte dat er bij haar iets veranderde, maar ze bleef vragen stellen die betrekking hadden op Holden en de dramatische verandering die hij onderging. Een van de laatste keren dat ze bij elkaar waren, zaten Suzanne en Tracy zwijgend koffie te drinken op de bank in Tracy's woonkamer, terwijl ze de kinderen in de gaten hielden. In die periode werd Holden onderzocht, maar er was nog geen diagnose gesteld.

Ella had een babypop in haar armen. Ze praatte ertegen, zong er een liedje voor en wiegde de pop. Het duurde een paar minuten voordat ze begrepen wat Ella zei, wat voor spel ze speelde, omdat het kleine meisje aan één stuk door kwebbelde. Maar op een gegeven moment legde ze de pop neer en ging naar Holden toe.

Holden was haar allerbeste vriend. Ze waren zo close dat hij haar tweelingbroer had kunnen zijn.

Ho'den noemde Ella hem destijds. Ze sloeg altijd de *l* over als ze zijn naam noemde, dat klonk zo schattig. Voordat Holden zich in zichzelf terugtrok, rende hij altijd naar Ella toe als hij haar stem herkende aan de manier waarop ze zijn naam uitsprak. Waar hij ook was, hij kwam altijd aangerend.

Maar die dag zat hij met zijn gezicht naar het raam van de woonkamer, omdat hij daar bezig was zijn autootjes op een rij te zetten. Holden had vast wel drie bakken vol autootjes. Terwijl Ella op hem afkwam, keerde hij zich niet om, keek haar niet aan, en liet ook niet merken dat hij haar gehoord had. Anders deed hij dat altijd wel.

'Ho'den!' Ella wilde dat hij omkeek en raakte zijn schouder aan. 'Kom met me spelen, Ho'den.'

Er gebeurde niets. Geen reactie. Holden had alleen maar oog voor de auto's in de bak of de auto in zijn hand. Bijna alsof hij in trance was, pakte hij behoedzaam nog een autootje en zette het achteraan in de rij. Bumper aan bumper stonden ze in een heel bijzondere opstelling. Groen autootje, rood autootje, blauw autootje, geel autootje, vrachtwagen... groen autootje, rood autootje, blauw autootje, geel autootje, vrachtwagen... groen autootje...

Dit telkens weerkerende patroon was verbazingwekkend. Ella bleef er even naar kijken en begon toen te lachen. Het klonk als een kreet, waarmee ze wilde zeggen dat ze er alles voor over zou hebben als hij weer met haar speelde. Zoals hij altijd had gedaan.

'Waarom zegt hij niets tegen haar?' Suzanne kon dat niet begrijpen. Er mankeerde niets aan Holdens oren. Hij was gek op Ella... maar hij negeerde haar. Ze wendde zich tot Tracy. 'Heb je hem al eens gedwongen om te reageren? Ik wil maar zeggen, misschien is dit een laat geval van peuterpuberteit. Je weet wel, dat hij alles zelf probeert te doen.'

Suzanne hoorde het zichzelf nog zeggen en kromp ineen nu ze zich dat na zo veel jaar weer herinnerde. Maar het was toch niet zo vreemd dat ze vrijwel niets van autisme wist, en er al helemaal niets van begreep? Holden wekte de indruk dat hij opstandig of dwars was, maar dat hij waarschijnlijk had gehoorzaamd als een van hen naar hem toe was gegaan, hem had omgedraaid en hem bevolen had te reageren.

Maar op wat voor manier Suzanne het die dag ook had gezegd, hoe haar woorden ook moesten zijn overgekomen, Tracy vatte het niet goed op. Haar gezichtsuitdrukking verkilde en haar ogen spuwden vuur. Zo boos en fel had Suzanne haar nog niet eerder meegemaakt. 'Dat is het niet.' Ze keek naar Holden en haar blik verzachtte. Even later werden haar ogen vochtig. 'Hij doet niet vervelend. Het zit in zijn hoofd... er verandert iets in zijn hersenen.'

Er ontstond zo'n ongemakkelijke situatie, dat het was alsof er een dikke, hoge muur tussen hen oprees, waar ze geen van beiden overheen konden kijken. Ze richtten hun aandacht weer op de kinderen, en zoals men de verleiding niet kan weerstaan om naar autowrakken te kijken, zo konden ze hun ogen niet afwenden van de tragedie die zich hier afspeelde.

'Ho'den, hoor je me niet?' Ella kon zo te zien ieder moment in huilen uitbarsten en Suzanne had vreselijk met haar dochter te doen. 'Kom met me spelen!'

Toen hij zich ook deze keer niet omdraaide en haar pogingen compleet negeerde, liep ze terug naar haar babypop. Door wat ze daarna deed, werden de twee vrouwen tot tranen toe geroerd. Ella nam de pop in haar armen en hield hem dicht bij haar gezicht. Geleidelijk keerde haar blijdschap terug.

'Hé, Ho'den, ik ben het, Ella! Zullen we samen een liedje zingen?' Ze wiegde de pop een beetje, alsof de baby antwoord gaf. 'Ja, goed, dat liedje. Klaar?' Ze wachtte niet op antwoord. 'Jezus houdt van mij! En dat is waar... want dat vertelt de Bijbel mij zonneklaar. De kleine kinderen behoren aan de Heer...'

Tracy en Suzanne keken zwijgend toe. De tranen liepen over hun gezichten. Wat konden ze zeggen? Ella was door Holden afgewezen en had nu een ander vriendje gevonden. Haar babypop praatte niet en zong ook niet mee, maar hij keek haar in ieder geval aan.

De herinnering vervaagde. Suzanne was daarna meer over autisme te weten gekomen. Ze was gaan beseffen dat je Holden niet kon bevelen om te praten en hem ook geen standje kon geven voor zijn teruggetrokken gedrag. Voor zover ze dat nog wist, was dat de laatste keer geweest dat Tracy en zij samen tijd doorbrachten met de kinderen. Ze keek weer naar de foto van Holden en Ella. Ze staarde er zo lang en zo intens naar dat ze bijna geloofde dat ze zichzelf kon dwingen terug te keren naar dat moment.

Naar een tijdstip voordat Holden zich afzonderde.

Eigenlijk hadden ze allemaal iets verloren toen ze Holden kwijtraakten. Het was onvermijdelijk dat hun gesprekken en bezoeken een gespannen sfeer kregen. Ze konden toch niet op de bank zitten lachen en koffiedrinken, terwijl hun kinderen het een eindje verderop moeilijk hadden?

Maar ze had fijngevoeliger kunnen zijn. Suzanne had zich meer in Tracy's gevoelens kunnen inleven, in plaats van alleen maar te denken aan wat voor invloed de situatie met Holden op Ella had. Had ze ooit haar armen om Tracy heengeslagen, gewoon om samen met haar verdrietig te zijn? Suzanne kon het zich niet herinneren. Zodra Holden begon te veranderen ontstond er tussen hen een triestige sfeer. Suzanne had voortdurend met Tracy te doen, net als iedereen. Maar misschien had ze meer medelijden met zichzelf en haar dochter dan dat ze begaan was met alles wat Tracy doormaakte.

Toen ze nog helemaal niet begreep wat autisme inhield, had Suzanne echt gedacht dat Holden gewoon ongehoorzaam of ziek was; dat het om iets ging wat te verhelpen was. Ze herinnerde zich dat ze Tracy die dag nog een vraag had gesteld. *'Misschien komen er bij hem tanden door?'* Ze had haar best gedaan om hoopvol te klinken. Als dat het geval was, was Holden binnen een paar dagen weer de oude.

Tracy had niet meteen antwoord gegeven. Ze had haar aangekeken met een nietszeggende blik in haar ogen die Suzanne er nog niet eerder in had gezien. 'Nee, daar komt het niet van.'

'Ik wil er alleen maar mee zeggen... Sommige kinderen worden chagrijnig als er tanden doorkomen.'

Tracy en zij maakten die dag niet luidkeels ruzie en beschuldigden elkaar ook niet over en weer, maar het was het begin van het einde van hun vriendschap. In de weken daarna bleef Suzanne af en toe vragen wanneer Holden beter zou zijn. Suzanne haalde zich in de jaren daarna de gesprekken af en toe weer voor de geest, in de hoop dat ze was vergeten dat Tracy zich verontschuldigd had. Niemand wist in die tijd veel over autisme en Suzanne was niet de enige die geloofde dat deze verandering slechts een fase in Holdens ontwikkeling was. Zelfs Tracy's man was in die tijd die mening toegedaan. Alleen Tracy was ervan overtuigd dat er voor Holden speciale zorg of medische interventie nodig was. Suzanne en de mannen dachten dat Holden wel weer de oude zal worden, zelfs nadat de diagnose was gesteld.

Alleen Tracy besefte hoe het er nu echt voorstond met haar zoon. Daardoor moest ze in haar eentje verwerken dat Holden achteruitging.

Suzanne kwam tot het pijnlijke besef dat ze een betere vriendin voor haar had kunnen zijn. Ze had haar meer moeten steunen, en niet zo op moeten gaan in haar eigen bezorgdheid – de zorg dat ze Ella kwijt zou raken. Toen de diagnose eenmaal bekend was, bloeide ook om andere redenen de vriendschap tussen Tracy en haar niet meer op. Als ze samen waren, zei Ella vaak iets liefs of deed iets bijzonders, bijvoorbeeld een koprol maken. Daar werd ze voor geprezen, maar nu klonk het stijfjes en geforceerd. Hoe kon Suzanne in de wolken zijn over Ella's mijlpalen terwijl Holden achteruitging?

Of het nu kwam doordat Suzanne niet fijngevoelig genoeg was of doordat Tracy zich altijd verdedigend opstelde, ze voelden zich niet meer bij elkaar op hun gemak. De spanningen liepen zo hoog op dat hun vriendschap eraan onderdoor ging. Dat jaar duurde de voorjaarstraining een maand en in die tijd leek Ella minder verdrietig te worden over het feit dat ze Holden kwijtgeraakt was. Ze praatte nog wel over hem en haar babypop hield de naam Holden. Een week na hun thuiskomst legden ze contact met enkele honkbalspelers die ook een gezin met kleine kinderen hadden. Een van hen had een dochtertje dat even oud was als Ella. De leemte in hun leven was opgevuld, en na verloop van tijd hadden ze alles wat met de familie Harris te maken had gehad, achter zich gelaten.

Suzanne miste Tracy natuurlijk. Maar ze miste vooral de oude Tracy, de oude Holden, de manier waarop ze met elkaar waren omgegaan voordat Holden was veranderd. Week na week verstreek en ze kon er maar niet toe komen Tracy te bellen. Toen de weken maanden en de maanden jaren waren geworden, was er van de vriendschap niets meer over.

En dat terwijl het een vriendschap voor het leven had moeten zijn.

Suzanne bladerde het fotoalbum verder door. De laatste foto was er een van haar en Tracy samen, genomen op een markt in de zomer voordat Holden begon te veranderen. Ze droegen allebei een rare, groene zonnehoed, een grote, oranje plastic zonnebril en een paarse boa. Hun echtgenoten hadden de uitdossing gewonnen bij het ballengooien.

Voorgoed prinsessen, stond eronder.

Suzanne wist nog hoe ze de zon op haar gezicht had gevoeld op die warme, klamme dag. Ook kon ze nog de stank van de popcornolie ruiken en horen hoe de marktlieden klanten lokten. Als het mogelijk was om terug te keren naar die tijd, zou ze dat gedaan hebben. En als Holden zich dan steeds meer voor hen begon af te sluiten, zou ze zich fijngevoeliger opstellen. Suzanne was het liefst hier in haar werkkamer, terwijl de kinderen nog sliepen. Ze huilde om alles wat het hun allemaal had gekost dat Holden hun door de vingers was geglipt.

Eigenlijk had ze nu haar tranen moeten laten stromen om alles wat verloren was gegaan. Om te beginnen de goede verstandhouding tussen Holden en Ella, vervolgens het samen optrekken van hun gezinnen en de vriendschap tussen hun echtgenoten die allebei graag plezier maakten. Deze laatste foto was een weergave van een van de talloze gelukkige momenten die ze samen beleefd hadden. Dat waren ze allemaal kwijtgeraakt... en uiteindelijk ook hun geloof. Suzanne was er nu van overtuigd dat dat laatste had geleid tot de daaropvolgende reeks veranderingen. Randy stelde zich sindsdien afstandelijk op en zette zich niet meer in voor zijn gezin. Zelf had ze alleen nog maar aandacht voor haar uiterlijk, ze walgde van zichzelf en was niet in staat iets te voelen. En allebei hadden ze nauwelijks een band met hun kinderen.

Het antwoord op haar vragen was nu wel duidelijk. De breuk met de familie Harris was het begin geweest van een kettingreactie en ze was niet bij machte daar verandering in te brengen. Het was niet mogelijk om terug te gaan in de tijd en de schade ongedaan te maken.

Suzanne begon enigszins te beven. Er was zo veel verloren gegaan, dat ze er eigenlijk om had moeten huilen. Het grootste, misselijkmakende probleem was dat ze niet kón huilen door haar botoxinjecties. Haar leven stond op instorten en toch bleven haar ogen droog.

Ze was feitelijk niet meer dan een robot.

★

Tracy nam Holden niet altijd mee naar de kerk. Hij vond de muziek prachtig, maar als de dominee zich te veel opwond of luider begon te spreken dan normaal, of als te veel mensen tegelijk een blaadje van hun liturgie omsloegen, begon Holden van voor naar achter te wiegen. En als het niet snel rustig om hem heen werd, liet hij zich van de bank op de vloer glijden en begon push-ups te doen. De gemeenteleden waren aardig. Af en toe kwamen ze bij Tracy langs om poolshoogte te nemen en ze bleven voor Holden bidden tijdens het wekelijkse gebedsuur. Er konden tijdens de zondagse erediensten weinig dingen gebeuren die de aandacht afleidden.

En Holden leidde vaak de aandacht af.

Maar deze zondag werd Holden blij neuriënd wakker. Dat was de verandering die Tracy laatst bij haar zoon had opgemerkt. Hij neuriede. Tot nog toe had ze hem de melodie van *Belle en het Beest* en van *Thuis* uit de musical horen neuriën. Ze hoefde zich niet af te vragen hoe het kwam dat Holden vooruitging. Dat kwam door de musical, maar het had vooral met Ella te maken.

'Ik denk dat we vandaag naar de kerk gaan, Holden,' zei ze tegen hem, terwijl ze voor zichzelf koffiezette.

Holden zat aan de keukentafel toastwafels te eten en bekeek ondertussen zijn flitskaarten. Hij reageerde nu vaker, maar hij sprak nog steeds niet. Met de vork stevig in zijn hand nam hij weer een hap.

Ze bleef naar hem kijken, in de hoop dat hij op de een of andere manier antwoord zou geven. *Ik weet dat Holden me hoort, God. Kunt U er alstublieft voor zorgen dat hij antwoord geeft? Ik wil hem meenemen naar de kerk, God. Help hem alstublieft.* 'Holden, hoorde je wat ik zei?'

Holden legde zijn vork neer en knikte een paar keer achter elkaar; zijn blik bleef op de kaarten gericht. Bijna paniekerig begon hij de kaarten door te nemen, om vliegensvlug de kaart op te zoeken die verbeeldde wat hij wilde zeggen.

Tracy ging op de stoel naast hem zitten. 'Ik ben bij je, Holden. Ik weet dat je iets tegen me wil te zeggen.' Heel zacht legde ze haar hand op zijn schouder. Toen hij niet ineenkromp, werd ze blij vanbinnen. Hoelang keek ze nu al uit naar het moment dat ze haar zoon aan kon raken, zonder dat hij zich meteen afwendde en zij zich afgewezen voelde?

Even later leek Holden de kaart waarnaar hij zocht, gevonden te hebben. Zonder oogcontact te maken gaf hij hem aan haar.

Tracy's hart haperde toen ze de kaart zag. Wat ze altijd al had gedacht, bleek waar te zijn. Holden begreep veel meer dan iedereen dacht. Er stond een jonge vrouw op afgebeeld en eronder stond eenvoudigweg *Het meisje*.

De kaart stond niet symbool voor Tracy, daar was ze zeker van. Zodra ze de kaart zag, begon het haar te dagen wie hij ermee bedoelde. Tracy's hart stroomde vol tederheid en begrip. 'Ella? Wil je hiermee zeggen dat je wilt dat Ella met ons meegaat naar de kerk?'

Holden keek strak naar zijn bord en hij lachte. Het was geen brede glimlach, maar Tracy zag het wel. Toen neuriede hij even en daarna begon hij te zingen.

Tracy knipperde met haar ogen. Het duizelde haar. Hij zong regels uit *Belle en het Beest*. De regels gingen over bang zijn en nog niet goed weten hoe het verder moet. Als ze niet op een stoel had gezeten, zou ze omgevallen zijn. Holden begreep heel goed wat hij vroeg. Hij wilde dat Ella Reynolds met hen meeging naar de kerk, maar hij begreep óók dat er een enigszins ongemakkelijke situatie door zou kunnen ontstaan.

Tracy werd er een beetje nerveus van. Ella wilde buiten schooltijd misschien helemaal geen tijd doorbrengen met Holden, en de teleurstelling zou een rem kunnen zetten op zijn vorderingen. Maar ze wilde haar zoon niet laten wachten. 'Goed.' Ze stond op en liep door de keuken om haar mobieltje te pakken. 'Ik bel haar. Misschien kan Ella ons daar opwachten.'

Oogcontact bleef uit, maar Holden knikte. Daar was geen twijfel over mogelijk.

'Goed dan.' Tracy's hart bonsde. Stel dat Ella's moeder opnam? Of dat Suzanne boos werd omdat Tracy haar dochter vroeg naar de kerk mee te gaan?

Ik kan dit best... Ik ben tegen alles bestand door Christus die mij kracht geeft. Dat was ook weer zo'n Bijbelvers, zo'n waarheid waaraan ze zich iedere dag vastklampte. Zoals ze ook bad om rivieren in de wildernis en geloofde dat God haar zelfs door de meest dorre dagen in de wildernis, als het zand haar voeten verschroeide, heen zou helpen.

Ella had haar al een paar keer gebeld. Ze had verteld wat Holden had gedaan of wat ze had bedacht om Holden te helpen zich meer te uiten. In het begin gingen zijn therapeuten ervan uit dat de veranderingen hooguit onregelmatigheden in zijn gedrag waren; grillen die alles bij elkaar genomen niets te betekenen hadden. Hij had per slot van rekening altijd al van muziek gehouden. Het idee dat Holden plezier had in repetities voor een musical was echt niet opzienbarend en wees ook niet op vorderingen, meenden zij.

Maar toen hij begon te zingen, trok dat de aandacht van al zijn therapeuten, docenten en artsen. Dat gebeurde vrijwel nooit bij kinderen met stoornissen in het autismespectrum. Maar het was te vergelijken met een sterk verroest slot dat je vrijwel nooit met een sleutel open kunt maken. Even wonderbaarlijk was het dat er iets tot Holden was doorgedrongen wat hem ertoe bracht zich te uiten. Tracy twijfelde er geen moment aan dat muziek de sleutel was, en dat alleen Ella deze in handen had.

Ze toetste Ella's telefoonnummer in en wachtte. *Maak alstublieft dat zij opneemt, God... en dat ze mee wil... Zorg alstublieft dat het geen ongemakkelijk gesprek wordt.*

Ella nam vrijwel meteen op. 'Hallo?' Het klonk vriendelijk, maar ook vermoeid.

'O, sorry, Ella.' Tracy kon haar niet vragen op zondag op tijd haar bed uit te komen. 'Ik had iets bedacht, maar het was niet mijn bedoeling je wakker te maken.'

'Geeft niets, mevrouw Harris. Ik ben wakker. Echt waar.' Ze klonk een tikkeltje energieker. 'Wat is er aan de hand?'

Tracy wierp Holden een blik toe. Hij wiegde een beetje van voor naar achter, zijn ogen strak op de wafel gericht die hij nog niet had opgegeten. 'Eh…' Ze sloot haar ogen. Nu kon ze niet meer terug. 'Holden en ik gaan naar de kerk. We vroegen ons af… Nee, híj vroeg zich af of je zin had om met ons mee te gaan.'

Holden hield op met wiegen, hief zijn hoofd op, maar keek recht voor zich uit.

'Echt waar?' Ze lachte. Haar lach was een lach van blijdschap, een uitvloeisel van de brede lach die ze op haar gezicht moest hebben. 'Holden wil dat ik meega?'

'Ja.' Ze vertelde haar het hele verhaal: dat hij haar een flitskaart had gegeven, en dat hij had geknikt toen ze hem vroeg of hij wilde dat ze Ella belde. 'De dienst begint over een uur.'

'Ik wil graag mee.' Ze klonk even blij en vrolijk als toen ze nog klein was.

Tracy vertelde haar waar de kerk was en hoe ze er het best kon komen vanaf het Fulton, dat vlak bij Ella's huis stond. 'Nou, goed, dan zien we je daar?'

Holdens glimlach werd breder.

'Absoluut.' Na een korte stilte voegde ze eraan toe. 'Bedankt voor het bellen. Het betekent veel voor me… dat Holden wil dat ik er ook naartoe ga.'

'Je had gelijk toen je zei dat God bezig was iets indrukwekkends te doen in Holdens leven.'

'Eigenlijk is het zo…' Ze aarzelde even en ze klonk emotioneler dan daarnet. '… dat Hij bezig is ook iets indrukwekkends te doen in míjn leven.'

Toen het gesprek afgelopen was, hoorde Tracy Holden weer neuriën. Ze keerde zich om en lachte naar hem. Kon ze hem nu maar in haar armen nemen en hem knuffelen om het te vieren dat hij een vriendin mee naar de kerk had gevraagd. Dit was zo opwindend, maar een knuffel zat er niet in. Terwijl ze bleef staan waar ze stond, begon Holden te zingen. Deze keer was het het lied dat Holden en Ella vroeger al heel vaak samen hadden gezongen. Dat lied had iedere middag bij hen thuis geklonken. Het enige verschil was dat hij nu een stuk ouder was, maar verder leek het precies zoals vroeger. De gelijkenis zorgde ervoor dat Tracy tegen het aanrecht moest leunen om op adem te komen. Holden merkte het niet. Hij bleef strak naar zijn bord kijken, wiegde van voor naar achter en zong het mooie lied een paar keer.

'Jezus houdt van mij! En dat is waar, want dat vertelt de Bijbel mij zonneklaar. De kleine kinderen behoren aan de Heer; Hij is sterk, al zijn zij broos en teer.'

21

De doorbraak kwam tijdens de kerkdienst.

Nadat Ella zich haastig had gedoucht en aangekleed, liep ze nog even de keuken binnen om haar moeder te vertellen waar ze naartoe ging.

Haar moeder, die een omelet aan het bakken was, draaide zich om. Alle kleur week uit haar gezicht. 'Ga je naar de *kerk*?'

'Ja.' Ella weerstond de verleiding om met haar ogen te rollen. Het zou niet aardig zijn om vlak voordat ze naar de kerk ging haar moeder voor schut te zetten. Daar had haar moeder haar helemaal niet voor nodig; dat kon ze zelf het beste. 'Holden wil dat ik ga.'

'Holden?' Ook dit bericht leek hard aan te komen bij haar moeder. 'Hij kan toch niet praten?'

Ella had onwillekeurig medelijden met haar. Ze dacht aan al die keren dat haar moeder haar niet had geknuffeld, en niet had gevraagd hoe haar dag was geweest of wat haar bezighield. Ze wist nog steeds niets van de musical. Na enige aarzeling glimlachte Ella. 'Je kunt ook zonder woorden communiceren, mam.'

Ze wachtte even, in de hoop dat haar moeder op de een of andere manier zou laten blijken dat ze echt geïnteresseerd was. Ze zou glimlachend kunnen zeggen dat ze het begreep, of vragen of ze mee mocht. Maar ze bleef slechts roerloos staan waar ze stond en van haar gezicht was niets af te lezen. Ella deed moeite om zich niet gekwetst te voelen. 'Nou... tot straks.'

Ze haastte zich de deur uit en tien minuten later liep ze

Holdens kerk binnen. Ze zocht een plekje bijna helemaal achter in de kerkzaal en keek naar het houten kruis dat voorin aan de muur hing. Dankzij de gesprekken met Holdens moeder wist Ella dat haar familie ooit ook iedere week naar de kerk ging. Het feit dat ze niet meer gingen, leek op zijn minst één duidelijke reden voor alles wat er met haar ouders was misgegaan.

Voor zover Ella wist geloofden haar ouders ook niet meer toen ze niet meer naar de kerk gingen. Ze hadden haar en haar broers nooit iets verteld over God, bidden of het eeuwige leven. Over dat soort dingen was hun nooit iets bijgebracht. Ze had zich niet kunnen voorstellen dat je een relatie kon hebben met Jezus, maar mevrouw Harris had er met haar over gesproken en het zelfs vriendschap genoemd. Terwijl ze daar zat, dacht ze terug aan haar laatste telefoongesprek met Holdens moeder.

'Ik kan zeggen dat ik de hele dag met Hem in gesprek ben.'

'Zegt Hij dan ook iets terug?'

'Niet hardop.' Mevrouw Harris lachte. Het was een erg aardige vrouw, die veel geduld met Ella had en ook echt aandacht had voor haar. 'Hij spreekt tot ons vanuit de Schriften – vanuit de Bijbel. En soms hoor je Zijn waarheid in je hart en dan weet je, dan weet je absoluut zeker dat Hij tot je spreekt en je door een moeilijke tijd heen helpt. Dat Hij je wijsheid geeft en je leidt.'

Wie kon dat beter weten dan mevrouw Harris? Het had haar daarom ook geen enkele moeite gekost om te besluiten naar de kerk te gaan. Ze wilde graag vriendschap sluiten met de God van hemel en aarde, in de wetenschap dat diezelfde machtige God ook vriendschap sloot met haar. Ook als Holden niet had gewild dat ze meeging, zou ze interesse hebben gehad. Ze dacht er nu al wekenlang over na.

Holden en zijn moeder kwamen binnen en met zijn drieën liepen ze naar een bank vrij vooraan. Toen ze plaats hadden genomen boog mevrouw Harris zich voor Holden langs, die tussen hen in zat, en lachte naar Ella. 'We zijn blij dat je er bent.'

'Ik ook.' Voordat ze haar ogen richtte op de mensen die voor in de zaal stonden te zingen, trok Holden haar aandacht. Dat deed hij op dezelfde manier als hij al een paar keer eerder had gedaan. Ella glimlachte, en Holden deed hetzelfde, voordat hij de andere kant op keek.

De preek ging over dat je een levend offer moet zijn, dat je je licht moet laten schijnen in je leven, zodat God erdoor verheerlijkt wordt. Ter verheldering had de dominee – pastor Jeff – in de kerkzaal iets laten neerzetten wat hij een altaar noemde. Het was een grote, platte steen die op zes stevige stenen poten rustte.

'Het gaat niet om het altaar, om de buitenkant, om hoe we ons aan anderen voordoen.' Pastor Jeff was aardig, zijn boodschap duidelijk. 'Het gaat om het offer. Wat doe jij voor God? Hoe verheerlijk jij Hem?'

Ella dacht aan de jaren waarin ze in de schaduw had geleefd van de populaire kinderen die heel gemeen konden zijn. Ook al kende ze God niet, ze wist wel wat voor vrienden het feitelijk waren. Ze had nooit met hen moeten optrekken, met hen die andere jongeren afschuwelijk behandelden.

En hoe zit dat dan nu? vroeg ze zich af. *Leef ik zo, dat ik U verheerlijk, God? Doe ik wel genoeg om ervoor te zorgen dat U van me houdt?*

IK HOUD VAN JOU, DOCHTER VAN ME… JE KUNT MIJN LIEFDE NIET VERDIENEN.

Als een zacht regenbuitje daalde de gedachte op haar neer, en Ella leunde achterover in de bank. Had Holdens moeder dit bedoeld? Ze had zich het antwoord beslist niet ingebeeld, maar ze had ook niet echt een stem gehoord. *Houdt U van mij, God? Ook al ben ik pas de laatste tijd echt over U gaan nadenken?*

Deze keer kwam er geen reactie, maar kwam wel het antwoord van daarnet weer in haar op. Hij hield van haar. Ze kon niets doen wat daarin verandering zou brengen en ook niets om Zijn liefde te verdienen. Maar ze kon wel proberen Hem beter te begrijpen, en ze kon uitzoeken wat het precies betekende om christen te zijn, om te leven zoals mevrouw Harris en Holden leefden.

Aan het eind van de preek riep pastor Jeff een lief, verlegen jongetje met kuiltjes in zijn wangen en smerig blond haar naar voren. In een spijkerbroek en een geruite blouse klom hij op het podium en pastor Jeff lachte naar hem. 'Dag, jongen.' Hij wendde zich tot de gemeente. 'Dit is TJ. Hij is zes jaar en hij is mijn enige zoon.' Pastor Jeff zakte door de knieën om op gelijke hoogte met zijn zoontje te komen en de twee grijnsden naar elkaar. Daarna zei de jongen iets, en zijn vader lachte en genoot van dit privémoment tussen vader en zoon.

Ella kon zich niet herinneren dat zij ooit met haar vader een dergelijk moment had gehad.

Naast haar vouwde Holden zijn handen en bracht ze naar zijn kin. Hij keek niet rechtstreeks naar wat zich op het podium afspeelde, maar Ella kon merken dat het hem interesseerde. *Misschien mist hij zijn vader ook*, dacht ze.Voor het eerst realiseerde ze zich dat Holden en zij iets gemeen hadden. Ze konden er geen van beiden meer op rekenen dat hun vader er voor hen was als ze hem nodig hadden.

Pastor Jeff keek weer naar de mensen voor hem. 'Ik houd meer van mijn zoon dan van wat ook op deze wereld.' Hij schoot vol en zijn ogen begonnen te glinsteren. 'Ik doe alles voor deze jongen.' Hij kwam overeind en gebaarde naar TJ. 'Goed, jongen. Ga je gang.'

Het kind stapte in de richting van het altaar en ging plat op de steen liggen. Hij deed zijn best om zich niet te verroeren, maar de voeten van het jongetje bleven in beweging. Holden bracht zijn ellebogen omhoog en liet ze enigszins op en neer gaan.

'Er gebeurt niets,' fluisterde Ella vlak bij zijn oor. 'Er gebeurt niets met de jongen, Holden.'

Zijn armen bewogen nu niet meer, maar hij hield zijn gevouwen handen nog wel onder zijn kin.

'Ik houd ontzettend veel van mijn zoon.' Pastor Jeff klonk gespannen. 'Als God van me vraagt dat ik hem offer, zoals Hij van Abraham vroeg Isaak te offeren...' Hij schudde zijn hoofd. 'Ik weet niet wat ik dan zou zeggen.' De pastor keek naar zijn zoon en iedereen in de kerkzaal volgde zijn voorbeeld.

Ella hoorde dat de mensen om haar heen gingen verzitten om het beter te kunnen zien. Ze hoopte maar dat Holden de geluiden niet hinderlijk vond. Ze gaf hem een klopje op zijn hand, zodat hij wist dat zij bij hem was.

Pastor Jeff glimlachte naar zijn zoon. 'Bedankt, TJ. Je mag er nu weer vanaf komen.'

De jongen kwam overeind en nam met een brede grijns op zijn gezicht weer zijn plek naast zijn vader in. De pastor bukte om hem even te knuffelen en woelde door zijn haar. Toen richtte hij zich weer op, zijn arm nog steeds om de schouder van de jongen. 'Wat ons het meest mag verbazen is dat God ons nooit zal vragen dat werkelijk te doen. Hij vroeg het niet van Abraham en Hij vraagt het niet van u.' In de stilte die hij nu liet vallen, trilde de lucht in de kerkzaal van emotie. Van alle kanten klonk een zacht uitgesproken amen op. 'En weet u waarom niet? Omdat God het voor ons heeft gedaan. Hij gaf ons Zijn enige Zoon. En Jezus ging uit liefde voor u en mij gewillig de weg naar het kruis.' Pastor Jeff keek weer naar het altaar. 'Wat is er in uw leven dat u moet geven? Niet uw zoon – dat is al gebeurd. Zou het om uw tijd of uw gaven kunnen gaan... om uw rijkdom? Grijp de kans om van uw leven een offer voor God te maken. Begin er vandaag nog mee.'

Ella rechtte haar rug. De boodschap was opeens kristalhelder. God hield niet alleen maar op een afstandelijke manier van haar. Hij hield zo veel van haar, dat Hij een beroep op Zijn enige Zoon had gedaan en Hem voor haar had prijsgegeven. Het was een soort liefde die Ella zich nooit had kunnen voorstellen, laat staan dat ze die had ervaren. *Ik wil er meer van weten, God. Help me daarbij, zodat ik U kan volgen.* Het was een begin; dat voelde Ella vanbinnen. Dat geloofsvertrouwen van deze mensen, van Holden en zijn moeder, wilde Ella ook graag hebben.

Pastor Jeff ging voor in gebed. Toen Holden zijn ellebogen weer begon te bewegen, was het alsof er ineens een lampje ging branden. Van het ene op het andere moment begreep Ella dat Holden bad. Als hij zijn handen vouwde onder zijn kin en zijn armen bewoog, was hij in gesprek met God! En dat betekende… dat betekende dat Holden voortdurend met God in gesprek was, om allerlei redenen. Ze werd zo blij van de ontdekking die ze had gedaan, dat ze het zo snel mogelijk aan Holdens moeder wilde vertellen. Ze dacht terug aan al die keren dat ze had meegemaakt dat Holden die bewegingen maakte. Als ze gelijk had, bad Holden wanneer kinderen gemeen deden, en bad hij ook als zijn vrienden uit de bus stapten. Natuurlijk bad hij. Er kon toch nooit genoeg gebeden worden voor de leerlingen in het speciaal onderwijs?

Haar ogen vulden zich met tranen. Wat was de vriend naast haar aardig! Ella werd al haar hele leven omringd door mensen die zichzelf vrienden noemden, maar er was er niet één bij die zo oprecht was als Holden. Holden had ook gebeden toen ze tijdens een repetitie het lied over het doden van het Beest hadden gezongen. Daar moest ze nu aan denken. Telkens als ze dat lied zongen, vouwde Holden zijn handen en bewoog zijn ellebogen op en neer. Misschien maakte hij zich dan zorgen over de dorpsbewoners. Ze dacht er even over na en realiseerde zich dat dat niet waar kon zijn. De dorpsbewoners waren in dat lied in de aanval.

Dan maakte hij zich waarschijnlijk zorgen over het Beest. Uit het uiterlijk van dit monster was niet te zien dat het eigenlijk een goedaardig wezen was. De mogelijkheid dat Holden zo begaan was met het Beest en het van binnenuit begreep, vond ze nog ontroerender.

Toen de dienst was afgelopen stonden ze nog even te praten met een paar mensen. Maar Ella was nog steeds opgewonden. Zodra ze buiten stonden omhelsde ze Holdens moeder.

'Bedankt dat jullie me hebben gevraagd mee te gaan.' De omhelzing raakte haar diep. Het was bijna niet te geloven dat mevrouw Harris en haar moeder ooit vriendinnen waren geweest. Ze waren zo anders. Ella glimlachte. 'Ik wil echt meer weten over het volgen van Jezus. Misschien kunt u mij erbij helpen.'

'Dat zou ik fijn vinden.' Holdens moeder keek blij.

Holden keek naar de grond en knikte. 'Jezus houdt van mij! En dat is waar...'

'Hij zingt!' fluisterde zijn moeder geschokt. Haar ogen glinsterden. 'Ik kan het nog steeds niet geloven dat ik hem hoor zingen!' Ze keek Ella aan. 'Dat was jullie lied. Dat zongen jullie altijd samen.'

De melodie kwam haar niet bekend voor. 'Hij heeft het nog niet eerder voor me gezongen.'

'Misschien doet hij dat nu omdat je mee bent gegaan naar de kerk.' Mevrouw Harris glimlachte.

Ella wist niet goed of ze nog iets moest zeggen over het bidden waar Holden bij was, maar bedacht dat hij het vast niet vervelend zou vinden. Misschien vond hij het zelfs wel fijn dat het eindelijk begrepen werd. 'Ik geloof dat ik iets ben gaan begrijpen.' Ze trok de riem van haar tas over haar schouder. Het was fris buiten, maar de lucht was weids en helder, zoals dat vaak half november het geval was in het mooie Georgia.

'Iets wat met Holden te maken heeft?'

'Ja.' Ze bewoog haar ellebogen een paar keer. 'Weet u wanneer hij dat doet, wanneer hij zijn handen onder zijn kin houdt en zijn armen beweegt?'

'Het is een teken van overprikkeling. Net als de push-ups.' Mevrouw Harris fronste. 'Ik heb er nooit een vast patroon in kunnen ontdekken. Hij doet het, eerlijk gezegd, vaker op school dan thuis.'

'Klopt.' Ella lachte eerst naar Holden en toen naar zijn moeder. 'Volgens mij is hij aan het bidden als hij dat doet. Ik zag dat toen ik naast hem zat.'

'Ik heb daar ook aan gedacht, maar... eh...' Ze klonk een tikkeltje minder blij. 'De kinderen op school... ze lachen hem uit.' De blik in haar ogen werd somber. 'Zijn manier van doen lijkt meer een vorm van zelfverdediging.'

Ella keek van Holden naar zijn moeder. 'Misschien is het allebei waar.'

'... want dat vertelt de Bijbel mij zonneklaar.' Holden zong zachtjes en gehaast. Hij keek strak naar het wegdek.

'Allebei waar?' Van mevrouw Harris' gezicht was zowel verdriet als verwarring af te lezen. 'Ik weet niet of ik je goed begrijp.'

'Misschien bidt hij voor hen... maar is het ook een vorm van zelfverdediging.' Hoe meer Ella over die mogelijkheid nadacht, hoe reëler deze werd. 'Het klinkt logisch, toch? Dat Holden bidt als hij bang of zenuwachtig is?'

Zijn moeder dacht even na. Ze ging dichter bij Holden staan. 'Klopt dat, Holden? Bid jij voor mensen? Bid je voor je klasgenoten?'

Holden hield op met zingen. Met snelle, krampachtige stappen liep hij naar de auto van zijn moeder, trok een portier open en pakte zijn stapel flitskaarten. Hij nam ze door, trok er uiteindelijk een tussenuit en hield hem omhoog. Er was een klok op afgebeeld en eronder stond *Ieder uur*.

Ieder uur! Ella slaakte een kreet en sloeg haar hand voor haar mond. Holdens moeder en zij keken elkaar even aan, en Ella wist niet of de vrouw in huilen zou uitbarsten of zou lachen van vreugde. Nu begrepen ze waarom Holden dit gedrag zo vaak vertoonde.

Holden liep niet rond als iemand die zich zonder enige reden vreemd gedroeg. Hij was aan het bidden. Vandaag had hij gebeden voor het jongetje dat hun in de kerk op een kostelijke manier duidelijk had gemaakt dat de prijs voor redding volledig was betaald. Holden kon niet praten en hij kon niemand recht aankijken, maar één ding kon hij wel doen voor de mensen om hem heen die in moeilijkheden waren. Holden kon bidden – en daar had Ella net een begin mee gemaakt. Hij bad voor de pestkoppen en zijn gehandicapte vrienden, en voor de afgematte docenten.

En ja, ook voor het Beest.

22

In de daarop volgende twee weken wilde Ella graag bij Holden in de buurt zijn, omdat ze dolgraag wilde weten wat hij dacht, wat hij hoopte en waarvan hij droomde. Sinds ze had begrepen dat Holden voortdurend in gebed was, was Ella ervan overtuigd dat niemand echt begreep hoe mooi de zo gesloten Holden Harris vanbinnen was.

Op een middag kwam Holden eerder in het toneellokaal aan dan de andere leerlingen. Ella was daar op dat moment op het podium haar tekst aan het instuderen. Meneer Hawkins zat in zijn werkkamer. Het zou nog tien minuten duren voordat het lesuur begon. Holdens vorige lesuur was klaarblijkelijk eerder afgelopen, want opeens verschenen hij en een onderwijsassistente in de deuropening.

'Hij is te vroeg.' De vrouw wekte de indruk dat ze graag zo snel mogelijk weer haar eigen gang wilde gaan. 'Maar als je wil, blijf ik wel.'

Ella keek naar Holden. Hij keek niet naar de onderwijsassistente, maar ook niet naar haar. Ze lachte naar de vrouw. 'U kunt wel gaan.' Ze bleef op haar plek op het podium staan. 'Ik ben een vriendin van hem. Ik let wel op hem.'

Ella had het woord *vriendin* nog niet uitgesproken of Holdens onrust nam af. Hij keek haar recht aan, en hij knikte. Dat duurde maar even. Daarna keek Holden weer de andere kant op en schuifelde naar zijn plaats, bijna helemaal achter in het lokaal. Het was dezelfde plek als altijd en ook zijn rugzak zette hij op precies dezelfde plek neer als anders. Maar vandaag deed hij nog iets: hij boog zich voorover, met zijn onderarmen op zijn bovenbenen, en richtte zijn aandacht op het podium. Niet op haar, maar op het podium.

Hij wil optreden, zei Ella bij zichzelf. Ze liep de paar passen naar de speaker die op een stoel vlak bij haar was neergezet, en zette hem aan. Muziek vulde het lokaal en Holden ging rechtop zitten, zijn borst vooruit. Hij had een vredige uitdrukking op zijn gezicht, alsof hij vandaag voor het eerst frisse lucht binnenkreeg.

Ella ging weer op het podium staan en zette precies op het juiste moment in. Het was het lied dat Belle zong nadat ze door het Beest was opgesloten in het kasteel. Het was het lied over thuis – dat is waar je hart woont.

Holden stond langzaam op en keek haar recht aan.

Ella bleef zingen. Ze richtte zich met haar lied, met haar optreden, volledig op hem.

Ze waren nog steeds alleen in het lokaal; de andere leerlingen zouden pas over enkele minuten hiernaartoe komen. Terwijl het lied klonk, liep Holden langzaam naar het podium, klom er moeiteloos op en kwam naast haar staan. Ella zong door en bleef de rol van Belle spelen, hoe verbijsterd ze ook was.

Holden begon nu zacht mee te zingen, maar tegen het einde van het lied wist Ella opeens de woorden niet meer. Ze ging helemaal op in het wonder dat zich hier voor haar ogen afspeelde. Holden zong mooi, precies op de goede toonhoogte. Het was melodieus en... nou ja, gewoonweg adembenemend. Uiteindelijk was het lied tot in de verste hoeken van het lokaal te horen en Ella kon niets anders doen dan vol verwondering en ontzag toekijken. Holden deed het zo goed, dat hij gemakkelijk voor publiek zou kunnen optreden. Ella stond te bibberen op haar benen terwijl ze alles in zich opnam.

Vooral de laatste paar regels van het lied maakten indruk. 'Snel sluit ik alle deuren...' Holdens blauwe ogen doorgrondden haar hart, haar ziel. '... want mijn hart is van mij, en dat woont waar het wil... dat is vrij.'

Ella wilde dat het lied bleef klinken, maar na een paar maten stierf de muziek weg. Zonder het oogcontact met Holden te verbreken zette Ella de speaker uit. 'Holden, dat was fantastisch.'

Zijn optreden was zo realistisch, zo overtuigend geweest, dat Ella verwachtte dat hij zou reageren als iedere andere leerling, alsof hij opeens weer helemaal normaal was. Maar zodra de muziek ophield, verstijfde Holden en kneep zijn handen samen. Met neergeslagen ogen begon hij van voor naar achter te wiegen, zijn blik strak op de zich almaar herhalende bewegingen van zijn vingers gericht.

'Holden?'

Hij hield beide handen over zijn oren en sprong onhandig van het podium. Voor hij bij zijn stoel achter in het lokaal aankwam, liet hij zich op de grond vallen en deed een stuk of tien push-ups. Daarna ging hij zitten, ritste zijn rugtas open en zocht verwoed naar zijn flitskaarten.

'Holden...' Meneer Hawkins glipte het lokaal binnen. Zijn gezicht was grauw en zijn ogen waren wijd opengesperd. 'Dat was ongelooflijk!'

'U hebt meegeluisterd... Daar ben ik blij om.' Ella stond nog steeds versteld van datgene waarvan ze daarnet getuige was geweest. Vol verbazing bleef ze naar Holden kijken, totdat ze zich tot haar docent wendde. 'Hij heeft hier op het podium staan zingen.' Haar ogen vulden zich met tranen, maar haar glimlach verdween niet. 'Ik kon het niet geloven.'

Ella was ervan overtuigd dat meneer Hawkins haar niet zou hebben geloofd als hij het niet met eigen oren had gehoord. Ze keek weer naar Holden. Wiegend keek hij strak naar de flitskaarten, zonder er erg in te hebben dat er steeds meer leerlingen het lokaal binnenkwamen.

'Misschien doet hij het nog een keer.' Meneer Hawkins

keek alsof hij het graag nog een keer wilde meemaken. Langzaam liep hij naar het achterste gedeelte van het lokaal.

'Meneer Hawkins.' Ella sprong van het podium en ging achter hem aan. 'Weest u voorzichtig,' fluisterde ze, zodat alleen haar docent het kon horen. 'Misschien wil hij het helemaal niet nog een keer doen.'

De andere leerlingen zagen niet wat er zich afspeelde tussen Ella, Holden en meneer Hawkins. Hun geroezemoes werkte als geluidsdemper, zodat Holden niet voor schut zou komen te staan, wat meneer Hawkins ook zou zeggen. De docent bleef op enige afstand van Holden staan. 'Holden... hoor je me?'

Holden keek niet op. Hij bleef wiegen en liet de flitskaarten iets sneller door zijn vingers glijden.

'Je hebt een heel mooie stem, Holden.' Ella deed een stap naar voren en legde haar hand op zijn schouder. Maar hij schrok van de aanraking en legde weer zijn handen over zijn oren. Ella trok haar hand terug, gekwetst door zijn reactie. Wat was er daarnet op het podium gebeurd? Hadden ze niet samen iets bijzonders meegemaakt? Misschien een moment uit het verleden opnieuw beleefd? Ze deed haar armen over elkaar. 'Laat hem maar,' zei ze met een gebaar naar meneer Hawkins. 'Als hij wil optreden zal hij het ons laten weten.'

Holden liet zijn handen zakken en was weer verwoed met zijn kaarten in de weer, totdat hij er één tussenuit trok. Hij gaf hem aan Ella – hij vertrouwde haar dus. Ella pakte de kaart aan, keek ernaar en merkte dat er tranen in haar ogen prikten. Op de kaart stond een berouwvol, stakerig poppetje en daaronder simpelweg de woorden *Het spijt me.*

Ella liet hem aan meneer Hawkins zien en de docent knikte. Het was een triest, moedeloos knikje. Toen schraapte hij zijn keel. 'Goed, jongens.' Hij liep snel terug naar het voorste gedeelte van het lokaal en riep de leerlingen tot de orde. 'Haal je script tevoorschijn.'

Ella, die de kaart nog steeds vasthield, aarzelde. 'Het geeft niet, Holden. Ik ben niet boos.' Ze zei het zacht en glimlachte erbij, voor het geval hij vanuit zijn ooghoek naar haar keek. 'Ik vond het leuk om samen met jou te zingen. Je was... gewoon super.' Ze overhandigde hem de kaart, en hij raakte heel even haar vingers aan. Heel even sloeg hij zijn ogen naar haar op en meteen was er sprake van intens contact. Holden was daarbinnen en hij wilde naar buiten komen om contact te maken met haar en de andere leerlingen in het lokaal. Als Ella hem goed begreep, wilde Holden zelfs optreden.

God, bevrijd hem alstublieft. Haal hem weg van de plek waar hij zich schuilhoudt. Haar hart smolt voor de jongen hier voor haar. Wat kostte het hem al ontzettend veel moeite om alleen maar oogcontact te maken! De leerlingen namen hun plaats in en Ella had daarom niet veel tijd meer om te bidden. Ze keek door het raam van het lokaal omhoog naar de hemel. *God, ik weet dat U van Holden houdt. Kunt U er alstublieft voor zorgen dat er voor hem een wonder gebeurt? Bedankt voor het luisteren. Amen.*

Ella ging op haar plaats zitten en sloeg het script op, maar ze kon niet aan Belle en het Beest denken. Ze bleef denken aan wat ze met Holden had beleefd. Heel even was hij helemaal de jongen geweest die hij eigenlijk hoorde te zijn, zuiver zingend en acterend op het podium. Ella zou nooit vergeten hoe dat had geklonken. Ze zou meer tijd met Holden doorbrengen, en ze zou ervoor zorgen dat ze vaker zo'n moment samen hadden voordat het lokaal volstroomde. Als ergens diep weggestopt in Holden het verlangen leefde om te zingen, dan zou Ella van haar kant doen wat nodig was om hem zover te brengen. Zoals ze dat vandaag had gedaan.

Ze zou de muziek aanzetten.

★

Manny Hawkins kon zijn aandacht nauwelijks bij de repetitie houden, omdat hij meer had gezien dan hij had laten doorschemeren. Toen de prachtige tenor voor het begin van het lesuur het toneellokaal vulde, had hij zijn pen neergelegd en niet meer naar dollars gezocht in het magere budget dat de sectie drama was toebedeeld. Hij was naar de deur van zijn werkkamer gelopen en had hem op een kier gezet. Ademloos had hij door de centimeter brede opening toegekeken. Hij had zijn ogen niet kunnen geloven. Holden Harris? Was die betoverend mooie stem van de autistische jongen? Hoe was dat mogelijk?

Hij had niet kunnen zien of Holden oogcontact maakte met Ella of niet. Maar het was wel duidelijk dat hij daar niet alleen stond te zingen, hij acteerde ook.

Hij had min of meer verwacht dat Holden zou opspringen van zijn stoel om nog een keer het podium op te klimmen, zelfs toen de andere leerlingen het lokaal binnen druppelden. Maar uit wat voor wereld Holden ook was opgedoken, hij was er weer helemaal in opgegaan.

In de daaropvolgende paar weken kwam Holden iedere dag te vroeg het lokaal binnen, ging naast Ella op het podium staan en zong bijna alle liedjes uit de musical mee. Manny keek daarbij vol verwachting door de kier in zijn deur toe, maar liet er tegenover Ella niets over los dat hij daarvan getuige was. Toch wist hij bijna zeker dat ze ervan op de hoogte was. Voordat de les begon, wisselde ze soms een blik met hem en een paar dagen later benaderde ze hem.

'U luistert mee, hè? U hebt hem iedere dag met mij mee horen zingen, meneer Hawkins.' Haar ogen stonden ernstig en straalden vertrouwen uit. 'Geef hem een rol… alstublieft. Hij kan het aan. Het hoeft niet veel voor te stellen.'

Manny was er getuige van geweest dat Holden Harris een enorme verandering had ondergaan of dat er een onverklaarbaar wonder was gebeurd. Toch was hij nog niet echt bereid een leerling met autisme een rol in de musical te geven. Dit was zijn laatste productie. Als bekend werd dat kinderen van het speciaal onderwijs erin meespeelden, zou er niemand komen opdagen. De leerlingen van het Fulton verwachtten niet dat deze leerlingen succes hadden. Ze verwachtten een mooie voorstelling. Maar als je naar het verleden keek, dan verwachtten ze dat nog niet eens.

Zuchtend haalde Manny zijn hand door zijn dun wordende haar. 'Zo eenvoudig is het niet. We worden in het oog gehouden.' Hij gebaarde naar de aftandse attributen en het verweerde podium. 'Alles moet deze keer perfect zijn.' Hij hield haar blik vast en haalde toen moedeloos zijn schouders op. 'Het antwoord is nee, maar je zult het niet begrijpen.'

Ella probeerde het de volgende dag nog een keer. 'Hij kan zingen, meneer Hawkins. Hij is de beste zanger die we hebben. We hoeven hem alleen maar zo ver te krijgen dat hij samenwerkt met de anderen.'

'Dat is nu net het probleem.' Er ontsnapte Manny een triest lachje. 'Dit is geen project, het is een musical. Het ontbreekt ons aan de tijd om hem dat te leren.'

Manny's hart brak bijna toen hij zag hoe Ella keek. Heel even deed ze hem denken aan zijn oudste dochter. Zij had ook zo gekeken toen Manny's ex even langskwam voordat ze de staat verliet. Verraden en verward had ze zich gevoeld, en ze was ervan overtuigd geweest dat het zijn schuld was dat ze zo verdrietig was. Daarna vroeg Ella er niet meer om. Niettemin had Manny een tijd lang niets zo fascinerend gevonden als Holdens metamorfose. Iedere middag keek hij vanaf tien over twee door de kier in de deur van zijn werkkamer naar Holden. Aan het eind van de tweede week, op een vrijdag, nam Ella de tekst aan het eind van de musical door, als het Beest verandert in de Prins.

Manny's adem stokte en hij verroerde zich niet toen hij zag dat Holden in de deur van het lokaal verscheen. Langzaam liep hij naar het podium, naar de plek waar Ella haar tekst doornam.

Ella moest hem hebben gezien. Ze moest zich ervan bewust zijn geweest dat er naar haar werd gekeken. Maar in plaats dat ze haar aandacht op Holden richtte, ging ze ongemerkt volledig op in haar personage. Ze deed alsof ze naar het stervende Beest keek, liet zich op de knieën vallen en sloeg haar handen voor haar gezicht. Ze huilde zo overtuigend dat ze echt wanhopig leek. 'Nee! Toe... Toe, verlaat me niet.' Ze keek op naar een lege plek op het toneel. 'Ik... ik houd van je.'

Nu had ze een pauze moeten inlassen, gepaard met mist en speciale effecten, omdat de Prins op dit moment de plaats van het Beest moest innemen. Maar Ella stond op en zette doelbewust een lied in. Het was niet de herhaling van wat er aan het eind van deze scene hoorde te gebeuren, maar het belangrijkste lied. Terwijl de muziek het lokaal vulde stapte Holden met de souplesse van een rugbyspeler het podium op. Hij keek Ella aan als een goedmoedige held toen ze zich naar hem toe wendde.

'Eeuwenoud verhaal... Altijd zo gegaan, altijd zo geweest.'

Ella stak onzeker haar handen uit. Ze wilde Holden niet het eerst aanraken. Maar het was alsof Holden nooit ergens in het autismespectrum was beland, want hij pakte haar handen vast en zong over één waarheid en één droom. Ieder woord klonk gemeend.

Daarna zwol de muziek aan. Hand in hand dansten ze in het rond en keken elkaar daarbij aandachtig aan. Ze had het idee dat hij rechtstreeks tot haar hart sprak. Het was een passende boodschap over bang zijn en nog niet helemaal voorbereid zijn op dit soort vriendschap.

Ze zongen het laatste gedeelte samen, en Manny wilde dat hij eraan had gedacht het moment op film vast te leggen. Het was ongetwijfeld een van de mooiste duetten die ooit op het

Fulton ten gehore waren gebracht.

'Eeuwenoud verhaal, steeds opnieuw bedacht... Belle en het Beest.'

Het was alsof Manny een visioen kreeg, want opeens vielen alle stukjes op hun plek. Stel dat Holden Harris dit ook kon doen met publiek erbij? Zouden dan zelfs de harteloze, onverschillige, domme scholieren op het Fulton niet in de rij gaan staan om ook getuige te kunnen zijn van wat Manny daarnet had gezien en gehoord?

De muziek hield op, en Manny hoopte dat de verandering deze keer niet zou optreden. Hij hoopte dat Holden voor één keer niet zou reageren alsof iemand het licht had uitgedaan. *Blijf naast haar staan, Holden. Toe nou. Blijf zoals je nu bent.*

Maar nu er geen trompetten, blaas- en snaarinstrumenten meer klonken, werd de knop onverbiddelijk omgedraaid. Holden sprong onhandig van het podium en had niets meer van de jongen die daarnet zo zelfbewust had opgetreden. Hij was veranderd in een andere, nerveuze, angstige jongen. Deze keer bracht hij zijn handen gevouwen naar zijn kin en bewoog zijn armen op en neer – iets wat Manny Holden weken geleden voor het laatst had zien doen.

Manny deed een stap achteruit, zijn werkkamer in, en knipperde twee keer met zijn ogen. Wat haalde hij zich in het hoofd? Hij zou eerder een circusact met dieren kunnen aantrekken dan dat hij Holden Harris de rol van de Prins kon laten spelen. Het maakte niet uit wat Holden allemaal kon, je kon er niet op rekenen dat je contact met hem kreeg. En Manny had behoefte aan leerlingen op wie hij kon rekenen – nu meer dan ooit. Holden Harris kon in geen geval deel uitmaken van de cast.

Het was een bizar idee, en Manny beloofde zichzelf plechtig dat hij het niet eens meer in overweging zou nemen.

23

Ella was het hele seizoen niet naar een basketbalwedstrijd geweest. Jake en zij praatten niet meer met elkaar, en ze trok bijna nooit meer op met haar vroegere vrienden, zelfs niet in de middagpauze. Maar die vrijdag smeekte LaShante haar mee te gaan. 'Alle anderen gaan na de wedstrijd met Callie mee naar huis om nog iets te drinken.' Ze rolde met haar ogen. 'Ik vind dat helemaal niks, dus kom op, ga mee. Ik heb je nodig, Ella. Ik wil er niet in mijn eentje naartoe.'

Ze had die avond eigenlijk bij Holden thuis willen doorbrengen. Ze was daar nu al een paar keer geweest, voornamelijk om Holdens moeder iets over zijn optredens te vertellen. Die duurden maar een paar minuten, maar vonden de laatste tijd iedere dag plaats voordat de repetitie begon. Vandaag was zijn moeder zelfs naar de school gekomen om hem door een raam op de gang te zien optreden. Holden wist dat niet, maar Ella lachte even naar haar toen ze uitgezongen waren. Ze stond aan de andere kant van de ruit haar tranen te drogen. Ze had Ella wel geloofd, maar dat ze het nu met eigen ogen zag, moest een bijzondere ervaring voor haar zijn. Misschien was het alsof... alsof ze zag hoe Holden geweest had kunnen zijn als hij niet autistisch was geworden.

Maar het leek haar toch wel leuk om vanavond naar de basketbalwedstrijd te gaan. Ze sprak af dat ze LaShante zou ophalen. Onderweg naar het sportveld van de school probeerde ze de hele tijd uit te leggen dat ze Holden vooruit had zien gaan. 'Je zou hem moeten horen.'

'Hij kan zingen?' LaShante pakte een handvol kleine

vlechtjes die ze in haar haar had en maakte er een paardenstaart van. 'Kunnen kinderen met autisme dat?'

'Soms.' Ella hield haar ogen op de weg gericht. 'Ik denk dat Holden de muziek hoort. Misschien wel beter dan gewoon gezonde kinderen.'

'Hmm.'

'Nee, ik meen het.' Ella zat zo vol van de verandering die Holden had ondergaan. 'Het klinkt prachtig als hij zingt. Serieus. Hij kan zingen, en als hij dat doet kijkt hij me recht aan. En dat met een blik in zijn ogen waarvan je hart zou smelten.'

'Wauw.' LaShante trok een wenkbrauw op. 'Als ik niet beter wist, zou ik denken dat je verliefd op hem bent.'

'Welnee, joh.' Ella lachte en het klonk luchtig. 'Hij is gewoon een vriend van me. Dat was hij al toen we allebei drie waren.'

'Maar hij is leuk.' LaShantes ogen dansten. 'Ja, kom op zeg, hij is de populairste jongen op het Fulton. Hoe vreemd hij ook is.' Ze perste haar lippen op elkaar. 'Mmmm-hm. En dan die blauwe ogen. Recht op jou gericht? Ik weet niet, hoor...'

'Zo is het helemaal niet.' Ella lachte weer terwijl ze het parkeerterrein van de school op reed. 'Maar je moet hem een keer horen zingen. Het is alsof hij dan iemand anders is.'

'Misschien is muziek de sleutel.' LaShante ging rechtop zitten en trok haar bleekblauwe coltrui recht.

'Ja, dat wilde ik er eigenlijk mee zeggen.' Ella parkeerde de auto en draaide zich naar haar vriendin toe. 'Muziek maakt dat hij loskomt, dat hij zich gaat uiten.'

'Dan ligt de oplossing voor de hand, neem ik aan.' LaShante duwde het portier open en glimlachte. 'Meisje, jij moet een manier zien te vinden om ervoor te zorgen dat de muziek niet ophoudt.'

Ella grinnikte. 'Precies.' Ze stapten uit en liepen snel over het parkeerterrein naar de sportzaal. De wedstrijd liep uit op een fiasco; Jake en zijn kameraden verloren van hun rivalen van een andere middelbare school in de stad. In de rust kocht LaShante popcorn en een flesje frisdrank. Zodra ze weer naast Ella op de tribune zat keek ze haar vriendin aan met een zorgelijke blik in haar ogen. 'Ik moet je iets vertellen.'

Ella merkte dat haar hartslag versnelde. LaShante en Ella hielden er geen van beiden van om van alles wat er op school gebeurde een drama te maken. Wat ze ook op haar hart had, het moest de moeite van het bespreken waard zijn. Anders zou LaShante er niet over begonnen zijn. 'Heeft het iets te maken met Krissy of Jenny?'

'Nee.' LaShante keek boos. 'Met Jake. Ik heb het van de week gehoord en wilde je er een sms over sturen. Maar ik dacht... ik dacht dat ik het je beter persoonlijk kon vertellen.'

'O.' Ella ontspande zich. Ze had niets meer met Jake. Wat LaShante haar ook wilde vertellen, bijna niets zou haar avond op de een of andere manier kunnen bederven. 'Nou, vertel.'

'Hij vertelt aan iedereen dat jij en Holden.' Ze aarzelde en de blik in haar ogen werd donkerder. Maar heel weinig dingen konden LaShante in verlegenheid brengen. Van al Ella's vriendinnen was zij het openhartigst. Maar op dit moment kon je aan haar mooie bruine ogen zien dat ze niet wist of ze wel kon verdergaan. 'Hij bazuint rond dat jij iets met Holden hebt.' Ze aarzelde weer. 'Eh... dat je het met hem doet.' Ze rolde met haar ogen. 'Ik vind het daarom afschuwelijk dat ik grapjes maakte over jou en hem. Op weg hiernaartoe, bedoel ik.'

Ella werd opeens misselijk. 'Waarom doet hij dat?' Ella keek naar de grond. Hoe had ze Jake Collins ooit aantrekkelijk kunnen vinden? Hij had haar ooit met zijn charme op de gedachte gebracht dat hij een aardige jongen was, en daarom was ze nu kwaad op zichzelf. De basketballers kwamen het veld weer op. Als warming-up voor de tweede helft speelden ze elkaar de bal toe en probeerden te scoren. Zelfs vanaf haar plek op de tribune kon Ella de arrogante lach op Jakes gezicht zien.

LaShante zuchtte en aan haar gezicht was te zien dat ze zich nog steeds niet op haar gemak voelde. 'Dat is nog niet alles.'

Ella wapende zich. Waar het ook om ging, ze kon LaShante vertrouwen. En als het inhield dat ze op het Fulton helemaal geen sociaal leven meer zou hebben, dan moest dat maar. Ze had er toch al afstand van genomen. LaShante en Holden waren de enige echte vrienden die ze nog had, en over een halfjaar gingen ze al van school. Wie kon het dan nog iets schelen wat Jake zei? Niemand toch?

Haar vriendin sloeg haar armen over elkaar en trok een lelijk gezicht. 'Hij heeft een weddenschap afgesloten met Sam. Hij gaat hoe dan ook nog vóór het eindexamen met jou naar bed. Anders krijgt Sam honderd dollar van hem.'

'Honderd dollar?' Ella moest bijna overgeven. Was ze in de ogen van Jake en zijn volgelingen zo weinig waard? Opeens kwam ze op een idee. 'Zei je: "hoe dan ook"?'

'Ja.' In LaShantes ogen lichtte woede op. 'Hij zei dat als Holden jou kreeg, hij jou ook wilde hebben. Het klonk als een dreigement, vond ik.' Ze wees met haar duim in de richting van het basketbalveld. 'Misschien moet je dit maar doorgeven aan de politie.'

Jake Collins was van plan zich aan haar te vergrijpen? In september zou Ella er nog om hebben gelachen, maar nu... Ze kreeg kippenvel op haar armen. Ze zou bij hem uit de buurt blijven. Als haar moeder geïnteresseerd was geweest in wat ze deed, zou ze het haar vanavond thuis meteen hebben verteld. Maar haar moeder wist niets van haar. Nee, ze zou haar eigen boontjes moeten doppen. Ze zou bij hem uit de buurt blijven en alleen nog maar tijd doorbrengen met Holden, en af en toe met LaShante.

Ella had nog een reden waarom ze er bijna blij om was dat ze zich afzijdig kon houden. Nu ze veel minder vaak optrok met het clubje populaire jongeren, had ze beter door dat de grootste etters onder hen verwaande, arrogante pestkoppen waren. De onder hen geldende ethische code eiste van hen dat ze gemeen deden en anderen belachelijk maakten. Als ze samen zaten te eten tussen de middag, scholden ze iedereen uit die langskwam – iedereen die in hun ogen te klein, te slim of te dik was. Magere jongeren als Michael en leerlingen als Holden.

Ella zag hoe de jongens van het ene naar het andere eind van het veld renden, hoe ze steeds gewisseld werden en in discussie gingen met de coach of de scheidsrechters. Zou er iemand bij zijn die haar voorbeeld graag wilde volgen? Die zich ook graag wilde losmaken van de groep, zijn eigen leven wilde leiden en zijn eigen beslissingen wilde nemen, zonder indruk te hoeven maken op Jake en zijn vrienden? Ella twijfelde er niet eens aan.

Holden was niet de enige die in zijn eigen wereld zat opgesloten.

Ella zag Michael Schwartz pas na de wedstrijd op het schoolplein. Ella en LaShante stonden met een paar andere meisjes te praten over het feestje later op de avond. Op dat moment kwam Michael door de dubbele deuren van de hoofdingang naar buiten. Hij had waarschijnlijk gerepeteerd met het schoolorkest, want hij had het etui met zijn dwarsfluit onder zijn arm. De fietsenrekken waren aan de kant van het parkeerterrein en daar ging hij op af. Hij liep de kant van het parkeerterrein op, want daar stonden de fietsenrekken.

'Jake heeft dus dat lelijke meisje uit de onderbouw versierd.' Krissy lachte nog meer dan anders, waarschijnlijk omdat ze al had gedronken. 'Ze komt naar het feest, Ella. Jij moet absoluut ook komen, meid. Al was het maar om ervoor te zorgen dat Jake zijn verstand weer gaat gebruiken.'

'Ja, hij is jouw vriend.' Jenny zette haar handen in haar zij. 'Jullie tweeën moeten het nog vóór de kerstvakantie weer goedmaken.'

'Ik mag Jake niet.' Ella was het liefst weggelopen, maar luisterde geduldig. Ze hield ondertussen Michael in de gaten. Hij zag er eenzaam en verward uit. Ze dacht erover de meisjes gedag te zeggen om even met hem te praten. Ze vergat niet om te glimlachen. 'Dat meisje uit de onderbouw mag hem hebben.'

'Wie mag wie hebben?' hoorde ze iemand achter zich zeggen.

Ze keerde zich net op tijd om, om Jake gedoucht en wel als een pauw op hen af te zien komen. Sam en Ryan liepen aan weerskanten van hem. Ella had de jongens het liefst boos aangekeken, maar ze bedwong zich. Ze kon maar beter weglopen zonder een scène te schoppen. Ze keek hem even aan. 'Jake... Sam... Ryan.'

Krissy sprong tussen hen in. 'Goed gespeeld, jongens. De scheidsrechters waren verschrikkelijk. Jullie hadden absoluut moeten winnen.'

'Ja, die driepunter was de klapper,' giechelde Jenny. 'Ja toch, meiden?'

'Ja, goed gezien. Ik was vanavond op mijn best.' Jake grijnsde zo arrogant dat hij onaantastbaar leek. Zijn ogen waren op Ella, alleen op Ella gericht. 'Volgende keer verslaan we ze.'

Voordat de andere meisjes nog een lovende opmerking konden maken, gaf Sam Jake een stevige por tegen zijn arm. 'Kijk.' Hij gebaarde in de richting van de parkeerplaats. 'Daar loopt dat mietje weer. Je weet wel, die griezel die fluit speelt.'

Ella kreeg pijn in haar maag. 'Laat hem met rust.' Ze zei het niet te hard, maar ze zei het.

'Wat krijgen we nou?' Jake lachte gemeen; hij begon zich boos begon te maken. Hij gaf met zijn sportschoen een duwtje tegen Ella's witte tennisschoen. 'Je gaat me toch niet vertellen dat je ook iets met die mafkees hebt? Met hem én met Holden Harris?' Grinnikend gaf hij Sam een zet tegen zijn schouder. 'Hoor je dat?'

Sam lachte spottend naar Ella. 'Stelletje freaks.'

Jake maakte zich los uit het groepje om op Michael af te gaan. Op twintig meter afstand schreeuwde hij naar Michael: 'Hé, Emo Boy...'

Michael stond voorovergebogen aan zijn fietsslot te morrelen, het etui met zijn dwarsfluit lag naast hem op de grond. Hij had vast moeite met de cijfercombinatie, want het duurde lang. Ook deze keer was Ella hem het liefst te hulp geschoten, maar dat zou niet goed zijn. Niet terwijl Jake en zijn volgelingen toekeken.

'Hé, hoorde je niet wat ik zei?' vroeg Jake op verachtelijke toon. 'Wat is het probleem? Weet je de cijfercombinatie niet meer?'

De andere jongens van het basketbalteam kwamen lachend en grijnzend om Jake heen staan en keurden zodoende stilzwijgend zijn aanval op de jongen goed. 'Freak,' riep Jake, 'wat doe je hier? Waarom was je niet bij de wedstrijd?'

'Hij moest naar de repetitie van het schoolorkest,' zei Sam met een piepstemmetje. 'Net als alle andere homoleerlingen.'

'Hé!' Ella stapte op de jongens af en gaf Jake een duw tegen zijn schouder. 'Houd je kop. Laat hem met rust.'

Jake wendde zich met een ruk af en negeerde haar. 'Zo is het toch?' riep hij zo hard dat andere langslopende leerlingen, doorsneeleerlingen, ieder woord konden horen. 'Je bent homo, hè? Kom er nu maar gewoon voor uit. Jongens die op de dwarsfluit spelen, zijn homo.'

Michael kreeg het slot eindelijk open en trok zijn fiets uit het rek. Toen bleef hij staan en keek Jake strak aan. Ella dacht even dat de stille jongen zich zou verweren. In het licht op de parkeerplaats kon ze duidelijk zien dat er woede in zijn ogen opvlamde, maar hij realiseerde zich waarschijnlijk dat hij geen enkele kans maakte tegen Jake en zijn kameraden. Hij raapte zijn muziekinstrument op en stapte op zijn fiets, het etui stevig tegen zijn ribben gedrukt.

'Zien jullie dat?' Luidkeels lachend keek Jake de andere jongens aan. 'Emo Boy is een mietje!'

'Jake!' Ella gaf hem weer een zet. 'Houd daarmee op.'

Deze keer stapte LaShante tussen de andere meisjes uit en kwam naast haar staan. 'Wat ben jij een loser, zeg!' riep ze fel. Ze knipte met haar vingers naar hem en nam hem van top tot teen op. 'Op het sportveld en daarbuiten.'

LaShantes uitbarsting had resultaat. De jongens lachten niet meer; heen en weer schuifelend wierpen ze elkaar nerveuze blikken toe. Opeens geneerden ze zich allemaal, ook Jake. Ella's protesten hadden misschien niet veel uitgehaald, maar LaShante had hun aandacht. Ze zette haar handen in haar zij en keek Jake, Sam en de anderen om beurten boos aan. 'Jullie zouden je moeten schamen, stumpers die jullie zijn.' Ze gaf Ella een wenk. 'Kom, we gaan.'

Toen ze wegliepen, zag Ella vanuit een ooghoek dat Michael wegfietste. Met zijn ene hand had hij het stuur vast, met zijn andere hield hij het etui met de fluit tegen zich aan gedrukt.

'Sukkels.' LaShante was laaiend. Ze rende bijna naar de auto. 'Het liefst was ik die jongen achterna gegaan om hem een lift aan te bieden. Niemand mag op die manier behandeld worden.'

'Wacht!' Ella bleef even staan, maar begon toen daarna sneller te lopen. 'Wat een goed idee! We kunnen zijn fiets in de kofferbak leggen.'

Zo snel mogelijk liepen ze naar de auto en verlieten het parkeerterrein. Drie straten verderop haalden ze hem tot grote opluchting van Ella in. Het was nog niet te laat. Ze kon de jongen nog laten weten dat het haar niet onverschillig had gelaten. Dat het haar speet dat Jake zich zo had gedragen. Bij het eerstvolgende verkeerslicht minderde ze vaart en drukte op een knop om het raam van haar auto te laten zakken. LaShante voerde het woord, omdat Michael aan haar kant fietste.

‘Hé...’ Ze stak haar hoofd uit het raam en vroeg vriendelijk: ‘Wil je meerijden?’

Michael keek verschrikt opzij. Ella boog zich voor haar vriendin langs en knikte instemmend. ‘We kunnen je fiets achterin gooien.’

Er stopten nog meer auto’s voor het verkeerslicht, dus veel tijd hadden ze niet. Als Michael wilde meerijden, moest hij het nu zeggen. LaShante deed nog een poging. ‘Doe het nou maar. We kunnen zo even aan de kant gaan staan.’

Michael keek schichtig naar de andere auto’s, alsof hij bang was dat Jake en de jongens erin zouden zitten. Hij schudde zijn hoofd. ‘Dat hoeft niet.’ Er verschenen zweetdruppeltjes op zijn voorhoofd. ‘Ik red me wel. Ik ben al bijna thuis.’

‘Weet je het zeker?’ LaShante klonk teleurgesteld. ‘We doen het graag.’

Het verkeerslicht sprong op groen en Michael begon te trappen. ‘Laat me nou maar.’ Hij knikte nog even naar hen en fietste verder de straat in.

LaShante liet het raam weer omhoogkomen. Er stond een koud windje voor de tijd van het jaar. ‘We hebben gedaan wat we konden.’ Huiverend deed ze haar armen over elkaar en wreef over haar trui. ‘Ik kan me zo kwaad maken over die jongens.’ Ze gooide haar handen in de lucht. ‘Waarom doen ze zo? Pesten ze iedereen die bij hen in de buurt komt?’

‘Je zei het al. Het zijn etterbakken.’

Ella vond het heel erg dat Michael zich nu vast afschuwelijk voelde. Ze dacht erover om toch te stoppen en erop te staan dat hij instapte, maar stel dat Jake en de andere jongens net langsreden? Dan zouden ze Michael maandagochtend nog meer op de huid zitten. Omdat hij was meegereden met een meisje.

LaShante was nog steeds witheet. ‘Waar woont Jake? Laten we hem daar opwachten.’ Ze tandenknarste van kwaadheid over wat er daarnet op school was voorgevallen. ‘Ik wil daar graag op de oprit staan als hij thuiskomt, en hem een koekje van eigen deeg geven. Hem laten weten hoe de zaken ervoor staan.'

Uiteindelijk zagen ze er toch maar van af en Ella bracht LaShante thuis. Voordat ze uitstapte, wierp LaShante haar paardenstaart van kleine vlechtjes over haar schouder en prikte met haar wijsvinger in de donkere lucht. 'Als jij vriendschap kunt sluiten met Holden Harris, dan kan ik dat ook doen met die Michael.' Ze schudde haar hoofd en zei vol afkeer: 'Denk maar niet meer aan die rotjongens. Zonde van je tijd.'

'Ja, daar heb je helemaal gelijk in.'

'En ik houd trouwens van dwarsfluitmuziek.' LaShante stapte uit op het trottoir. 'Misschien mag ik wel een keer naar Michael luisteren als hij aan het spelen is.'

Het idee stond Ella aan, en toen ze wegreed zag ze het al voor zich: LaShante die optrok met Michael Schwartz. Ze moest erom lachen. Misschien leerde Michael haar zelfs wel dwarsfluit spelen. Zou het niet geweldig zijn, als Holden en zij samen mochten optreden in de musical en LaShante en Michael op de dwarsfluit mochten spelen in het schoolorkest? Haar opgewekte gedachten vervaagden, en er welde opnieuw woede in haar op toen ze vóór de zoveelste keer terugdacht aan de manier waarop Jake Michael had behandeld. Zo zou hij haar voor de diploma-uitreiking vast ook nog een keer behandelen. Ze huiverde bij het idee. Het werd tijd dat er op het Fulton iets veranderde, en als die verandering van haar en LaShante afhing, dan moest dat maar zo zijn.

Na wat er vanavond was voorgevallen, durfden ze de uitdaging allebei aan.

24

Michael Schwartz was buiten adem en had pijn in zijn maag tegen de tijd dat hij met zijn fiets het flatgebouw waar hij woonde binnenging. Zijn moeder zat met haar hoofd in haar handen aan de keukentafel toen hij binnenkwam. Naast haar stond een glas goedkope wijn.

'Je bent laat.' Ze keek moe op. Eigenlijk was ze altijd, moe. 'Ik dacht dat de repetitie om acht uur afgelopen zou zijn.'

'We moesten langer blijven.' Hij had zijn etui met de dwarsfluit nog onder zijn arm. Zijn moeder had liever niet dat hij het instrument op school liet liggen. 'Het kerstconcert is volgende week. Dat weet u toch nog wel?'

'O.' Ze keek naar een stapeltje post en bekeek de enveloppen die bovenop lagen. Met trillende handen nam ze een slokje wijn. 'Dat was ik vergeten.' Hun blikken kruisten elkaar toen ze haar hoofd een beetje ophief. 'Heb je nagedacht over wat ik tegen je heb gezegd?'

'Over het drumstel?' Michael verzette zijn voeten. In de zolen van zijn gympen zat een gat, en hij was er vrijwel zeker van dat hij een blaar had.

'Ja.' Ze sloeg een andere toon aan, minder boos, geduldiger. 'Je vader drumde. Hij zal trots zijn als zijn zoon dat ook gaat doen.'

'Hij woont niet meer bij ons.' Michael schonk een glas water voor zichzelf in. Hij kon het niet uitstaan als zijn moeder over het drumstel of over zijn vader begon. 'En ik vind drummen niet leuk.' Hij dronk het glas half leeg. 'Ik speel liever dwarsfluit.'

'Maar misschien kun je toch voor één keer...' Ze viel stil,

en het duurde een poosje voordat ze uitademde en haar aandacht weer op de post richtte. 'Laat ook maar. Houd het maar bij de dwarsfluit, Michael. Die klinkt mooi.'

'Zal ik doen.' Hij dronk het glas leeg, zette het neer en nam de tijd om naar zijn moeder te kijken. Ze was vroeger, toen zijn vader nog bij hen woonde, toen ze nog een gezin vormden, knap geweest. Drie jaar geleden had hij opgebiecht dat hij een ander had, in een ander stadsdeel, en dat hij bij die vrouw twee kleine kinderen had. Hij woonde nu bij haar en belde af en toe nog om de week of zo.

Michael kon zich nog herinneren dat hij als kleuter het drumstel van zijn vader in de logeerkamer had zien staan. Zijn vader had hem op het krukje geholpen en de drumstokken in zijn handen gelegd. 'Jij wordt ooit drummer, net als ik.' Hij zag de lachende ogen van zijn vader weer voor zich en wist nog hoe hoopvol zijn stem had geklonken.

Toen zijn vader wegging had hij niet veel meegenomen, maar wel het belangrijkste. Het drumstel en zijn moeders charme. Nou ja, voor zover ze nog aantrekkelijk was geweest. Michael had medelijden met haar, omdat de rekeningen zich opstapelden en ze vastzat aan deze manier van leven. Als hij er niet was geweest, had ze dat niet allemaal hoeven doorstaan. Dan had ze opnieuw kunnen beginnen. Nieuw huwelijk, nieuw gezin. Net als Michaels vader.

Hij ging naar haar toe, legde een hand op haar schouder en gaf haar een kus op de wang. 'Kan ik ergens mee helpen?'

Ze leek te schrikken van zijn vraag. Ze hief haar vermoeide gezicht naar hem op. 'Ik red me wel.' Haar glimlach bereikte haar ogen niet. Ze had haar ziekenhuiskleding nog aan. Als verpleeghulp hielp ze patiënten van de po en verleende ze hand- en spandiensten. 'Ik draai morgen een dubbele dienst. Ga maar gewoon op tijd naar bed.'

'Goed.' Hij treuzelde, terwijl hij dat bijna nooit deed. 'U werkt te hard.'

'Zo is het leven.' Weer glimlachte ze flauwtjes. Met enigszins dichtgeknepen ogen keek ze naar hem op. 'Is er iets? Je doet vreemd.'

'Nee, niks.' Hij lachte even naar haar, maar het voelde even vreemd als het er waarschijnlijk uitzag. 'Hé.' Hij kneep zachtjes in haar schouder. 'Ik houd van u, ma.'

'Ik ook van jou.' Ze was met haar gedachten alweer bij de post, bij de rekeningen. Het was waarschijnlijk bijna onmogelijk om te leven van haar salaris. Vooral de laatste tijd. Zijn vader was ontslagen, dus er kwam geen alimentatie binnen.

Michael liep door de gang, zich scherp bewust van de kale, met vlekken bezaaide vloerbedekking en de kale muren. Ze woonden hier sinds de scheiding en de verhuurder van de flat had nog nooit iets laten opknappen. Hij ging zijn kamer binnen en sloot de deur achter zich. Misschien moest hij maar touwtjespringen. Dat deed hij soms, als hij zo verdrietig was dat hij het geen minuut langer kon uithouden. Als hij zo boos was, dat hij een ruit wilde stukslaan of met zijn vuist een gat in de muur stompen. Soms deed hij het wel een uur, totdat het verdriet minder werd en hij weer gewoon kon ademhalen.

Het springtouw hing tegenover de klerenkast op hem te wachten, om hem tijdelijk verlichting te geven.

Hij kon natuurlijk ook zijn dwarsfluit pakken. Het etui was koud van de rit naar huis. Hij legde het op het voeteneinde van zijn bed en ritste het open.

Hij keek een poosje naar het instrument, maar dacht ondertussen terug aan wat zijn moeder had gezegd over het drummen. Ze moest niet denken dat hij dat ooit ging doen. Hij haalde de dwarsfluit uit het etui en bracht het koude metaal naar zijn lippen. Het mooiste lied van het naderende kerstconcert was *O Holy Night*. Hij haalde het opgevouwen blad met de muziek uit het etui.

Hij vouwde het open, bestudeerde de noten en liet de betekenis van de woorden op zich inwerken. De vreugde waar het lied van sprak, had hij nog nooit van zijn leven ervaren. Hij blies niet te hard, zodat zachte klanken de kamer vulden. Zijn moeder hoorde het ongetwijfeld toch nog. Misschien vond ze de muziek mooi en kwam ze bij hem zitten luisteren, terwijl hij op zijn fluit speelde. Het was al bijna een jaar geleden dat ze hem had horen spelen, vorig jaar op het kerstconcert. Hij repeteerde op school en als zij aan het werk was.

Waarom? Omdat hij niet wilde dat ze in de andere kamer zat en wenste dat hij aan het drummen was.

Vanbinnen hoorde hij zachtjes de woorden, terwijl hij speelde. *Oh Holy Night... the stars are brightly shining... it is the night of the dear Savior's birth.* De muziek vulde hem en verzachtte het verdriet. Dat verdriet was te vergelijken met een hoog oprijzende grizzlybeer, die hem wilde grijpen, naar hem klauwde, hem verslond. *Long lay the world... in sin and error pining...*

Bestond er echt een Verlosser? Was er echt een baby geboren die de wereld zou verlossen? Zijn vader en moeder hadden nooit iets over zo'n Verlosser aan hem verteld. Ze hadden hem nooit mee naar de kerk genomen en Michael ook nooit reden gegeven om in God te geloven. Maar het lied gaf hem hoop. *O Holy Night...* Misschien hadden heel, heel lang geleden de sterren echt stralend aan de hemel gestaan.

Michael liet de fluit op zijn knieën zakken. Speelden alleen homo's fluit? Dacht iedereen echt dat hij een mietje was die fluit speelde? Leek hij dan op een meisje of zoiets? Hij legde de fluit op zijn bed en keek uit het raam. Het keek uit op het noordwesten; Michael zorgde er altijd voor dat hij dat wist. Een kilometer of vijf verder naar het noordwesten woonde zijn vader met zijn nieuwe gezin.

Ik zal nooit drummer worden, pa... Hij stond op, liep naar het raam en raakte in de ban van de duisternis, de onmetelijke duisternis. Waarom bestond hij eigenlijk? Zijn vader moest niets meer van hem hebben. De inruil was definitief. Andere vrouw, andere kinderen. En zijn moeder? Die moest toch zo veel werken omdat hij er was? Als ze hem niet te eten en kleren hoefde te geven, had ze misschien tijd om met iemand uit te gaan.

Hij moest aan maandagochtend denken en voor de zoveelste keer hakte de pijn er bij hem in. Hoeveel leerlingen hadden vanavond gehoord waar Jack Collins hem luidkeels voor had uitgemaakt? Hij had hem homo en mafkees genoemd, en aan iedereen die het maar wilde horen laten weten dat hij fluit speelde. Hoeveel jongeren zouden maandagochtend met een spottend lachje iets fluisteren over de homo die fluit speelde als een meisje?

Hij had altijd medelijden gehad met jongeren als Holden Harris. De kliek rond Jake liet Holden niet met rust, vooral niet sinds Ella met hem bevriend was geraakt. Maar het punt was dat Holden er niet mee zat. Die leefde in zijn eigen wereld, waar niets hem pijnlijk raakte.

Maar hoe zag de wereld van Michael Schwartz eruit? Had die magere jongen die in goedkope kleding rondliep, in zijn eigen wereld ook een plek waar niets hem pijnlijk kon raken? Hij keek zijn kamer nog eens rond... een eenpersoonsbed en een aftands prikbord. Er hing nog scheef een wiskunderepetitie op. De kaartjes voor een honkbalwedstrijd waar hij een paar jaar geleden samen met zijn moeder naartoe was geweest. Een uitnodiging voor een hardloopwedstrijd voor beginners van een jaar geleden, toen hij nog had gedacht dat touwtjespringen zou kunnen leiden tot een passie voor hardlopen. Verder was er niets meer te zien dan het nachtelijk duister aan de andere kant van het raam... de fluit op zijn bed...

Hoe kon hij hieraan ontsnappen? Hij sloot zijn ogen en hij kon hen nog steeds zien, hen boven het rumoer uit horen schreeuwen. 'Je bent homo, hè? Kom er nu maar gewoon voor uit. Jongens die op een dwarsfluit spelen zijn homo...

Jongens die op een dwarsfluit spelen zijn homo.'

Hoe kon hij iedereen op het Fulton vertellen dat Jake Collins ongelijk had? Dat de dwarsfluit de beer in hem kalmeerde, al was het maar voor een poosje?

Een manier om eraan te ontsnappen... daar had hij behoefte aan. Hij wilde niet drummen. Hij was niet meer dat jongetje, dat naast zijn vader zat en er voor het eerst van droomde iets samen met zijn papa te doen, drummen bijvoorbeeld. Nee, dat jongetje was hij niet meer. Hij hield van fluitspelen en hij was geen homo. Wat Jake ook zei. Michael kneep zijn ogen dicht. De pijn werd steeds heviger, en als hij geen uitweg vond, zou hij uiteengereten worden, stukje voor stukje. Ieder moment kon dit gebeuren. Michael deed zijn ogen open en zag opeens iets wat hem voorkwam als een veilige plek in een bijzonder donker bos. Het was het enige ding in zijn kamer dat geen meubelstuk was.

Zijn springtouw.

Zijn blik vloog van het touw naar de optreksteun die aan de binnenkant van zijn slaapkamerdeur hing. Hij trok zich er niet vaak meer aan op, maar de steun kon hem houden, wist Michael. De mogelijkheid had dezelfde uitwerking op hem als een middel waardoor je in een roes raakt en de meest vreemde dingen meemaakt. Het idee verspreidde zich, via zijn hart naar zijn hoofd en misschien zelfs direct naar zijn ziel. Wie zou hem missen? Het zou de jongeren op school niet eens opvallen dat hij er niet meer was. Zijn vader hoefde zich er dan niet meer schuldig over te voelen, als hij zich al ooit schuldig had gevoeld, dat hij geen geld stuurde. Hij had nu een ander gezin, met kinderen die waarschijnlijk later wel gingen drummen.

En zijn moeder kon dan ophouden met het draaien van dubbele diensten.

Het was in ieder geval een uitweg. De enige die Michael zag. Hij moest snel in actie komen, voordat hij van gedachten veranderde. Hij stond op, pakte het springtouw en sloeg het om zijn nek. Het touw schuurde langs zijn huid en hij moest een paar keer hoesten. Het zou voorbij zijn, voordat hij zo bang kon worden dat hij ervan afzag. Dit was zijn manier om aan alles te ontsnappen, een manier om een eind te maken aan de hevige pijnaanvallen. Op deze manier zou de pijn voor Michael Schwartz niet het laatste woord hebben. Hij zou zich maandagochtend ook niet meer hoeven te verdedigen.

Scouting was voor hem ook een afgang geweest; zonder vader was er niet veel lol aan. Maar hij was er lang genoeg bij geweest om te leren hoe je knopen moest leggen. Het kostte niet veel tijd. Niet eens een minuut. Hij maakte een lus en legde er op zo'n manier een knoop in dat hij niet kon losschieten. Hij hoefde alleen maar los te laten en dan was het gebeurd. Dan had hij geen last meer van Jake Collins en van een vader die een eind verderop woonde. En ook geen last meer van jongeren die dachten dat hij homo was omdat hij fluit spelen leuk vond.

Fluit spelen.

Dat was hij even vergeten. Fluit spelen kon ook een uitweg bieden. Wat had zijn muziekdocente vanavond ook alweer tegen hem gezegd? Volgens haar was hij de beste fluitist die ze ooit had gehoord. *'Je zou in een symfonieorkest kunnen gaan spelen, Michael. Je hebt uitzicht op een heel mooie toekomst.'*

Mooie toekomst... mooie toekomst... mooie toekomst...

Misschien moest hij dit toch maar niet doen. Hij probeerde het touw langer te maken door het vanaf de lus een eindje te laten schieten, zodat hij weer met beide benen op de grond kwam te staan. Zijn armen trilden... Hij kon deze positie niet veel langer volhouden. Een golf van paniek sloeg door hem heen. Koos hij alleen voor deze uitweg vanwege zijn vader en het drumstel... vanwege Jake Collins? Hij keek strak naar de dwarsfluit en deed zijn best om zich vast te houden en tegelijkertijd het touw los te trekken.

Maar zijn handen gleden weg en hij viel. Het touw trok strak rond zijn nek. Hij kon geen lucht meer krijgen, al niet eens meer echt hoesten. 'Mam.' Er kwam alleen maar een soort gepiep uit zijn mond, niet luider dan zacht gefluister. 'Help... help!'

Angst kreeg hem in zijn greep, strakker dan het touw om zijn hals dat lucht, leven en bloedcirculatie afsneed. Zijn angst voor de beer daar net was niet zo groot als zijn angst nu. 'Help...'

Zijn nek stond in brand en zijn longen brandden nog erger. Maar terwijl de seconden wegtikten en de lucht weglekte uit zijn longen, nam de pijn af. Er dansten zwarte vlekjes voor zijn ogen. Het laatste, het allerlaatste wat hij zag was zijn dwarsfluit. De fluit waarop hij zijn hele leven had horen te spelen... voor publiek in alle delen van de wereld.

Zijn dwarsfluit.

Zijn vader was dan vast wel een keer komen kijken en luisteren en zou dan hebben gezegd: 'Mooi gespeeld, Michael. Heel mooi.' En al die mensen op de wereld die waren als Jake Collins zouden vloeren dweilen, terwijl alle mensen als Michael Schwartz muziek componeerden voor symfonieën. En het leven zou winnen. Omdat hij wilde leven! Leven zou altijd beter zijn dan dit... dan... dan –

Opeens vulde de boodschap van het kerstlied zijn hart en hij wist het, hij wist het zeker. Er bestond een Verlosser! Hij was die heilige nacht naar de aarde gekomen en Hij had destijds op aarde geleefd. Hij leefde nu nog. *Alstublieft, God, red me! Het spijt me. Ik wil niet doodgaan... Alstublieft, ik heb een Redder nodig.*

Hij gaf nog een ruk aan het touw, maar het zat te strak, de knoop zat te vast. Hij kreeg geen lucht meer en hij klauwde naar het touw om zijn nek. *Maak me los, God... Alstublieft. Ik geloof in U!*

Er kwam geen antwoord, maar zijn hart vulde zich met

een vreemd, verdrietig soort vrede die de pijn verdreef en het gebulder in zijn oren deed verstommen. Geen namen en geen lelijke blikken meer. Geen uitingen van verlangen van zijn moeder meer dat hij ooit nog op het drumstel zou spelen. Geen verlangende blik meer door het raam dat uitzicht bood op het noordwesten. Dat alles was nu verleden tijd. Nog één keer vulde het kerstlied zijn hart en hij werd op de woorden weggedragen…

Truly He taught us to love another… His law is love, and His gospel is peace… Chains shall He break, for the slave is our brother… and in His Name all oppression shall cease…

All oppression… all oppression… all oppression…

Zal ophouden te bestaan.

Voorgoed ophouden te bestaan.

25

Een half uur nadat de krant op zaterdagochtend was bezorgd, verspreidde het nieuws zich door de groene buurten en mooie buitenwijken van het noordelijk deel van Atlanta. Het Fulton was een van zijn leerlingen kwijtgeraakt. Michael Schwartz was dood. Door ophanging.

Het ging klaarblijkelijk om zelfdoding.

Manny Hawkins legde zijn ochtendkrant neer en draaide zich met droge ogen naar het raam om naar buiten te kijken. De zon scheen. Had het eigenlijk niet moeten regenen? vroeg hij zich af. Dat zou toch gepaster zijn op een dag als deze. Hij staarde naar de kop boven het artikeltje en liet de woorden langzaam tot zich doordringen.

Jongere van het Fulton verhangt zich.

Het was benauwd in Manny's tweekamerflat. Te benauwd. Hij stond op en liep met grote passen naar de balkondeur. Toen die eenmaal openstond, ademde hij diep in. Twee, drie keer. Totdat de misselijkheid afnam. Michael had de afgelopen twee jaar bij hem in de klas gezeten. De jongen had een heel normale indruk gemaakt. Rustig, een tikkeltje te donker, maar niet echt opvallend gekleed. Niets had erop gewezen dat hij afgelopen vrijdagavond na de repetitie van het schoolorkest naar huis zou fietsen om zichzelf daarna in zijn slaapkamer op te hangen. Manny slofte terug en ging weer aan zijn keukentafel zitten. Het was fijn dat er via de openstaande deur een windje naar binnen kwam. Het herinnerde hem eraan dat er nog steeds overal om hem heen leven was. Hij las het artikel vluchtig door. De citaten van de vader en moeder van de jongen vielen hem op. De twee waren gescheiden, maar dat kwam tegenwoordig maar al te vaak voor. Zijn vader had volgens een vriend van de familie alleen maar gezegd dat het gezin 'dankbaar was voor de gebeden en de steun van de gemeenschap'.

Zijn moeder had tegen de politie gezegd dat de tiener geen zelfmoordbriefje had achtergelaten. Op zijn bed had niets anders gelegen dan zijn dwarsfluit, met ernaast de muziek van *O Holy Night*. Manny kneep zijn ogen halfdicht tegen het zonlicht en probeerde tevergeefs te begrijpen waarom Michael nu dood was, wat hem tot deze daad had gebracht.

Manny had zich de laatste tijd op school niet vaak meer op de gang laten zien. Hij bleef meestal in zijn werkkamer en in zijn lokaal. Maar toen hij in september, aan het begin van het schooljaar, een keer zijn lokaal uit was gelopen, had hij gezien dat Jake Collins en een stelletje andere rugbyspelers daar stonden te lachen en te wijzen. Het was niet het vrolijke lachen geweest van een groepje dat plezier had met elkaar. Nee, ze hadden iemand staan uitlachen. Nu hij daaraan terugdacht kreeg hij het gevoel dat er stenen in zijn maag zaten.

Aan de andere kant van de gang was een jongen met neergeslagen ogen en afhangende schouders het gebouw uit geslopen. Op dat moment had Manny geweten dat hij iets had gemist, en dat deze jongen daar een rol in had gespeeld. Hadden ze de spot met hem gedreven of hem gepest? Er was in ieder geval iets voorgevallen en Manny had er niets aan gedaan.

Hij keek weer naar de krant, naar de schoolfoto onder de kop van het artikel. Het was het gezicht dat hij die dag aan het eind van de gang had gezien. Michael Schwartz was de jongen geweest die was uitgelachen. Manny staarde naar de ogen van de jongen die hij had teleurgesteld. Die ze allemaal hadden teleurgesteld. Aan niets was te zien, uit niets kon je opmaken dat achter die ogen genoeg leed schuilging om de jongen zo ver te brengen dat hij een touw om zijn nek deed.

Manny keek weer naar de balkondeur. Hij had er een reden voor gehad dat hij niets zei over het voorval op de gang. Hij had het druk gehad. Er waren al leerlingen voor het volgende lesuur binnengekomen. Hij had aantekeningen moeten doornemen en lessen voorbereiden. De leerlingen waren bovendien anders dan in de tijd dat hij voor het eerst voor de klas had gestaan. Pesten was tegenwoordig normaal. Het was min of meer vanzelfsprekend dat knapen als Sam en Jake op iedereen afgaven. Er waren uitzonderingen, maar meestal was dat soort jongens ronduit gemeen.

Manny zuchtte en vouwde de krant op. Wie hield hij nu voor de gek? Hij kon niet verwachten dat de leerlingen van het Fulton volgend voorjaar zouden komen opdagen voor de musical. Deze jongeren waren rijk en bevoorrecht en werden helemaal in beslag genomen door hun eigen zaken. Ze vonden alleen zichzelf belangrijk. De meeste leerlingen van het Fulton zorgden er alleen maar voor dat hun docenten uitkeken naar hun pensioen. Ze maakten het zo bont dat de docenten zich ernstig zorgen maakten over de toekomst. Vorig jaar hadden twee leerlingen zelfmoord gepleegd. Dit jaar zouden het er nog meer kunnen zijn.

Er was maar één reden waarom hij maandag toch weer naar de school terugging, naar het gebouw met de zoveelste lege stoel. Om die ene reden bleef hij dramalessen geven en moeizamer repeteren voor een lesprogramma dat na dit schooljaar niet meer zou bestaan. Het was een sterke, onbetwistbare reden, omdat hij met eigen ogen de vriendelijkheid en de verandering had gezien. Hij zou ook kunnen zeggen: het wonder. Hij kon de leerlingen niet in hun geheel afschrijven, omdat twee van zijn eigen leerlingen hem reden gaven om hoop te houden.

Ella Reynolds en Holden Harris.

*

Ella rende de trap af en keek ondertussen of haar portemonnee en haar telefoon in haar blauwe leren tas zaten. Ze had afgesproken met LaShante. Over een kwartier zouden de twee kerstcadeautjes gaan kopen voor kinderen in Holdens kerk. Vorige week zondag hadden ze daar in de hal een boom neergezet die tjokvol zat met papieren versieringen. Elke versiering vertegenwoordigde een jongen of meisje van de gemeente, die geen kerstcadeau zou krijgen als niemand er iets aan deed.

Dit jaar wilde Ella een van de mensen zijn die te hulp schoot.

Ze had LaShante een uur geleden gebeld en haar uitgelegd wat ze had bedacht. De vader van LaShante was directeur van een bank. Ella en zij waren nooit iets tekortgekomen. 'Ik had nooit kunnen denken dat ik cadeautjes zou gaan kopen voor kinderen die ik helemaal niet ken,' zei ze tegen haar vriendin. 'Wat vind je ervan?'

'Moet je dat nu nog vragen, Ella? Je hebt nog nooit een beter idee gehad.' Er klonk een lach door in LaShantes stem. 'Ik zal zorgen dat ik klaarsta.'

Toen Ella in de keuken kwam, zag ze dat haar moeder aan de lange bar van bruin graniet de krant zat te lezen. Ze zag er klein en broos uit, en iedere keer wanneer Ella haar zag leek ze minder zelfvertrouwen te hebben. Ella pakte een appel en riep: 'Dag.' Ze had geen zin in een lang gesprek met haar moeder. Ze hadden niets met elkaar gemeen. 'Ik ga winkelen met LaShante.'

Haar moeder keek op. 'Michael Schwartz… die jongen ken jij toch?'

Ella draaide zich om naar haar moeder. Ze had de kraan al opengedraaid en hield haar appel boven de gootsteen. 'Wat is er met hem?'

'Kende je hem goed?'

Opeens zag Ella beelden van gisteravond aan zich voorbijtrekken. Michael die met zijn etui onder zijn arm moeite deed om zijn fietsslot los te krijgen en het ondertussen zwaar te verduren had, omdat Jake heel gemeen tegen hem deed. Ella legde de appel op het aanrecht. 'Wat is er met hem?'

'Ik ben er niet zeker van dat het de Michael is die jij kent...' Haar moeder aarzelde even. 'Maar een zekere Michael Schwartz van het Fulton... heeft gisteravond zelfmoord gepleegd.'

Het was alsof iemand ergens een stop uit had getrokken, zodat al het bloed uit haar lichaam wegliep. Ze greep zich vast aan het aanrecht en deed haar mond open, ze wilde zeggen dat het onmogelijk was dat Michael Schwartz, haar Michael Schwartz, zelfmoord had gepleegd. Het moet een vergissing zijn, wilde ze zeggen, want Michael moet binnenkort optreden met het schoolorkest en LaShante wil hem op de fluit horen spelen.

Maar ze kon geen woord uitbrengen.

Ze boog zich voorover en wist nog net voldoende adem binnen te krijgen om om de bar heen te lopen. Ella haalde de krant naar zich toe, terwijl ze naast haar moeder ging zitten. Haar moeder leek verdrietig en niet op haar gemak. Vanaf de foto keek Michael haar aan met zijn warme bruine ogen en verwachtingsvolle, halve lachje. 'Nee.' Het woord klonk in het begin zachtjes. 'Nee!' Ze liet haar tas vallen en haalde haar hand door haar haar. Ze sprong op en deed snel een paar stappen in de richting van de trap. Toen draaide ze zich weer om en liep terug naar de krant. 'Het kan Michael niet zijn!'

'Ella... Het spijt me. Ik dacht...'

'Nee!' Ze had geen behoefte aan haar moeders medelijden. Hoe had dit kunnen gebeuren? Ze dwong zichzelf het opschrift boven Michaels foto te lezen. *Jongere van het Fulton verhangt zich.* 'Nee, mam... nee, dit kan niet waar zijn.' Ze duwde de krant van zich af en klemde zich vast aan de dichtstbijzijnde barkruk. Waarom was ze niet gestopt en had ze hem niet gedwongen om met hen mee te rijden? Dan had ze met hem kunnen praten, tegen hem kunnen zeggen dat hij zich geen zorgen over Jake Collins hoefde te maken, omdat Jake een mispunt was en Michael niet. Michael was aardig, en hij was toch een van de weinige vrienden die Holden had? En nu...

Nu was hij er niet meer en zij kon daar niets aan veranderen.

Opeens kwamen er tranen opzetten en ze kneep haar ogen dicht. 'Waarom...? Wat mankeert iedereen?'

De vraag klonk als een jammerklacht, en voordat ze wist wat er gebeurde, voelde ze handen op haar schouders en rook ze haar moeders parfum. 'Ella... ik ben bij je.'

Ella wilde niet dat haar moeder haar troostte. Het had haar helemaal niet geïnteresseerd hoe Ella's laatste schooljaar verliep. Haar moeder had niet gevraagd of ze een rol had gekregen in de schoolvoorstelling. Ze had zich ook niet afgevraagd waarom Jake nooit meer langskwam. En ze gaf niets om Holden Harris. Toch wilde Ella op dit moment niets liever dan dat haar moeder van haar hield. Ze kon er niet voor zorgen dat Michael weer terugkwam. Ze kon hem geen lift meer aanbieden, hem niet meer omhelzen en hem ook niet meer vertellen dat er maandagochtend op school niets vervelends meer zou gebeuren. Daar was het te laat voor.

Maar hiervoor was het nog niet te laat.

'Mam?' Ella keerde zich om en klampte zich aan haar moeder vast. Het was zo lang geleden dat ze dat voor het laatst had gedaan, dat ze het zich niet meer kon herinneren. En ze klampte zich niet alleen vast aan haar moeder, maar ook aan het beetje dat zij nog samen hadden. En toen deed Ella wat ze af en toe deed toen ze nog klein was: ze duwde haar gezicht tegen haar moeders schouder en huilde.

*

Holden vond het leuk dat zijn nichtje Kate bij hen logeerde. Zij was vrolijk, altijd vrolijk, en ze behandelde hem als een vriend. Zoals een vriend behandeld hoorde te worden. Ook vond hij het fijn dat Kate van pannenkoeken met slagroom als ontbijt hield, zelfs als het op een maandagochtend van een normale schoolweek regende.

'Mag ik naast je komen zitten, Holden?' Kate trok even aan zijn mouw – zelf zat hij aan de keukentafel zijn flitskaarten te bekijken.

Kate had mooi, lichtblond haar en blauwe ogen, en soms had Holden het idee dat hij niet naar haar, maar naar zijn spiegelbeeld keek. Hij had precies dezelfde blauwe ogen en was net zo bruin als zij. Dat kwam door de zomers in Atlanta. Holden glimlachte naar zijn nichtje. *Ja, Kate. Je mag naast me komen zitten, dan kunnen we samen onze pannenkoeken met slagroom opeten.*

'Goed.' Kate trok de dichtstbijzijnde stoel naar zich toe en ging erop zitten. 'Het is vandaag een fijne dag. Weet je waarom?'

Waarom? Holden hoorde mooie, melodieuze muziek van snaarinstrumenten en harpen. Het was vandaag een fijne dag, daar had Kate gelijk in. De muziek was nu al mooier dan op de meeste andere dagen.

'Omdat ik nu bij jullie logeer, en dat ik dan mijn mama en papa niet zo erg mis.' Kates ogen twinkelden, er zat een mengeling in van een blij meisje en Jezusliefde. Twinkelogen. 'En weet je waarom nog meer?'

Nou? Holden legde zijn flitskaarten opzij. Zijn moeder was pannenkoeken aan het bakken. Hij rook ze, warm en zoet, en de geur vermengde zich met de muziek. Het was inderdaad een fijne dag.

'Ik heb een SpongeBob broodtrommel, en die is de mooiste van allemaal.'

Ik vind SpongeBob leuk. Hij lacht altijd.

'Ja.' Kate giechelde. 'Hij lijkt op jou, Holden. Ook als je niet lacht, kan ik je zien lachen. Weet je waarom?'

Waarom?

'Omdat hij de hele tijd in je hart is.' Ze boog zich dichter naar hem toe en fluisterde: 'Ik kan jouw hart zien, Holden. Dat kon ik altijd al.'

Ja, ook daarom vond hij zijn nichtje Kate zo leuk. Ze kon zijn hart zien. Hij knikte. 'Dat dacht ik al.'

Jammer dat zijn vader niet hier was om samen met hen de dag door te brengen. Maar zijn vader kwam beslist weer een keer thuis, en tot die tijd deed hij push-ups als hij zijn vader nodig had. Want hij had gezegd: *'Goed zo, Holden, houden zo. Zo druk je je op. Als je ouder bent, zul je alleen nog je rug recht houden. Heel goed... Net als de grote jongens. Als je dat kunt doen terwijl je pas drie bent, kun je alles doen wat je wilt. Echt alles, Holden. Van het opdrukken zul je net zo groot en sterk worden als ik, jochie. Goed zo. Ga zo door en niemand zal je ooit nog lastig vallen...'*

Zo dadelijk zouden ze God danken voor de warme, zoete pannenkoeken, maar Holden wilde eerst nog voor Kate bidden. *Lieve Jezus, ik vind mijn nichtje Kate echt lief. Zij ziet de glimlach in mijn hart. Zorgt U daarom alstublieft heel goed voor haar en maak dat ze altijd veilig is en gezond blijft. Ik weet dat U me kunt horen en ik weet dat U hier bij ons aan tafel zit. En ik weet ook dat U van mij houdt. Bedankt daarvoor. Uw vriend Holden Harris.*

De muziek speelde zacht en geruststellend tijdens het ontbijt van pannenkoeken met extra slagroom. Toen ze uitgegeten waren, lachte Holden naar zijn moeder. Zijn fantastische moeder. *Bedankt, mam. Ik heb nog nooit zo lekker gegeten.* Hij klopte op Kates blonde hoofdje. *En dat Kate hier bij me is, is ook fantastisch.*

Het was tien over acht en dat betekende dat ze naar school moesten, want naar school gaan betekende om tien over acht vertrekken, of Kate hier nu was of niet. Maar er was vandaag op school iets anders dan anders. Hij bad voor de jongeren die uitstapten. Voor Cheryl die op krukken liep, voor Dan in zijn rolstoel, en voor de andere leerlingen en de buschauffeur. Omdat op het bord in de kerk stond: *Laat u bij het bidden leiden door de Geest, iedere keer dat u bidt; blijf waakzaam en bid voortdurend voor alle heiligen.* Dat stond op het bord. En daaronder *Efeziërs 6 vers 18.* Bid voortdurend...

Daarom ging Holden ermee door. Uur na uur.

Na het bidden was hij naar zijn lokaal gelopen in de vleugel voor het speciaal onderwijs. Maar Holden merkte iets op. Het regende niet alleen buiten, maar ook binnen. Iedereen die door de gangen liep, had natte wangen en regenogen. Tegen de tijd dat Holden naar Ella toe ging om tussen de middag samen te eten, klonk er tromgeroffel. Het was een traag, maar gestaag geroffel op de achtergrond, dat ieder moment harder kon gaan klinken. Tromgeroffel betekende dat hij zijn vader nodig gehad, en misschien hielpen dan de push-ups.

Er klopte iets niet. Om zeven voor elf zaten er al leerlingen te eten, terwijl normaal niemand vóór vier voor elf kwam eten. Dat was niet volgens het rooster, dus er was absoluut iets niet goed.

Hij ging naast Ella in de rij voor de hamburgers staan, omdat het maandag hamburgerdag was. Er werd niet al te hard op de trommels geroffeld. Daarom begon hij voor zichzelf en Ella te zingen. De muziek moest ervoor zorgen dat het tromgeroffel ophield.

'Jezus houdt van mij, en dat is waar...' De woorden kwamen snel en ze botsten tegen elkaar op als de wrakstukken van een trein.

'Holden...' Ella bleef staan en keek hem aan. Zij had ook regenogen. 'Weet je dat er vandaag iets niet goed is?'

Ja, Ella, dat weet ik. Omdat iedereen vandaag regenogen heeft. Ik weet alleen niet goed waarom.

'Ben je aan het zingen?' Ella's lippen gaven vorm aan een aarzelend, verdrietig lachje.

Ik zing ons lievelingslied. Kun je de woorden horen? Holden keek haar aan en hij zag het meisje dat ze vroeger geweest was. *Zing met me mee, ja, Ella?*

'*Jezus houdt van mij*. Dat zing je.' Ella keek niet om zich heen om te zien of iemand haar in de gaten hield. Ze keek hem alleen maar recht aan en zong mee. 'Jezus houdt van mij, en dat is waar, want dat vertelt de Bijbel mij zonneklaar.'

Het lied duurde de hele middagpauze, ook als ze niet aan het zingen waren. Later liep Holden naar het toneellokaal. Om twee minuten over twee kwam hij langs kluisje nummer 3447, maar Michael was er niet. Er klopte iets niet, want Michael kwam altijd om twee over twee uit het wiskundelokaal en liep dan langs kluisje nummer 3447. Iedere dag was hij daar omdat dat klopte met het rooster, behalve op dagen dat het lesuur van meneer Wiggins uitliep; dan werd het weleens vier of zes over twee. Holden bleef staan en keek naar kluisje 3447.

Wat was er aan de hand? Waar was Michael vandaag? Hij bleef nooit ziek thuis, behalve dan die ene keer in september, nadat hij drie dagen achter elkaar had gehoest. Misschien was hij nu ook ziek en was dat de reden dat hij er niet was. Holden keek op zijn horloge. Vijf over twee. Het werd steeds later. Michael was er vandaag niet.

Holden hief zijn gezicht op naar het raam. Het regende niet meer. De zon brak door de wolken en opeens zag Holden Michael duidelijk voor zich, alsof hij hier naast kluisje nummer 3447 stond. Holden was er bijna honderd procent zeker van dat Michael vandaag gelukkig was. Ja, Michael was gelukkig en hij was vandaag bij mensen die van hem hielden.

Dat kwam doordat het vandaag een blije dag was en de muziek vrolijk was, hoewel het flink had geregend. Alle gangen en lokalen en ook Ella en hij waren vol van de blijdschap van het lied *Jezus houdt van mij*. Hij was per slot van rekening de Prins. Niet het Beest. En deze maandag was een blijde dag.

Precies zoals zijn nichtje Kate vanochtend tijdens het ontbijt had gezegd.

★

Dan Harris had de ruwe Alaskaanse zee achter zich gelaten. Vijf uur had hij erover gedaan om terug te keren naar de haven, een koffer vol te stoppen met kleren en op weg te gaan naar het vliegveld. Holden had hem nodig. Meer had Tracy niet te zeggen toen ze hem gisteren had gebeld. Aangezien ze toch op weg waren naar de haven om voorraden in te slaan, had hij zijn kapitein laten weten dat hij een week vrij moest hebben. Daarna had hij een vlucht geboekt.

Een van Holdens vrienden had tijdens het weekend zelfmoord gepleegd.

'Ik weet niet hoeveel hij ervan begrijpt. Ella heeft me verteld dat hij op school de hele dag *Jezus houdt van mij* heeft gezongen.' Tracy klonk vermoeid, maar ook hoopvol. 'En vanmorgen, voordat hij iets van de zelfmoord wist, hoorde ik hem praten met Kate.'

'Praten?'

'Ja.' Er trilde een lachje mee in haar stem. 'Ja, hij was aan het praten, Dan. Zij vertelde hem iets over haar SpongeBob broodtrommel en Holden zei: "Ik vind SpongeBob leuk. Hij lacht altijd."'

'Zei hij dat echt?'

'Ja.' Ze lachte weer, en het was het ongebreidelde, meisjesachtige lachen van een moeder die niet langer verteerd wordt door angst. 'Hij is aan het veranderen, Dan. Dat moet je met eigen ogen zien.'

Ella zou Holden die middag thuisbrengen, zodat Tracy Dan van het vliegveld kon halen. Als vader had Dan een flink deel van Holdens leven gemist: Kate was bij hem komen logeren, hij had een klasgenoot verloren, en de vriendschap met Ella was opnieuw opgebloeid. Meestal had hij dat niet erg gevonden, want Holden had toch niet in de gaten dat hij er niet was. Bovendien vond hij Holdens beperkingen alleen maar hartverscheurend.

Wat moest hij met een zoon die hem niet wilde aankijken? Die niet kon praten en ook geen oogcontact met hem kon maken of met hem kon lachen? Een zoon die onbereikbaar en ongrijpbaar was, wat Dan ook probeerde, hoe vurig hij God ook smeekte dat het anders zou worden?

Hij was tot de conclusie gekomen dat hij beter op zee kon blijven bidden om een wonder voor de jongen. En om geld te verdienen, zodat de therapie, de behandelingen en oefensessies op een gegeven moment vruchten zouden afwerpen. Maar nu verhoorde God hun gebeden misschien toch. En dan zou ieder uur op zee, iedere zuurverdiende dollar, ontworsteld aan de diepste diepte van de oceaan, alle moeite waard zijn geweest. Als Tracy nu maar gelijk had. Als het nu maar echt zo was dat ze hun Holden terugkregen.

Het duurde nog een uur of tien voordat hij thuis was. Dan kon het moment niet afwachten dat hij met eigen ogen zou zien hoe zijn zoon was veranderd.

26

Ella had op dinsdag na de middagpauze een afspraak met schooldirecteur Randi Richards. Samen bespraken ze hoe de herdenkingsplechtigheid voor Michael Schwartz eruit moest komen te zien. Mevrouw Richards gaf toe dat het de eerste keer was dat iemand had voorgesteld om met de hele school een herdenkingsdienst te houden voor een leerling die zelfmoord had gepleegd.

'Dit is een goede actie van je, Ella.' Mevrouw Richards toonde zich zeer betrokken. 'Ik denk dat het tijd wordt dat er een dergelijke bijeenkomst komt.'

'Voor Michael komt hij alleen te laat.' Ella was boos op zichzelf, op haar klasgenoten en op het schoolbestuur. Michael was doodgepest en daar waren ze allemaal schuldig aan. Ze klemde haar kaken op elkaar. 'Maar we moeten dit doen. Om ervoor te zorgen dat niet nog iemand doet wat Michael Schwartz heeft gedaan.'

De herdenkingsplechtigheid moest op vrijdagochtend voor de lessen plaatsvinden in de sportzaal en alle leerlingen hadden opdracht gekregen daarbij aanwezig te zijn. Het koor en het schoolorkest zouden optreden en Michaels ouders zouden de plechtigheid bijwonen. Een van de meisjes van het orkest zou ter ere van Michael een fluitsolo spelen, mevrouw Richards zou enkele woorden zeggen, maar de belangrijkste spreker zou Ella zijn.

Ze had veel te zeggen.

Maar vandaag zou ze er helemaal voor Holden zijn.

Ze begon alles voor de repetitie op het podium klaar te

zetten. 'Ella?' Meneer Hawkins kwam vanuit zijn werkkamer het lokaal binnen. Hij zag er anders uit dan anders, op de een of andere manier minder uitgeput. 'Heb je een momentje?' Hij ging achter zijn bureau zitten en gebaarde naar de stoel tegenover zich.

Ze aarzelde, maar dat duurde slechts een paar seconden. 'Natuurlijk.' Ze had het met de dramadocent niet over Michael gehad. Die maandag was iedereen zo van slag geweest dat er niet veel over gezegd was, en van de repetitie herinnerde ze zich niet veel meer. Ze ging op de stoel zitten en wachtte.

'Ik heb Michael twee jaar lang bij me in de klas gehad.' Meneer Hawkins keek naar de openstaande deur van het lokaal achter haar en naar de kinderen op de gang die langsliepen. 'Ik heb het idee... ik heb het idee dat ik meer had kunnen doen. Meer dan de meesten van ons hadden kunnen doen.'

'Ja, meneer, dat gevoel heb ik ook.' Ella kreeg een brok in haar keel. Michael was er niet meer. Er was geen weg terug, er kon niets meer worden veranderd aan de manier waarop hij was behandeld, of aan het beeld dat hij van zichzelf had gehad. Dat alles zo definitief was, was voor hen allemaal het moeilijkst.

Meneer Hawkins ademde diep in door zijn neus en keek Ella aan. Van zijn gezicht was af te lezen dat hij iets van plan was. 'Ik heb over Holden nagedacht. Als jij me erbij helpt, wil ik graag dat hij de rol van de Prins speelt. Ik denk...' Hij zweeg een moment en zijn kin begon enigszins te trillen. 'Ik denk dat dat de juiste beslissing is.'

Er schoten tranen in Ella's ogen. Het liefst was ze opgesprongen om haar docent te omhelzen. In plaats daarvan klemde ze haar handen ineen en knikte. 'Ja... ja, ik kan u daar wel bij helpen.' Ze veegde de tranen weg die van blijdschap over haar wangen rolden. 'Hij kan die rol spelen... Ik weet dat hij dat kan.'

'Ja.' Meneer Hawkins schraapte zijn keel. 'Als we al iets voor Michael hadden kunnen doen...' Zijn stem stierf weg. Hij kuchte, terwijl hij moeite deed om rustig te blijven. 'We beginnen er vandaag mee. We kunnen... het script aanpassen, zodat hij de tekst kan zingen. We zullen alles doen wat nodig is om er een succes van te maken.' Zijn ogen werden vochtig toen hij knikte. 'Het hoeft allemaal niet snel te gaan.'

'Dank u.' Ella streek met haar vingers langs haar ogen. Ze dacht dat ze begreep hoe meneer Hawkins zich voelde. Holden hadden ze nog bij zich; hij leefde nog. Voor Michael konden ze niets mee doen, maar misschien konden ze nog wel iets betekenen voor Holden. Voordat het te laat was.

Meneer Hawkins glipte daarna weer zijn werkkamer in en een paar minuten later dook Holden op in de deuropening van het lokaal. Sinds vorige week had hij niet meer tegen haar gepraat. De hele maandag had hij niets anders gedaan dan neuriën en zachtjes *Jezus houdt van mij* zingen. Hij begreep misschien niet wat zelfmoord was, maar hij wist dat Michael er niet meer was en ook dat de leerlingen om hem heen verdrietig waren. Dat zag Ella.

De laatste tijd wachtte Ella niet met het aanzetten van de muziek. Holden was op zijn best als het lied al te horen was, en daarom zette ze zijn lievelingslied aan, de herkenningsmelodie. Terwijl op de achtergrond zachtjes het melodieuze instrumentale gedeelte opklonk, riep ze hem.

'Holden, kun je even hiernaartoe komen?'

Hij hief zijn hoofd op en keek haar recht aan. 'Goed.'

Haar hart vulde zich met opluchting. Ze was bang geweest dat hij zich weer in zichzelf zou terugtrekken, zodra hij begreep wat er met Michael was gebeurd. Dan hadden ze misschien het terrein dat ze hadden gewonnen, weer verloren. Maar hij praatte weer, en dat betekende dat God nog steeds bezig was voor Holden een wonder te verrichten. *Help hem alstublieft, God. Het is vandaag een grote dag,* bad Ella in stilte. Ze wachtte totdat Holden bij haar op het podium stond. 'Meneer Hawkins heeft gezegd dat jij de Prins mag zijn in de musical. Dat is dan nu jouw rol, goed?'

Holden wrong zijn handen en wiegde een paar seconden van voor naar achter. Toen draaide hij zich om, in de richting van de muziek, en opeens was hij niet meer zo opgewonden. Hij keek haar weer aan. 'Ik ben de Prins, Ella.'

'Weet ik.' Ze onderdrukte een giechelbui. 'Dat heb ik ook tegen meneer Hawkins gezegd.'

'Mag ik zingen?'

'Ja, Holden.' Volgens het script zong de Prins een solo van vier regels en daarna samen met Belle nog een lied van vijf regels. Terwijl hij dan met Belle begon te dansen, zong de cast nog een keer het belangrijkste lied uit de musical. 'Je mag het hele lied zingen.'

'En mogen we ook dansen?' Er verscheen een glimlach om zijn mond en zijn mooie ogen schitterden meer dan ooit.

'Helemaal tot aan het slot.'

'Vroeger dansten we ook samen, op een grasveld.'

Wanneer Ella van zichzelf mocht geloven dat ze een normaal moment met Holden meemaakte, zei hij altijd net iets wat haar eraan herinnerde hoe het werkelijk zat. Er was niets gewoon aan hem. Dansen op een grasveld? Wist hij dat echt nog of had hij zich dat ingebeeld? Maakte het deel uit van de wereld waaruit hij zich nu geleidelijk losmaakte? Hoe dat ook was, ze was niet van plan het denkbeeld in twijfel te trekken. 'Dat is fijn. Ik ben blij dat je dat nog weet.'

Ze liep naar een punt midden op het podium. 'Weet je nog hoe de musical eindigt?'

'Eeuwenoud verhaal...' Holden zong zijn antwoord.

'Ja, goed.' Ella zou zonder ophouden moeten bidden. Holden wilde de rol graag hebben. Hij geloofde dat hij de Prins was, maar ze hadden Gods hulp nodig om ook het publiek daarin te laten geloven. Vastberaden zei ze: 'Het Beest is dus bij mij op het podium en het ziet ernaar uit dat het zal sterven. Dan wordt het mistig en gaat het gordijn dicht. Daarna staat het Beest op en loopt weg, maar dat weet niemand in de zaal. Dan kom jij op en dan eindigt de musical vrolijk.' Ze vroeg zich af of ze hem te veel informatie tegelijk had gegeven.

Holden zong een paar regels uit *Belle en het Beest*, regels die gingen over vrienden worden op een moment dat dat het minst waarschijnlijk leek.

'Goed.' Ella beet op haar lip. Ze kreeg bibberende knieën van Holdens stem, maar ze was er niet van overtuigd dat hij de instructies begreep. 'Laten we de scène nog een keer doornemen.' De muziek klonk nog steeds op de achtergrond toen ze naar de plek voor haar wees. 'Wees mijn prins, Holden. Goed?'

Holden knikte. 'Ik ben jouw Prins, Ella.' Hij ging tegenover haar staan en stak zijn handen uit.

Ella grinnikte. Dit was een overwinning, want Holden had op zijn minst iets begrepen van wat ze had gezegd. Anders zou hij niet zijn handen hebben uitgestoken. Behoedzaam pakte ze zijn vingers vast en wachtte; het lied kon ieder moment beginnen. Toen zei ze op de toon van een echte actrice: 'Nee maar... je bent het echt! Je leeft!'

Volgens het script moest er nu gekust worden, maar daar zou Ella niet naartoe werken. Handjes vasthouden was voor Holden al heel wat. Hij hield oogcontact met haar en begon precies op het juiste moment te zingen. 'Eeuwenoud verhaal... Vreemd en toch vertrouwd.'

Ella luisterde en ging helemaal op in het lied en de boodschap ervan. Als Holden dit klaarspeelde, zou de musical niet op de gebruikelijke manier eindigen. Het zou een veel beter slot zijn. Ze vroeg zich af hoe ze hem zover kon krijgen dat hij met haar danste, maar precies op dat moment liet hij haar in de rondte draaien alsof hij heel zijn leven had gedanst. Hij bleef in de maat en ging ook door met zingen, terwijl hij met haar over het podium danste.

Vlak voor het eind kwam meneer Hawkins het lokaal binnen. Hij hield zich op de achtergrond, maar bleef toekijken. Ella was er bijna zeker van dat hij moeite moest doen om zijn tranen te bedwingen. Toen het lied eindigde drukte Ella op de replayknop, zodat de muziek doorspeelde. Holden bleef enigszins buiten adem staan en hij keek meneer Hawkins aan. Het was voor zover Ella zich kon herinneren de eerste keer dat hij de docent aankeek. 'Ik ben de Prins.'

'Ja, Holden.' Meneer Hawkins moest grinniken, en hij had opnieuw moeite met zijn emoties. 'Ik denk dat jij de beste prins zult zijn die we ooit hebben gehad.'

Holden knikte. 'Ja.' Toen stapte hij van het podium en ging op zijn stoel achter in het lokaal zitten.

Ze zouden die scène vandaag repeteren, en daarom ging meneer Hawkins in de loop van dat lesuur voor in het lokaal staan. 'Ik wil graag een beslissing over de rolverdeling bekendmaken.' Hij wachtte totdat iedereen luisterde.

Ella keek even naar Holden. Hij keek naar zijn handen en wiegde enigszins van voor naar achter. *Laat hem alstublieft begrijpen wat hij moet doen, God. Laat het goed gaan.* Hun klasgenoten hadden nog niet gezien wat Holden had gepresteerd. Ze was ervan overtuigd dat ze geen van allen begrip zouden hebben voor wat meneer Hawkins zo dadelijk ging zeggen. 'In het licht van de gesprekken die ik de laatste tijd met Ella Reynolds heb gevoerd, heb ik besloten dat Holden Harris de rol van de Prins krijgt.'

De leerlingen reageerden nauwelijks, waarschijnlijk omdat ze te verbaasd waren om in beweging te komen of iets te zeggen. Maar achter in het lokaal begon Holden te klappen. Eerst zachtjes, maar geleidelijk aan harder. Uiteindelijk ging hij staan, keek eerst meneer Hawkins en toen Ella aan en bleef ondertussen enthousiast klappen. Ella was het liefst naar hem toegerend om hem te beschermen tegen de spottende en gemene opmerkingen die ongetwijfeld nog gemaakt zouden worden. Maar voordat ze in actie kon komen, begonnen drie meisjes op de tweede rij ook te klappen, en een jongen op de eerste rij en een paar leerlingen op de derde rij. Binnen de kortste keren werd er in het hele lokaal luid geapplaudisseerd.

Meneer Hawkins en Ella kregen op hetzelfde moment in de gaten wat hier gebeurde. Holden klapte niet voor zichzelf. Hij en alle andere leerlingen in het lokaal klapten omdat meneer Hawkins een jongen als Holden een rol in de musical had gegeven en zij vonden dat een goed besluit.

Wat waren er vandaag al veel prachtige dingen gebeurd. Ella was niet echt verbaasd meer, toen ze de scène repeteerden en Holden precies op het goede moment het podium opkwam en zijn rol speelde. Dat deed hij op precies dezelfde manier als hij had gedaan toen er nog niemand in het lokaal aanwezig was geweest. Zolang Ella leefde, zou ze zich herinneren hoe verbaasd haar klasgenoten keken. Zelf had ze al geweten wat Holden Harris in zich had, maar zij zagen dat nu voor het eerst. Holden was totaal niet met het Beest uit de musical te vergelijken, hoe vreemd, onhandig of anders hij ook leek.

Hij was een prins.

*

Ella had Holden nog nooit van school naar huis gebracht. Ze was bij hem en zijn moeder op bezoek geweest, maar vandaag was zijn moeder met zijn nichtje Kate naar het vliegveld om Holdens vader op te halen. Holdens moeder had haar uitgelegd wat hij na schooltijd gewend was te doen.

'Eerst krijgt hij iets te eten. Dat staat al in de koelkast voor hem klaar. Dan kijkt hij de film.' Ze vertelde dat Holden precies wist wanneer er wat moest gebeuren, en dat hij van slag raakte als er iets aan het tijdschema veranderde. 'De film zit in de videorecorder. Hij kijkt iedere dag al tien jaar lang dezelfde film.'

Ella had zich er al de hele middag op verheugd dat ze samen met Holden zou doen wat hij altijd gewend was te doen. Het was al een dag vol mijlpalen geweest, momenten waarover ze dolgraag met zijn ouders wilde praten. Holdens eten stond inderdaad in de koelkast, precies zoals zijn moeder had gezegd, en ze ging naast hem zitten terwijl hij zijn rozijnen op een rij legde en ze een voor een opat.

'Jij zult een heel goede prins zijn.' Ze sloeg haar armen over elkaar en bleef naar hem kijken.

Hij keek niet meteen op.

'De hele klas was trots op je.'

Hij zong nu het gedeelte van het lied dat misschien wel het meest ontroerde: over de mogelijkheid te veranderen en dat eerste indrukken niet altijd kloppen.

Vol verbazing nam ze hem op. Iemand die Holden niet kende zou denken dat hij zomaar een gedeelte van het lied had uitgekozen, maar Ella wist dat dat niet waar was. Hij vertelde haar iets wat dieper ging dan zijn liefde voor muziek, en meer vertelde dan dat hij de musical die ze gingen opvoeren mooi vond. De andere leerlingen vonden het waarschijnlijk maar wrang en vreemd dat Holden Harris zo begaafd was, maar innerlijke schoonheid kan over het hoofd worden gezien. Dat was in ieder geval bij Holden gebeurd.

'Ja, Holden.' Ze knikte. Haar ogen waren vochtig. 'Dat is helemaal waar.'

Toen hij alles op had, gingen ze naar de woonkamer. Daar liep Holden naar de plek waar hij volgens zijn moeder altijd zat om naar de film te kijken. Maar deze keer bleef hij even staan en ging vervolgens naast Ella op de bank zitten. Hij zei niets. Hij keek alleen maar aandachtig naar het lege scherm, in afwachting van de film.

Ella pakte de afstandsbediening en drukte op de startknop.

Ze had niet aan mevrouw Harris gevraagd wat voor film het was, maar ze had aangenomen dat het een tekenfilm of een Disneyfilm zou zijn. Iets rustgevends. Maar de beelden die op het tv-scherm verschenen, waren uit zelfgemaakte video-opnames geknipt. Ella zou niet hebben geweten wie de kinderen in de film waren, als ze een paar maanden geleden niet hun oude fotoalbums had gevonden.

Een jongetje en een meisje renden achter elkaar aan, en het duurde toch nog even voordat Ella doorhad dat het Holden en zij waren. Ze boog zich naar voren, haar ellebogen op haar knieën. Keek Holden iedere dag naar deze film? Naar zelfgemaakte video-opnames van hen tweeën als kind? En deed hij dat al tien jaar lang iedere dag?

Haar keel werd dik van de tranen en ze knipperde met haar ogen om beter te kunnen zien. Holden en zij stonden nu hand en hand *Jezus houdt van mij* te zingen. Holden keek haar aan. 'Ons lievelingslied.'

'Ja.' Er rolden tranen over haar wangen, maar Ella had daar eigenlijk niet eens erg in. De filmbeelden veranderden weer. Nu zongen en lachten Holden en zij op een zonnige, groene heuvel en Holden bleef staan, pakte haar handen vast en ze begonnen te dansen.

Met de zon op hun gezicht lachten en zongen Holden en zij, en Holden wist dat nog. Als kind waren ze zulke dikke maatjes geweest, dat Holden er tien jaar lang iedere dag aan was blijven terugdenken. Dat leven leidde hij, diep in zichzelf teruggetrokken.

Hij keerde zich weer naar haar toe. 'We dansten toen samen...' In plaats van verder te praten keek hij haar onderzoekend aan.

Ze werd er verlegen van, want ze wilde zijn vaste dagindeling niet verstoren. Hij kon onmogelijk begrijpen waarom ze huilde, en hoe ze alles moest verwerken wat deze film haar vertelde over het verleden en over hun vriendschap. Holden begreep meer dan ook maar iemand wist. Maar hoe het kwam dat haar hart brak was zo ingewikkeld dat het zijn verstand vast te boven ging.

Zonder dat ze er erg in had, pakte Holden haar hand. Hij keek haar een hele tijd aan. Hij keek niet naar de Ella Reynolds die ze vandaag was, maar naar het kleine meisje dat haar vriendje was kwijtgeraakt toen ze drie jaar oud was. Hij bleef haar hand vasthouden tot de film was afgelopen, en tegen die tijd wist Ella dat ze geen gelijk had gehad: Holden begreep het wel.

Holden begreep haar misschien nog beter dan alle anderen in haar leven.

27

Nu Holden bereid was om te zingen, kwam Ella er snel achter dat zijn acteertalent onbegrensd en onbeperkt was. Holden was nog net als altijd vol van muziek. En terwijl ze baden om een wonder, hadden ze het nu gevonden in een lied. Daarom repeteerden Ella en Holden op woensdag en donderdag na schooltijd met het schoolorkest, om alle leerlingen van de school te verrassen tijdens de herdenkingsdienst voor Michael.

Die vrijdag ging Ella vroeg naar school om Michaels moeder op te vangen. Zij had donkergrijze kleren aan, die niet zo donker waren als de kringen onder haar ogen. Ze omhelsde Ella en bedankte haar dat ze de herdenkingsbijeenkomst georganiseerd had. 'Ik vind het fijn... dat iemand bereid is geweest dat te doen.' Ze snoot haar neus, haar ogen waren rood van het huilen. 'Dat Michael in ieder geval met één leerling bevriend was.'

'Met meer dan één.' Ella moest aan LaShante denken die zich vast had voorgenomen Michael een keer op de fluit te horen spelen. 'Er waren meer leerlingen die om hem gaven. We wisten alleen niet... hoe we dat moesten laten merken.'

Mevrouw Schwartz knikte. 'Nou, in ieder geval bedankt.' Ze ging op haar stoel op de voorste rij zitten, op enige afstand van het podium. Ella ging drie stoelen verderop zitten, naast Holden en zijn ouders. Zijn vader, een aardige, rustige man die Ella telkens wanneer ze elkaar zagen bedankte, was nog steeds thuis. Holden had nog niets tegen zijn vader gezegd, maar Ella twijfelde er niet aan dat dat nog wel zou gebeuren.

Wat Holden betrof had God alleen nog maar een beginnetje gemaakt.

Een paar minuten later kwamen de eerste leerlingen de zaal binnen. Achterover geleund op haar stoel zat Ella te kijken en te luisteren. De meesten hielden zich stil omdat ze zich niet op hun gemak voelden, en kwamen de gymzaal bedeesder binnen dan anders. Maar een aantal andere leerlingen liep te praten, te sms'en of te lachen. Ze gaven elkaar een duw tegen de schouder en grinnikten om het een of ander, alsof het een gebruikelijke bijeenkomst op een gewone dag was. Een reden om even uit de les te mogen en verder niets.

Ze kreeg Jake en zijn vrienden in het oog. Ze liepen te fluisteren en wezen lachend naar een groepje meisjes uit de bovenbouw. Ella onderdrukte haar woede. *Zorg er alstublieft voor, God, dat zij vandaag veranderen. Zorg dat ze doorkrijgen dat het nu niet alleen om de dood van Michael gaat, maar ook om wat ze erdoor zijn kwijtgeraakt... Laat het alstublieft geen tijdverspilling zijn.*

Mevrouw Richards wachtte tot alle tribunes in de sporthal bezet waren door bijna drieduizend leerlingen. Toen stond ze op en kwam het podium op. Ze bedankte de aanwezigen voor hun komst en verklaarde dat ze het komende uur Michael Schwartz zouden gedenken. Daarna leidde ze het koor in.

Op dat moment schoof een man de eerste rij in en ging op de stoel naast Michaels moeder zitten. Zijn vader, nam Ella aan.

Ongeveer twintig leerlingen namen hun plek op het podium in en aan weerskanten kwamen twee grote schermen naar beneden. Daarop zouden foto's van Michaels leven worden getoond, als onderdeel van de herdenkingsdienst waaraan Michaels moeder samen met mevrouw Richards gestalte had gegeven. Het koor zong een lied van de Rascal Flatts dat *Why* heette en over de zelfmoord van een vriend ging.

'Waarom heb je midden in het lied het podium verlaten?' wordt in dat lied gevraagd.

De muziek zette in, en Ella zag dat overal in de sporthal leerlingen hun telefoon lieten zakken, hun stem dempten en opletten. Niet iedereen, maar meer leerlingen dan daarnet. Op de schermen was Michael te zien als lachende baby, als jongetje op een driewieler en als basisschoolleerling met een tekening van een dinosaurus in zijn hand. Ook was Michael te zien in een trainingspak, vissend met zijn vader op een schilderachtig meer. De ene na de andere foto vertelde het verhaal van een jongen die verwachtingen en dromen had, en die net als alle andere leerlingen in de sporthal goede dagen kende en mijlpalen bereikte. De laatste foto was waarschijnlijk genomen door de muziekleraar. Michael stond op deze foto op de voorste rij samen met de andere fluitspelers op zijn dwarsfluit te spelen.

Toen het lied was afgelopen en het stil werd in de sporthal, kon Ella tot haar verbijstering nog steeds een aantal kinderen met elkaar horen smoezen. Ze veegde de tranen uit haar ogen. Als de foto's en het lied van de Rascal Flatts hen niet eens ontroerden, wat of wie dan wel? *God, gebruik mij vandaag alstublieft om te bereiken dat deze herdenking hun iets doet.*

Het orkest was nu aan de beurt, en de leerlingen kwamen een voor een met hun diverse instrumenten het podium op. Ella betrapte zichzelf erop dat ze uitkeek naar Michael. *Michael had nu ook met zijn dwarsfluit moeten opkomen*, dacht ze. Ze keek even naar zijn moeder een paar stoelen verderop in de rij. Ze had haar armen over elkaar geslagen en er leek een muur te bestaan tussen haar en Michaels vader. Hoe vaak zijn ze samen naar een van Michaels uitvoeringen geweest? vroeg Ella zich af. En wensten ze nu, net als zij, dat ze nog één keer in de gelegenheid zouden zijn om Michael te horen spelen?

Het orkest speelde het lied dat was uitgekozen door de dirigent: *Genade zo oneindig groot*. Dat lied hoorde je normaal niet op de openbare middelbare school, maar mevrouw Richards had er toestemming voor gegeven. Dit was per slot van rekening een herdenkingsdienst. Toen het lied was afgelopen boog Ella zich dicht naar Holden toe. 'Ben je er klaar voor, Holden?'

Hij wiegde een paar keer van voor naar achter en neuriede zachtjes de bekende melodie die ze samen hadden ingestudeerd.

'Jij bent nu aan de beurt, goed?'

Hij keek haar even aan en richtte zijn blik weer op zijn handen.

Mevrouw Richards had besloten dat Ella het volgende nummer zou inleiden. Ze haalde een keer diep adem en liep naar het podium, met in haar hand een opgevouwen vel papier. Toen ze op haar plek op het podium stond, schrok ze. Een paar rijen naar achteren zat haar eigen moeder, op de stoel aan het eind van de rij. Ze hield een tissue tegen haar ogen gedrukt. Ella dwong zichzelf bij de les te blijven. 'Hallo. Ik ben Ella Reynolds.'

Ergens bijna achter in de sporthal klonk luid, waarderend gefluit.

Ella negeerde het geluid. 'Wil Susan Sessner naar voren komen?'

Achter in de hal, waar de leerlingen zaten die extra lessen lichaamsbeweging kregen, werd zachtjes gegiecheld. Susan was veel te dik voor haar leeftijd en haar haar leek altijd een tikkeltje te vet, maar ze keek uitdagend, ondanks het feit dat ze hier iedere dag gepest werd. Het leed geen twijfel dat Susan nachtenlang in haar kussen had gehuild, maar ze was ook een verbazingwekkend goede fluitiste. Met een zelfvertrouwen dat Ella verbaasde, kwam Susan met haar fluit het podium op en wachtte.

In een ander gedeelte van de sporthal werd gelachen.

'Weet je...' Ella probeerde haar woede onder controle te

houden, 'ik kan horen dat jullie je onbeschoft gedragen.' Ze zei het op hartstochtelijke, luidere toon dan daarnet. 'Houden jullie voor deze ene keer gewoon eens allemaal je mond.' Het was zo'n scherpe opmerking dat het voor het eerst die ochtend stil werd in het gebouw. Na enige aarzeling zei Ella: 'Dank je.' Ze vermande zich en probeerde te bedenken waar ze was gebleven. Ze keek op het vel papier in haar hand. 'Een van de laatste dingen die Michael deed voordat hij stierf, was voor zover wij weten op zijn dwarsfluit spelen.' Ze keek opzettelijk naar de plek waar Jake en zijn vrienden zaten. Ze hielden eindelijk hun mond. De meesten van hen hadden hun ogen neergeslagen. Ella ging verder. 'Michael speelde dwarsfluit omdat hij er goed in was, en omdat hij het leuk vond.'

Op de voorste rij masseerde Michaels vader met zijn duim en wijsvinger zijn voorhoofd, vast om te voorkomen dat hij zijn zelfbeheersing verloor. Ella vermoedde dat de ontroering van de man iets te maken had met een verhaal achter de dwarsfluit.

'Michael hield erg veel van het lied *O Holy Night*.' Ella merkte dat het nu helemaal stil was in de sporthal. 'Hij keek ernaar uit om het op het kerstconcert te spelen.' Ze vouwde het vel papier open. 'Dit... de muziek en de tekst van dat lied... was het enige wat hij achterliet, opengevouwen op zijn bed.' Ella knikte naar Susan en het meisje begon zacht de muziek van *O Holy Night* te spelen. Terwijl ze daarmee bezig was, keek Ella naar de voorste rij stoelen. 'Holden, jij mag nu op het podium komen om te zingen.'

Op het noemen van Holdens naam ging er weer een golf van gefluister en gegiechel door de sporthal, luid genoeg om zelfs boven Susans zachte fluittonen uit te komen. Ella kon niet boos worden. Als ze dat deed, zou Holden bang worden en was het juiste moment voorbij. *Alstublieft, God*. Ella ademde langzaam uit en zei luid en duidelijk, maar op vriendelijke toon:

'Jullie denken dat Holden Harris niet kan zingen?' Er klonk opnieuw hartstocht door in haar woorden. 'En dat alleen maar omdat hij anders is dan jullie... omdat hij autisme heeft?'

De leerlingen hielden zich opeens weer stil. De enige reactie op Ella's vraag was een gevoel van onbehagen dat in de enorme ruimte ontstond. Ella liet haar boosheid varen. Ze glimlachte naar Holden toen hij naast haar kwam staan. Hij bracht zijn handen naar zijn kin en begon zijn ellebogen op en neer te bewegen. Ella boog zich weg van de microfoon. 'Je mag straks bidden, Holden,' fluisterde ze. 'Het gaat goed.'

Hij knikte een paar keer achter elkaar en liet zijn handen weer zakken. Ella wendde zich tot het publiek. 'Ja, Holden is anders.' Na een korte stilte vervolgde ze met tranen in haar stem: 'Michael was ook anders. Als jullie om je heen kijken, zul je zien dat velen van ons anders zijn. Maar dat betekent niet dat we geen mooie stem kunnen hebben en niet mooi kunnen zingen.' Ze zweeg weer even om hun gezichten te bestuderen. 'Begrijpen jullie wat hier gebeurt?'

Uit de manier waarop de leerlingen heen en weer schoven op hun stoelen werd duidelijk dat ze zich niet op hun gemak voelden.

'We hebben Michael Schwartz verloren omdat niemand de tijd nam om van hem te houden.' Haar stem brak en het kostte haar moeite om verder te praten, maar haar boodschap was te belangrijk om er nu mee op te houden. 'Niemand nam de tijd om naar zijn lied te luisteren.' Ze haalde haar neus op en deed haar best om verstaanbaar te blijven. Begrepen ze het dan niet? Kon het hun dan niets schelen? Michael was er niet meer en daar was niets meer aan te doen; in zijn geval konden ze het op geen enkele manier meer goedmaken. Maar het was nog niet te laat voor Holden, Susan of al die andere leerlingen van het Fulton die liefde en aanvaarding zo broodnodig hadden.

'Wij...' Ze duwde haar vingers tegen haar borstkas. 'Wij

hebben Michael Schwartz in de steek gelaten.' Een paar geluidloze snikken deden haar lichaam schokken. Ze keek naar Michaels ouders. 'Het is zo. Wij hebben hem in de steek gelaten.' Ze sloeg haar ogen op om de leerlingen weer aan te kijken. 'We hebben hem allemaal teleurgesteld, maar dat betekent niet dat we ook Holden moeten teleurstellen. We... we hoeven elkaar niet in de steek te laten.'

Ze zag dat her en der in de sporthal een paar meisjes hun ogen depten. De boodschap kwam over, al was het maar op enkelen van hen. Ella nam niet de moeite om de tranen uit haar ogen te vegen. Ze mochten best zien dat ze huilde. Ze was niet van plan om te stoppen met haar relaas. 'Holden is een... bewonderenswaardige jongen.' Ze keek haar moeder aan, en voor hen allebei was het verdriet hartverscheurend. Ze zouden moeten leven met het feit dat de jaren dat Holden en zijn ouders geen deel hadden uitgemaakt van hun leven, verloren jaren waren geweest. 'Hij is alleen maar... hij zit alleen maar in zichzelf opgesloten.'

Holdens vader sloeg een arm om de schouders van zijn vrouw.

'Maar zal ik jullie eens wat vertellen?' Ella kon bijna niet meer uit haar woorden komen. 'Holden is niet de enige.' Ze keek recht naar Jake en zijn volgelingen. Ze was zo overtuigd van haar zaak dat ze harder begon te praten. 'Heel veel jongeren zitten in zichzelf opgesloten en het wordt tijd dat we daar verandering in brengen. We moeten elkaar liefhebben. Nu... zolang het nog kan.' Ze haalde haar neus op. 'Zoals we Michael Schwartz hadden moeten liefhebben.'

Terwijl ze bleef staan waar ze stond, kon ze haar tranen niet meer bedwingen, en ze merkte dat Holden een hand naar haar uitstak. Ze voelde hoe zijn vingers de hare aanraakten, en meer had ze niet nodig om weer rustig te worden. *Dank U, God. Ik dank U voor Holden.* Het goede zou het vandaag winnen... zeker weten. Dankzij God en Holden en wat er allemaal gebeurde in Holdens leven, kon ze dat geloven. Wat er ook gebeurde met alle leerlingen op het Fulton.

'We moeten er samen iets van maken. Denk daarover na. Alsjeblieft.' Ella gaf Susan een teken en het meisje knikte. Ze haalde een keer diep adem en begon op haar fluit te spelen, luider dan daarnet. De heldere, rijke klanken verdreven de ongemakkelijke stilte en maakten dat de leerlingen hun tranen inslikten.

Ella gaf de microfoon aan Holden en deed een stapje opzij. 'Je kunt het,' fluisterde ze weer. 'Ik blijf bij je.'

Met de microfoon stevig in zijn hand en zijn blik op zijn voeten gericht begon Holden te zingen. *'O Holy Night, the stars are brightly shining... this is de night of the dear Savior's birth.'* Ella merkte dat ze weer volschoot, net als alle anderen in de sporthal. De leerlingen gingen rechter op hun stoel zitten, verbaasd over wat ze hoorden. *Zie je nu wel*, had ze het liefst luid geschreeuwd. *Holden kan zingen, en er zijn er hier meer die dat kunnen.*

Hoe langer Holden zong, des te groter werd zijn zelfvertrouwen. Hij keek eerst Ella en toen Susan aan. Daarna richtte hij zijn blik op de eerste rij en keek Michaels moeder recht aan, terwijl hij zong: *'A thrill of hope, the weary world rejoices... for yonder breaks, a new and glorious morn.'*

Michaels moeder knikte, terwijl de tranen over haar gezicht stroomden. Het viel Ella op dat Holdens ouders elkaars hand vasthielden, en ze zag dat zij ook huilden. Toen gingen haar ogen naar haar eigen moeder. Holdens optreden had haar even diep ontroerd als alle andere mensen in de hal. Misschien nog wel dieper. Ella haalde een keer diep adem en er biggelden tranen over haar wangen. Dit hadden ze nodig, dit hadden ze allemaal nodig. Holdens lied.

Holden keek van zijn ouders naar de jongeren in de hal. *'Truly He taught us to love one another... His law is love and His gospel is peace.'*

Ella en Holden hadden dit lied in het geheim ingestudeerd, maar het had nog nooit zo mooi geklonken als nu. Het was alsof hij zich er al zijn hele leven op had voorbereid dat hij dit lied zou zingen, op dit bijzonder verdrietige moment zijn klasgenoten deelgenoot zou maken van de boodschap dat ze elkaar lief moesten hebben. Voor Holden gold dat ieder woord ertoe deed. Hij zei niet veel, al was Ella ervan overtuigd dat dat nog zou veranderen, maar hij kon in muziek uitdrukken wat in zijn hart leefde, en de boodschap was duidelijk.

'Chains shall He break, for the slave is our brother... and in His name, all oppression shall cease.'

Ella had het idee dat God Zelf in de sporthal aanwezig was. Het was alsof Zijn Geest iedereen in de hal wakker schudde, zodat de ruimte zich voor het eerst vulde met begrip en compassie, in al die tijd dat het Fulton bestond. Holden Harris zong met alles wat hij in zich had.

Toen Holden uitgezongen was, hoefde Ella zich niet af te vragen of ze hem moest omhelzen. Hij legde zijn arm om haar schouders en hield haar een poosje dicht tegen zich aan. Tegelijkertijd begonnen de leerlingen te klappen, eerst her en der in de sporthal, maar uiteindelijk daverde de hele sporthal ervan. Ella raakte ervan overtuigd dat op zijn minst iets van wat die ochtend was gedeeld tot hen was doorgedrongen, want er was zelfs bij kwalificatiewedstrijden nog nooit zo hard geapplaudisseerd.

Holden leek zich niet van het applaus bewust te zijn. En hij klapte deze keer ook niet mee. Rustig pakte hij het blad met de muziek en de tekst van *O Holy Night*, verliet het podium en liep terug naar de eerste rij. Toen hij bij Michaels moeder was aangekomen, bleef hij even staan om haar het blad te geven. Daarna ging hij naast zijn ouders zitten.

Ella had een langere toespraak voorbereid, maar na Holdens lied en alles wat ze al had gezegd, wilde ze nog maar één ding meedelen. 'Komend voorjaar zal het Fulton de musical *Belle en het Beest* op de planken brengen.' Ze was nu rustiger en liet zich er door de tranen in haar ogen niet van weerhouden nog die ene mededeling te doen. 'De kern van het verhaal van die musical is: beoordeel niemand op zijn uiterlijk.' Ze betrapte Holden erop dat hij haar recht aankeek, en ze glimlachten naar elkaar. 'Er kan namelijk in minder volmaakte mensen best een prins verscholen zitten.'

De leerlingen luisterden.

'Alle kinderen die net als ik een rol hebben in de musical, willen graag dat u volgend voorjaar naar de voorstelling komt kijken. Anders zal deze school de dramalessen schrappen en kunnen jongeren als Michael en Holden, jongeren als ik, nooit meer optreden.'

Na enige aarzeling zette ze haar pleidooi onbeschaamd voort. 'Ik hoop dat het jullie spijt dat het met Michael Schwartz zo is gelopen. Ik hoop dat jullie – als jullie het over mochten doen – naar hem zouden lachen, hem een complimentje zouden geven of hem misschien wel verdedigd zouden hebben tegen een pestkop. Als dat zo is kunnen jullie maar één ding doen: naar de musical komen kijken. Als je dat doet, kijk dan naar het schoolorkest. Er zal één fluitspeler ontbreken: Michael Schwartz. Laten we ervoor zorgen dat er niet nog meer plekken leeg blijven.'

Ze keek Michaels ouders aan. 'Ik leef met u mee. We leven allemaal met u mee.'

Zijn ouders knikten, en het deed Ella goed toen ze hier en daar in de hal jongeren zacht hoorde huilen. Ze sloot de herdenkingsdienst af met een gebed, al was dit een openbare school en al had ze niet veel ervaring met bidden. Dat vindt God niet belangrijk, had Holdens moeder haar verteld. Zijn volgelingen hoeven geen volmaakte gebeden uit te spreken; het gaat Hem om hun hart.

'We hebben U hier op het Fulton nodig, God.' Ella ervoer

het gebed als een hartenkreet. 'Vergeef ons onze onverschilligheid en ons egoïsme. Help ons om te leren hoe we lief moeten hebben. Maak dat we aandachtiger naar de jongeren om ons heen kijken, want wij zitten allemaal op de een of andere manier opgesloten. En help ons te horen wat voor muziek iedereen die we tegenkomen in zich heeft.' Ze pauzeerde een moment om op adem te komen. 'Als er wordt gepest, helpt U ons dan om er een eind aan te maken. Help ons om aardig te zijn... Maak dat het ons iets kan schelen hoe het met een ander is. Help ons Michael voortaan iedere dag in ons hart met ons mee te dragen, zodat hij niet voor niets zal zijn gestorven. In Jezus' naam, amen.'

Mevrouw Richards liet de leerlingen gaan en de daaropvolgende minuten verliepen als in een waas. Ella omhelsde Susan Sessner en LaShante kwam naast haar staan. 'Hé, Susan, wil je mij ook leren fluitspelen?' LaShante kneep even in Susans hand. 'Ik ga aan de dirigent vragen of ik mee mag spelen.'

'Je meent het.' Susan keek verbaasd. Voor Michaels dood praatten meisjes als Ella en LaShante nooit met meisjes als Susan.

Ella zei haar moeder en Holdens ouders gedag, omhelsde Michaels moeder en stelde zich voor aan zijn vader. Ze had nog steeds het gevoel dat God die dag een wonder had verricht. De jongeren begrepen Holden in ieder geval beter, en jongens als Jake zouden niet zo gemakkelijk meer de spot kunnen drijven met hun klasgenoten. Maar het was nog niet mogelijk om er nu al echt bewijzen van te zien.

Hadden haar leeftijdgenoten echt begrepen wat haar zo aan het hart ging? Hadden ze werkelijk geluisterd naar Holdens lied? Zouden ze als gevolg van Michaels dood echt willen veranderen? Ella zou het pas over vier maanden te weten komen, op de première van *Belle en het Beest*.

Holden en zij verlieten samen de sporthal. Terwijl ze door

de lege gang liepen lachte Ella naar haar vriend. 'Je was fantastisch. En nu weet iedereen dat jij kunt zingen.'

Holden wekte de indruk dat hij wat verlegen was met haar compliment. Enigszins verward wrong hij zijn handen. Hij bleef met haar meelopen, maar maakte geen oogcontact.

'Ik hoop dat ze ons goed begrepen hebben.' Ze zuchtte, emotioneel uitgeput van alles wat er die ochtend was gepasseerd. 'Ik hoop echt dat ze ons goed hebben begrepen.'

Op dat moment, beter getimed dan ooit, hief Holden zijn hoofd op en begon te zingen. De woorden en de muziek richtten zich rechtstreeks tot Ella's gewonde ziel. *'A thrill of hope... the weary world rejoices... for yonder breaks, a new and glorious morn.'*

Dat gold dus voor Holden en voor deze nieuwe vriendschap. Iedere morgen vlamde er nieuwe hoop op, en ondanks dit verschrikkelijk verlies en al het verdriet kon Ella de zon zien opgaan. Met alles wat in haar was wilde ze net als Holden geloven dat weldra de dag zou aanbreken waar ze allen naar uitkeken.

Een nieuwe, glorieuze ochtend.

28

Dit had Tracy niet verwacht, nooit van haar leven. Ze had er vaak om gebeden en ook vast in een wonder willen geloven, maar ze had zich niet kunnen voorstellen dat Holden voor een afgeladen sporthal met schoolgenoten *O Holy Night* zou zingen. Nooit. En ze wist niet goed of ze daarom zo blij was, of om het feit dat Dan het kon meemaken.

Haar man hield tijdens de hele herdenkingsdienst haar hand vast, terwijl Tracy worstelde met haar gevoelens. Ze had te doen met Michaels moeder en eigenlijk met hen allemaal, omdat ze dit verlies nu iedere dag met zich mee zouden dragen. Maar het kostte haar moeite om niet in de eerste plaats aan haar eigen gezin te denken. Wat was ze in de maanden en jaren zonder Dan eenzaam geweest. Ja, hij had voor de kust van Alaska voor hen de kost verdiend zodat ze goed rond konden komen, maar ze was veel te vaak alleen geweest.

Het was goed dat hij vanochtend naast haar zat, maar het deed haar terugdenken aan hoe zwaar het was geweest en hoe hard ze hem nodig had gehad. Ze hoorden hand in hand naast elkaar te zitten, of ze nu wel of niet steeds meer van de oude Holden te zien kregen.

Zijn hand in de hare, zijn vingers verstrengeld met die van haarzelf – het voelde even goed als ademhalen. En ze betrapte zichzelf erop dat ze geluidloos bad dat Dan thuis zou blijven. Dat hij zou ophouden zichzelf de schuld te geven en weg te lopen voor de pijn die het deed dat ze Holden kwijtraakten. Dat hij weer deel zou uitmaken van hun gezin en hier in Atlanta werk zou zoeken.

Vlak voordat Ella het podium op kwam, had Tracy opeens het gevoel dat er iemand naar haar keek. Ze keek over haar rechterschouder en haar hart begon vreemd te slaan. Suzanne Reynolds zat een paar rijen achter haar. Hun blikken kruisten elkaar en Suzanne glimlachte zwak. Het was een glimlach die doortrokken was van spijt en onzekerheid.

Ze wendden allebei hun blik af. Het moment was al voorbij voordat het had kunnen uitgroeien tot iets meer. Maar Tracy zat te trillen op haar stoel. Het viel Dan op; hij keek haar nieuwsgierig aan, maar ze schudde alleen maar haar hoofd. Het was nu niet het goede moment en ook niet de goede plek om hem uitleg te geven. Dat zou ze straks doen. Maar wat kon ze eigenlijk zeggen? Het was veertien jaar geleden dat ze Suzanne Reynolds voor het laatst had gezien. Had ze soms behoefte aan nog een reden om vanochtend het gevoel te hebben dat het haar allemaal te veel werd?

Heel die gedachtestroom hield op zodra Holden het podium op kwam. Vanaf dat moment had Tracy alleen nog maar aandacht voor het wonder dat zich hier voor haar ogen voltrok. Dan was even verbijsterd, omdat hij zijn verdriet altijd in stilte had verwerkt sinds ze hun greep op Holden waren kwijtgeraakt. Hij had nooit gehuild en ook nooit zijn vuist naar God geschud. In het begin had hij alles gedaan wat in zijn vermogen lag om Holden weer de oude te laten worden, maar een stille wanhoop begon geleidelijk alles wat ze samen ondernamen te overschaduwen. En voordat er al te veel jaren mee heengegaan waren vertrok Dan naar Alaska. Hoelang was het nu geleden dat bij Holden de diagnose was gesteld? Al die tijd had Tracy haar man niet één keer zien huilen om hun levenslot.

Tot vandaag.

Toen Holden *O Holy Night* zong, voelde Tracy een druppel op de rug van haar hand vallen. Dan had zijn vingers met die van haar vervlochten en hun handen lagen op zijn been.

Toen Tracy de druppel voelde, keek ze op. Ze zag en besefte dat dit een bijzonder moment voor hen alle drie was. Een keerpunt dat ze nooit zouden vergeten.

Dan huilde.

Het leed geen twijfel dat ze nog een lange weg te gaan hadden en dat het ideaal van een normaal bestaan misschien nooit bereikt zou worden. Dat nam echter niet weg dat Tracy nooit had kunnen dromen dat ze dit moment samen zouden beleven. Gedurende het applaus dat na Holdens lied opklonk, wendde ze zich tot Dan en de twee klampten zich aan elkaar vast. 'Toe, Dan, ga niet weer bij ons vandaan. Je kunt hier werk zoeken.' In de loop van de tijd was ze weleens kwaad op hem geweest dat hij niet thuis was gebleven; dat hij gevlucht was voor Holden en het leven dat zijn zoontje vertegenwoordigde. Maar dat was nu allemaal verleden tijd. Ze drukte haar wang tegen de zijne. 'Blijf alsjeblieft thuis. We hebben je nodig.'

'Daar praten we zo wel over.' Hij trok zich ver genoeg terug om haar recht aan te kunnen kijken. 'Echt waar.'

Tegen de tijd dat er een einde kwam aan de herdenkingsdienst kreeg Tracy een knoop in haar maag. Ze kon er niet aan ontkomen iets tegen Suzanne Reynolds te moeten zeggen. Toen de leerlingen de sporthal mochten verlaten, gingen Tracy en Dan aan weerskanten van Holden staan. Dan sprak de woorden die Tracy hem sinds Holdens diagnose niet meer had horen uitspreken. 'Holden, jongen, ik ben trots op je. Je lied was… precies zoals het had moeten klinken, zal ik maar zeggen.'

In een film zou Holden zijn arm om Dans schouders hebben geslagen en het compliment hebben afgedaan met een schouderophalen. 'Het stelt niets voor, pa. Maar fijn dat u erbij was.' Daarna zouden de twee elkaar de hand hebben geschud of elkaar hebben omhelsd. En het moment zou voor heel het nageslacht zijn vastgelegd en de beelden zouden nog jarenlang telkens opnieuw worden bekeken.

Maar dit was de realiteit, waarin scènes niet altijd op zo'n voorspelbare manier eindigden. Holden keek naar de neuzen van zijn schoenen en wiegde een paar keer van voor naar achter. Hak... teen. Hak... teen.

'Holden, hoor je me?'

Tracy probeerde hem met inzet van al haar wilskracht zover te brengen dat hij antwoord gaf. Dat hij hun op enigerlei wijze liet blijken dat het lied geen kwestie van afwijkend gedrag, geen stom toeval was geweest. 'Ik ben ook trots op je, Holden. Je hebt een prachtige stem.'

Hij keek op en knikte. Zijn hoofd bewoog daarbij snel en schokkerig. 'Bedankt... Dank u wel.' Zijn ogen richtten zich niet echt op Tracy of Dan, maar de woorden zeiden genoeg. Dit was ook weer een doorbraak. Hij had nu voor het eerst sinds hij drie jaar oud was iets tegen zijn vader gezegd.

Dan kwam in beweging om Holden een klapje op de rug te geven, maar bedacht zich opeens want hij bleef staan. 'We... we spreken je straks nog, goed?'

Holden knikte en overbrugde de twee meter die hem scheidden van de plek waar Ella klaarstond om naar haar klaslokaal te lopen. Ze keek achterom en zwaaide naar Tracy en Dan. 'Ik zorg dat hij komt waar hij zijn moet.'

Terwijl zij wegliepen maakte Dan een gebaar in de richting van Michaels ouders. 'Ik ga even met hen praten.' Hij keek even de andere kant op, naar de plek waar Suzanne Reynolds in haar eentje zat te wachten. Dan sprak zo zacht dat alleen Tracy hem kon horen. 'Ga jij maar met haar praten.'

Tracy zuchtte. 'Bid voor me.'

'Dat zal ik doen.' Hij kneep even in haar hand en liep op Michaels ouders af. Tracy merkte dat het zweet haar in de handen stond. Wat moest ze zeggen? Zouden ze zo vele jaren later nog gemeenschappelijke interesses hebben? Ze trok de riem van haar handtas over haar schouder en liep naar de plek waar Suzanne zat, een paar rijen naar achteren. Hun blikken kruisten elkaar weer en Tracy zag wat de tijd voor gevolgen had gehad. Toch had ze het idee dat ze gisteren nog naast elkaar op de schommel hadden gezeten, zij met Holden op schoot en Ella bij Suzanne op schoot. Twee jonge moeders die al vanaf de middelbare school elkaars beste vriendin waren.

Maar Suzanne was nu nauwelijks herkenbaar met haar geblondeerde haar en dikke lippen. Ze droeg hooguit maatje XS en haar borsten waren gevulder dan in de tijd dat ze Ella borstvoeding gaf. Tracy had af en toe op het nieuws geruchten gehoord over Suzannes echtgenoot, onder meer dat Randy Reynolds aan de grond zat. Dat had ze destijds niet willen geloven, maar nu ze Suzanne daar zo zag zitten, kon Tracy duidelijk aan haar ogen zien dat haar vroegere vriendin gedesillusioneerd was. Ze wekte de indruk dat ze er op alle mogelijke manieren ellendig aan toe was.

Terwijl Tracy op haar afging, dacht ze niet meer aan al haar gekwetste gevoelens, aan alle manieren waarop ze zich in de steek gelaten en afgewezen had gevoeld door Suzanne. Op dit moment ging het alleen maar om hen tweeën, om een paar goede vriendinnen die lang geleden van elkaar gehouden en samen gelachen hadden, en die allebei in de daaropvolgende jaren veel hadden verloren.

Tracy bleef op enige afstand staan en Suzanne kwam overeind. Ze zeiden geen van beiden iets, totdat het besef leek door te dringen dat het te laat was voor wrok of een ongemakkelijk nieuw begin. Ze liepen naar elkaar toe en omhelsden elkaar langdurig.

Daarna deden ze beiden een stap achteruit, Suzanne met tranen in haar ogen. 'Holden was fantastisch.' Ze keek naar het verlaten podium, naar de plek waar Holden had opgetreden. 'Is dit… zingt hij vaak?'

Tracy sloeg haar armen over elkaar en wenste vurig dat haar versnelde hartslag weer normaal werd. 'Pas sinds hij Ella heeft teruggevonden.'

Suzanne sloot haar ogen en begon zacht te snikken.

Tracy legde haar hand op de schouder van haar vroegere vriendin. 'Hij is... hij hield altijd al van muziek.' Opeens realiseerde ze zich dat Suzanne dat al wist. 'Maar dat weet je natuurlijk nog wel. Ella en hij zongen en dansten altijd de hele middag.'

'Ja.' Suzanne deed haar ogen open. Haar lip trilde en haar ogen waren vochtig. Toch glimlachte ze. 'Dat weet ik nog.'

'Maar vandaag hebben we hem voor het eerst zo horen zingen. De laatste keer was toen... toen hij drie was.'

Suzanne deed een zwakke poging om haar schouders op te halen. Ze zag eruit alsof ze zou flauwvallen – de ochtend had emotioneel veel van haar geëist. 'Het is een wonder. Ik ben blij dat ik erbij was... dat ik het heb kunnen meemaken.'

Vragen bestormden haar en Tracy moest haar best doen zichzelf te beheersen. Waarom had het zo lang geduurd voordat ze met elkaar in gesprek waren gegaan? En waarom waren Suzanne en Randy zo geschrokken van Holdens autisme dat ze zich niet meer bij hen hadden laten zien? Was het alles wat ze waren kwijtgeraakt waard geweest? Maar Tracy schonk geen aandacht aan alle vragen die haar bestormden. Zolang God wonderen verrichtte, kregen ze misschien later nog de tijd voor die gesprekken. Nerveus probeerde ze te bedenken wat ze nu verder nog moest zeggen, want het mocht niet iets zijn wat verkeerd landde. 'Ik neem aan dat Ella je het een en ander heeft verteld... over haar en Holden.'

'Ja.' Twee tranen spatten op Suzannes wang en ze veegde ze met de rug van haar hand weg. Terwijl ze dat deed, werd duidelijk dat ze stond te trillen. Dit was voor Suzanne een moeilijker moment dan voor Tracy. 'Ella zegt dat hij heel belangrijk voor haar is geworden.'

'De veranderingen die Holden heeft ondergaan, zijn voor het merendeel aan Ella te danken.'

Tracy's hart zwol toen ze zich voor de geest haalde hoe

Holdens lieve vriendin naar een manier had gezocht om weer deel uit te maken van zijn leven. 'Ze is een heel... heel bijzonder meisje.'

Er werden weer schouders opgehaald en er kwamen nog meer tranen. 'Ik weet eigenlijk niet of dat zo is. Ze... ze praat niet met me.'

Het duurde even voordat Tracy begreep wat Suzanne had gezegd. Praatte Ella niet met haar moeder? Tracy had er erg over ingezeten waar het gesprek naartoe zou gaan, en of het zou uitlopen op een nieuw begin of een afsluiting, maar dat was nu allemaal niet belangrijk meer. De eerste indruk die Tracy van haar vriendin had was precies goed geweest. Suzanne had het moeilijk. Lang geleden had Tracy al geleerd dat het niet goed is om op een moment als dit vragen te stellen. Ze legde haar hand op Suzannes knokige schouder en zei op meelevende toon: 'Ik vind dat heel erg voor je. Ik... ik wist dat niet.'

Het leek er even op dat Suzanne haar tas en haar trui zou pakken en de sporthal uit zou stuiven, voordat ze nog meer bijzonderheden over haar leven kon spuien. Maar in plaats daarvan keek ze Tracy aan, en voor het eerst sinds het gesprek was begonnen had ze dezelfde uitdrukking in haar ogen als toen ze tieners waren. Zo sterk was de band tussen hen.

'Randy... die is nooit thuis. Zijn carrière staat op het spel. We praten niet met elkaar... hebben niets meer gemeen.' Ze snoot haar neus en hield een hele poos haar hand voor haar ogen. Toen ze de hand liet zakken, zag ze er nog radelozer uit. 'De kinderen weten dat en ze... ze hebben medelijden met me. De jongens in ieder geval. Ella denkt dat het me niet kan schelen omdat... omdat ik alleen maar bezig ben met een goede vrouw voor Randy te zijn.' Haar tranen droogden op en ze klonk bijna als een robot. Alsof het verdriet waarmee ze dit toegaf zo groot was, dat ze niet kon toestaan dat het tot haar hart doordrong. Dat zou haar dood kunnen zijn.

Tracy luisterde naar ieder pijnlijk woord en hield zich stil.

'Neem me niet kwalijk.' Suzanne leek zich te realiseren hoe vreemd het was dat ze dit nu allemaal vertelde, gezien het feit dat ze elkaar jarenlang niet hadden gezien. 'Dit is niet het goede moment hiervoor.'

'Het tijdstip is prima.' Tracy verbrak het oogcontact niet. 'Er moet toch een reden voor zijn dat we nu allebei hier zijn?'

Suzanne knikte en een doffe blik maakte haar ogen donkerder. 'Ik vul mijn dagen met oppervlakkigheden, Tracy.' Ze huiverde, alsof de kans groot was dat ze hier in de sporthal een paniekaanval kreeg. 'Met niets dan oppervlakkigheden. Daarmee bedoel ik dat ik de hele dag doorbreng in het fitness- of in het winkelcentrum en tussendoor mijn haar, nagels en gezicht laat verzorgen. Ik krijg botoxinjecties en ik draag haarextensies en nóg...' Ze schudde haar hoofd en heel even was er op haar vreemd wezenloze gezicht een pijnlijke trek waarneembaar. 'En nóg is het niet genoeg. Het is nooit genoeg. Hij keurt me geen blik waardig.' Haar stem brak en ze sloeg haar armen strak om haar middel. Op een fluistertoon sprak ze verder. 'Ik weet niet hoe ik in deze situatie terechtgekomen ben, Tracy. Ik weet ook niet hoe ik er verandering in moet brengen. Ik wil maar zeggen... ik weet niet hoe ik meer kan zijn dan Randy Reynolds' vrouw.'

Lang geleden was Tracy iemand geweest die de eerste de beste oplossing die haar op een moment als dit te binnen schoot, gespuid zou hebben. Maar in de jaren dat ze samen met Holden een gezin had gevormd, had ze geleerd niet meteen in actie te komen en God de gelegenheid te geven om gebroken, gekwetste mensen te leiden. Ze kneep even zachtjes in Suzannes hand. 'Wat zegt Randy?'

'Niet veel.' Ze staarde in de verte, alsof ze haar man voor zich zag. 'Hij blijft met me getrouwd, maar... dat is slechts voor de vorm. Hij kan me iedere dag laten weten dat hij de scheiding heeft aangevraagd.' Ze keek Tracy nu weer aan. 'Zo groot is de afstand tussen ons geworden.'

Tracy hoefde niet te vragen of Suzanne en Randy nog steeds naar de kerk gingen, nog steeds samen baden en in de Bijbel lazen, zoals ze hadden gedaan toen ze met hun vieren optrokken. Ze hadden alle vier een moeilijke tijd achter de rug. Iedereen zou het erover eens zijn dat Tracy en Dan het erg zwaar hadden gehad. Hun gezonde jongetje was verdwenen in een wereld van stilte. Maar tot op dit moment had Tracy er geen idee van gehad hoeveel Suzanne in de loop der jaren was kwijtgeraakt.

'Misschien… misschien kunnen we maandagochtend samen koffiedrinken. Er is vlak bij mijn werk een vestiging van Starbucks. Ik hoef pas om elf uur te beginnen.'

Suzanne scheen zich te realiseren dat zij geen enkele vraag had gesteld over Tracy's leven. Ze wist niet waar Tracy woonde en ook niet wat ze deed. Ze had alleen maar voor de hand liggende opmerkingen gemaakt over Holden. 'Waar werk je?'

'Walmart.' Ze noemde het adres en hield Suzannes blik vast om te zien hoe ze hierop reageerde. Ze toonde niet echt medelijden, maar ongetwijfeld vond ze het niet prettig dat het gesprek deze wending had genomen. Tracy had dat verwacht en het deed er niet toe. Ze schaamde zich niet voor haar baan, en ook niet voor het feit dat Suzanne en zij tot verschillende inkomensgroepen behoorden. Haar collega's op het werk waren aardig en haar baas bleef voor Holden bidden. Wat rijke mensen er ook van dachten, Tracy hield van Walmart. Het bedrijf zorgde dat de kosten voor gezinnen als dat van haar laag bleven, en ze was blij dat ze er mocht werken.

Suzanne knikte. Sinds de laatste keer dat ze samen waren geweest, was er enorm veel voor hen beiden veranderd. De afwezige blik in haar ogen leek erop te wijzen dat ze dat allemaal probeerde te verwerken. Voor de eerste keer sinds ze met elkaar in gesprek waren geraakt glimlachte Suzanne. Het was niet de gemaakte glimlach die ze waarschijnlijk de hele dag toonde, maar de aarzelende, scheve glimlach van iemand die bijna ten onder is gegaan aan gevoelens van spijt. 'Ja, het lijkt me leuk om samen koffie te gaan drinken.' Ze pakte haar tas en haar trui en haalde haar telefoon tevoorschijn. 'Welke vestiging van Starbucks is het?'

Tracy vertelde het haar en zij omhelsden elkaar nog een keer. Voordat Suzanne wegliep, aarzelde ze nog even. 'Het is verkeerd geweest... dat ik afstand schiep.' Haar stem klonk weer schor; haar onverwerkte gevoelens kwamen zo dicht aan de oppervlakte. 'Dat moest ik even zeggen.'

'Ik had kunnen bellen.' Tracy wist niet goed waar deze nieuwe poging om contact te leggen met Suzanne uiteindelijk op zou uitdraaien, maar ze zou iedere dag bidden of God er gebruik van wilde maken. Ze liet zich niet afschepen, ze wilde Suzanne laten horen dat ze het echt meende. 'We hebben allemaal verliezen geleden, maar we kunnen niet achterom blijven kijken. Daar is het te laat voor.'

Suzanne wilde nog iets zeggen, maar uiteindelijk knikte ze alleen maar en wendde zich af. Haastig liep ze in de richting van de uitgang, alsof ze ieder moment kon instorten en er dan niets anders van haar overbleef dan een huilende mislukkelinge midden in de sporthal van het Fulton.

Tracy keek haar na, en opeens zag ze alles wat er die ochtend was gebeurd weer in sneltreinvaart aan zich voorbij trekken. Het afscheid van Michael... Ella's wanhopige smeekbede... Susan en haar fluit... en Holden. Hoe haar lieve Holden had gezongen en Dan naast haar had zitten huilen. En nu de afspraak met Suzanne Reynolds om samen koffie te gaan drinken. Even kon Tracy niets anders doen dan zich over dat alles verwonderen. Diep in haar hart was ze zich ervan bewust dat God, en God alleen, op die manier overal om haar heen aan het werk was. Ella had gelijk gehad. Je kon op veel manieren opgesloten zitten. En het was nu wel duidelijk dat God niet alleen in Holden – die niet meer helemaal in zichzelf zat opgesloten – een wonder verrichtte.

Hij was in hen allemaal een wonder aan het verrichten.

29

Dan nam aan het eind van de week contact op met zijn kapitein om hem het nieuws te vertellen. Hij kwam niet terug. Hij had gesolliciteerd naar een baan op de afdeling onderhoud van de scholen in het district, en hij was al uitgenodigd voor een gesprek. Naar wat hem was verteld was het een veelbelovende baan. De verdiensten waren niet zo goed als ze op zee voor de kust van Alaska konden zijn, maar er kwam regelmatig een vast bedrag binnen. Daardoor kon hij thuis blijven bij Tracy en Holden.

Niet dat het nu gemakkelijker was om thuis te zijn dan vroeger. De veranderingen die ze bij hun zoon zagen optreden, hadden zich namelijk nog niet voorgedaan in gesprekken tussen hen tweeën. Holden zei af en toe iets tegen Tracy, maar meestal neuriede of zong hij. Soms danste hij.

De vakantie was binnen een mum van tijd voorbij. Eerste Kerstdag was alleen maar bijzonder omdat Tracy en hij tot diep in de nacht opbleven, fotoalbums doorbladerden en over voorbije jaren praatten. 'Hij wil nog steeds niets tegen me zeggen.' Dan vond het vervelend toe te moeten geven dat hij dit frustrerend vond. God zorgde er per slot van rekening voor dat Holden weer enigszins de oude werd. Maar Dan wilde dat Holden helemaal weer werd zoals hij de eerste drie jaar van zijn leven geweest was.

'Dat komt nog wel.' Tracy legde haar hand over die van hem. Jarenlang had ze dagelijks strijd geleverd om te zorgen dat Holden naar therapie ging. Dat was ze blijven doen zonder dat ze ook maar het minste of geringste teken van hoop bespeurde. Daarmee en met de rust en de kracht die ze uitstraalde, had ze meer verdiend dan zijn respect. Hij was weg van haar, en dat gevoel werd met iedere dag die verstreek intenser.

'Als je thuisblijft... Daar doe je goed aan.'

Ze had nooit geklaagd, nooit kritiek op hem gehad, maar die avond liet ze toe dat even in haar ogen te zien was hoe eenzaam ze was geweest. 'Je had eigenlijk eerder weer naar huis moeten komen.'

'Dat weet ik.' Dan legde zijn onderarmen op zijn knieën. De afstand tussen hem en Holden deed nu nog evenveel pijn als toen de jongen vier jaar oud was. Voordat de diagnose was gesteld, had Dan zich voorgesteld dat ze van alles samen zouden doen: trektochten maken, kamperen, scouting en sporten. Op talloze manieren zou er in de loop der jaren een hechte band gesmeed worden tussen hem en Holden. Maar het autisme had alle dromen teniet gedaan, er waren helemaal geen vader-zoonmomenten geweest. Dan schudde zijn hoofd. 'Maar Holden had mij eigenlijk niet nodig. En ook nu heeft hij me niet nodig.'

'Dan...' Met opgetrokken wenkbrauwen keek ze hem onderzoekend aan. 'Ik heb jou nodig.'

Iets aan de manier waarop ze die vier woorden zei, wekte diepgaande schuldgevoelens bij hem op. Van verbazing ging hij rechter overeind zitten. 'Waarom zou je bij me blijven?' Hij keek haar aandachtiger aan, terwijl hij naar antwoorden zocht die hij misschien nooit zou vinden. Opeens kwam de gedachte bij hem op dat zijn afwezigheid even zwaarwegend moest zijn geweest als zo'n visfuik die ze iedere dag op zee in de oceaan hadden neergelaten. Tracy had gelijk. Het ging nu niet om zijn rol als Holdens vader. Wat voor echtgenoot was hij geweest? 'Je had eigenlijk al lang geleden bij me moeten weggaan.'

'Nee.' Een lach vermengd met geduld en volharding, moed

en bezorgdheid vulde haar ogen. 'Als er liefde in het spel is, ga je niet weg.'

Ze hadden dit gesprek een maand geleden moeten voeren, toen Dan voor het eerst naar huis was gekomen. Maar hij was te bang geweest om dit ter sprake te brengen, te bang voor wat hij te horen zou krijgen als hij dat deed. Maar nu kon hij zich niet meer inhouden. 'Jij... jij moest alles zelf doen. Holden bezighouden... meegaan naar afspraken en therapie.' Hij kreeg een afkeer van zichzelf. 'Ik heb je nergens mee geholpen.'

'Je hebt wel geholpen.' De elektrische open haard in het appartement knetterde op de achtergrond. Holden en Kate sliepen al uren, maar zij waren nu voor het eerst vandaag alleen. Tracy legde het fotoalbum op de salontafel die vlak bij haar stond, en schoof dichter naar hem toe. 'Je hebt gedaan wat je kon.'

'Al die dagen dat je alleen met hem was en... Dat was gewoon... Ik had hier moeten zijn.'

'Ja.' Ze legde haar hand tegen zijn gezicht. 'Maar dat is geweest. Je bent hier nu en ik houd van je. Jij houdt ook van mij en God zorgt ervoor dat Holden weer de oude wordt.' Ze lachte weer. 'Wat kan er verder nog belangrijk zijn?'

'Jij.' Hij nam haar in zijn armen. 'Alleen jij, Tracy, doet er nu nog toe.' Ze kwamen overeind, zetten de open haard uit, deden het licht uit en liepen zachtjes naar hun slaapkamer. Daar maakten ze het gesprek af. Later die avond viel Dan in slaap nadat hij God had gedankt voor zijn vrouw en zichzelf en God een belofte had gedaan. Hij zou Holden de aandacht geven waar hij recht op had, ook als hij er niets voor terugkreeg. Dat was wel het minste wat hij kon doen.

Terwijl de winter ten einde liep en alles weer begon uit te botten kwam Dan zijn belofte na. De repetities voor de schoolmusical hielden pas een uur na schooltijd op nu de opvoering steeds dichterbij kwam. Dan nam de taak op zich om

Holden van school te halen. De eerste keer probeerde Dan een gesprekje met hem aan te knopen door vragen te stellen en opmerkingen te maken over de rit naar huis. Maar Holden keek alleen maar uit het raam en deed zijn mond niet open. Het liefst had Dan toen de eerstvolgende vlucht terug naar Alaska genomen. Maar hij verzette zich tegen die aandrang en de volgende dag maakte Dan minder opmerkingen en stelde slechts een enkele vraag. Toen, halverwege de rit naar huis, kwam er een doorbraak.

Na een paar minuten stilte draaide Holden zich naar hem toe. 'Pa?'

Dan liet het gaspedaal los en wierp een blik op Holden. Als zijn zoon hem niet recht had aangekeken, zou hij ervan overtuigd zijn geweest dat hij het zich had verbeeld dat Holden hem had aangesproken. Maar Holden wachtte onmiskenbaar op een reactie en daarom stopte Dan in de berm van de weg. Als hij zo dadelijk voor het eerst in vijftien jaar met Holden een gesprek ging voeren, wilde hij niet dat hem er ook maar één moment van ontging.

Toen de auto op een veilige plek geparkeerd stond, ging Dan zo zitten dat hij Holden recht kon aankijken. Hij dacht erover de radio uit te zetten, maar hield zich in. Muziek was altijd goed voor Holden. Dan zette hem alleen maar een beetje zachter, zodat ze elkaar goed konden verstaan. 'Je weet hoe ik heet, Holden.' Hij kneep zijn ogen tot spleetjes, omdat hij de afgelegen plek probeerde te zien waar Holden zich schuil had gehouden.

'Pa.' Holden knipperde met zijn ogen. 'U heet pa.' Hij keek neer op zijn handen en verstrengelde zenuwachtig en onzeker zijn vingers met elkaar. Een poosje later herinnerde hij zich kennelijk wat hij had bedacht, want hij keek Dan weer aan. 'Pa?'

'Ja, Holden?' Zijn hart bonsde tegen zijn ribben. *Hij praat tegen me, God. Zorg alstublieft dat hij ermee doorgaat.*

‘Mam zei dat u aan het vissen was.’ Het klonk monotoon en het ritme was niet helemaal normaal, maar dat deed er niet toe.

Er schoten allerlei gedachten door Dans hoofd. ‘Aan het vissen? In Alaska, bedoel je?’ De schuldgevoelens sloegen als een reuzengolf over hem heen. ‘Ja, dat klopt. Ik was aan het vissen.’

Holden wiegde een paar keer van voor naar achter en hij keek weer uit het raam. Was dat alles? Was hij weer verdwenen in zijn eigen wereldje? Dan wist niet goed wat hij moest doen, of hij nog een paar vragen moest stellen of afwachten. Maar als hij al iets op zee had geleerd dan was het geduld oefenen en daarom wachtte hij af.

Een halve minuut later keek Holden hem weer aan en begon te zingen. Ze waren allebei bang en onvoorbereid, zei hij in het lied.

Was dit de manier waarop Holden nu tegen hem praatte? In een lied? Dan ging steeds meer van zijn zoon houden. Wat voor andere mensen geen enkel probleem was, was zeer pijnlijk voor mensen met autistische spectrumstoornissen. Met muziek had Holden minder problemen en daarom zong hij soms. Dat was toch wat Tracy tegen hem had gezegd? ‘De woorden hebben altijd iets te betekenen,’ had ze gezegd. Wat voor woorden had hij ook alweer gebruikt? Het waren woorden uit het lied dat hij moest zingen in de musical *Belle en het Beest*.

Maar wat wilde Holden er nu eigenlijk mee zeggen? Dat deze manier van communiceren nieuw voor hem was en behoorlijk angstaanjagend? Bedoelde hij dat? Dan vergat bijna adem te halen. Hij wilde niets zeggen of doen waardoor Holden zich weer in zichzelf zou terugtrekken, maar het kostte hem grote moeite om stil te blijven zitten. Hij wilde de jongen beetpakken, hem knuffelen en hem vasthouden, zodat hij niet weer kon verdwijnen. In plaats daarvan wachtte hij af.

Het duurde een poosje voordat Holden hem weer aankeek. 'Pa?'

'Ja, Holden?'

'En… pa… hoe was het vissen?'

Van het ene op het andere moment stroomde zijn hart vol blijdschap. Zijn zoon praatte tegen hem! Hij spuide niet alleen maar liedteksten of zinnetjes die niets met elkaar te maken hadden, nee, hij praatte. Hij begreep dat Dan in de tijd dat hij van huis was geweest op zee had gezeten, en hij wilde weten hoe het vissen was geweest. Dan gaf snel antwoord. 'Het vissen was leuk. Ze betaalden me ervoor, Holden. Het was mijn werk.'

Holden wiegde even van voor naar achter. 'Eeuwenoud verhaal…' Toen bracht hij zijn handen naar zijn kin en liet zijn ellebogen op en neer gaan. Maar dat deed hij maar een paar keer, toen leek het erop dat hij zich inhield. 'Ik kan op deze manier bidden.' Hij legde zijn handen gevouwen op zijn knieën en keek erop neer. 'Ik kan ook op deze manier bidden, pa.'

'Ja, je kunt bidden zoals je zelf wilt, Holden.'

'Op deze manier.'

'Ja.'

Holden bleef zo zitten. Misschien baden hij en Dan wel om hetzelfde: dat dit kostbare, onbeholpen gesprek een begin zou zijn. Het digitale klokje op het dashboard tikte weer twee minuten weg, voordat Holden zijn hoofd ophief. Deze keer keek hij Dan niet aan. 'We hebben film gekeken zonder u. In de woonkamer hebben we film gekeken.' Hij keek Dan heel even aan. 'Zonder u.'

Dan paste de stukjes in elkaar en besefte dat Holden wist waar hij het over had. Zijn zoon wist wie hij was en waar hij was geweest, en dat hij eigenlijk thuis had moeten zijn. De puzzel had nog nooit zo'n duidelijk beeld opgeleverd.

Holden had hem nodig.

Dan werd misselijk toen hij zich dat realiseerde, alsof hij een vrije val maakte vanaf het dek van een schip van twintig verdiepingen. Uiteindelijk zei hij het enige wat hij kon zeggen. 'Dat is nu niet meer zo, Holden. Ik kijk samen met jou film.'

Dat was waar. Dan probeerde Tracy te ontlasten en goed te maken dat hij zo vaak dingen had gemist. Het vaste programma dat Holden 's middags altijd afwerkte, behoorde tot zijn taak of die van hen allebei, maar Dan had nog geen dag overgeslagen. Hij was door het schoolbestuur in dienst genomen, maar hij werkte maar tot drie uur. Na die tijd was hij beschikbaar voor Holden. Beschikbaar om film te kijken.

Holden knikte. Het kon ook zijn dat hij weer van voren naar achteren wiegde. 'Maar iedere keer... het geroffel kwam telkens weer en u was weg.'

Dan pijnigde zijn hersens. Hierover had Tracy het nooit gehad. 'Geroffel?'

'Ja, en push-ups.' Dat wist hij, dat Holden push-ups deed als hij van streek was. 'Je... je hebt een heleboel push-ups gedaan, Holden.'

Hij wiegde een paar keer van voor naar achter en keek uit het raam. Vijftien seconden, dertig... een minuut. Dan wachtte af.

'Push-ups.' Holden keek hem recht aan. 'Dat kwam door "Goed zo, Holden, houden zo. Zo druk je je op. Als je ouder bent, zul je alleen je rug recht houden."' Hij haalde snel even adem. '"Als je dat kunt doen terwijl je pas drie bent, kun je alles doen wat je wilt. Echt alles, Holden. Van het opdrukken zul je net zo groot en sterk worden als ik, jochie. Goed zo. Ga zo door en niemand zal je ooit nog lastig vallen."'

Dan was zo geschokt, zo verbijsterd dat hij geen woord kon uitbrengen. Hij wist het niet helemaal zeker, maar hij had het idee dat zijn zoon daarnet letterlijk tegen hem had gezegd wat hijzelf tegen Holden had gezegd toen zijn zoon drie was. Hij had Holden meegenomen naar het fitnesscentrum en hij had daar een aantal push-ups gedaan. Toen hij opstond, zag hij dat Holden met zijn kontje hoog in de lucht een poosje zijn uiterste best deed om na te doen wat hij Dan had zien doen.

En nu…

Hij stond nog steeds perplex. Wilde Holden zeggen dat… dat… 'Dus toen ik er niet was… deed je push-ups… als je in de problemen kwam.' Hij voelde zich licht in het hoofd. 'En dat kwam door mij?'

'Push-ups.' Holden knikte langzaam. 'Omdat u aan het vissen was.'

Al die tijd? De tranen in zijn ogen maakten dat Dan niets kon zien. Holdens push-ups hadden dus al die tijd een betekenis gehad. Ze gaven hem het gevoel dat hij dichter bij zijn vader was. De vader die aan het vissen was. 'Dat spijt me heel erg, Holden.' Hij kon de woorden nauwelijks over zijn lippen krijgen, maar hij moest dit zeggen. Hoe moeilijk het ook was. 'Ik wist niet dat je me miste.'

Holden keek alsof hij iets wilde zeggen, maar in plaats daarvan keek hij Dan weer aan en glimlachte. Het was een glimlach die Dan herkende, omdat het driejarige jongetje dat hij vele jaren geleden was kwijtgeraakt zo had geglimlacht. Holden neuriede een paar seconden iets en begon toen zachtjes te zingen. De tekst ging over thuis zijn waar je hart woont. Ook hier in de auto klonk zijn stem helder en krachtig. Het leed geen twijfel dat de jongen goed kon zingen.

Dan dacht na over de betekenis van de tekst en hij glimlachte. 'Dat is waar, jongen. Thuis is waar je hart woont.'

'Pa?'

'Ja, Holden?'

'U kunt nu wel weer doorrijden, pa.'

Dan aarzelde even en begon toen te grinniken. 'Dat zal ik doen, jongen. Laten we naar huis gaan, naar je moeder.'

'En naar de film.'

'Ja.' Dan startte de auto en voegde in. 'En naar de film. Die mogen we niet vergeten.'

*

Tracy bewaarde een foto die ze nog nooit aan iemand had laten zien, zelfs niet aan Dan. Op de foto stond Holden, net drie geworden, een paar weken voor het bezoek aan de dokter. De arts had hem een hele reeks vaccinaties gegeven en Holden was daarna zo veranderd dat uiteindelijk de diagnose autisme werd gesteld.

Op de foto hield Holden een paardenbloem vast, zijn ogen vrolijk en alert, zijn lach vol liefde en ongegeneerde charme. De bloem was voor haar geweest. Holden had deze geplukt tijdens een uitstapje naar het park, en hij was ermee naar haar toe gerend terwijl hij riep: 'Mama! Mama, kijk eens wat ik voor u heb gevonden!' Tracy had haar fototoestel uit haar tas gehaald en haar hand opgestoken.

'Blijf even staan, Holden. Mama wil een foto van je maken.'

Holden had toen onbeschaamd even naar haar gelachen. *Hij breekt wel honderd harten voordat hij de ware vindt*, had Tracy bij zichzelf gedacht.

Tegen de tijd dat ze het fotorolletje had laten ontwikkelen, was Holden een ander kind dat de gewoonte had rijtjes te maken van zijn autootjes, zijn speelgoed en zijn bouwblokjes. De een achter de ander. En wanneer ze iets tegen hem zei, keek hij haar niet aan en weigerde te reageren. Tracy zag haar zoon voor haar ogen wegglijden, en begon te twijfelen of Holden eerder wel heel mededeelzaam was geweest.

Als ze naar hem toe liep en zijn schouder aanraakte, wendde hij zich alleen maar met een ruk af, alsof de aanraking hem pijn deed. Hetzelfde gebeurde als Dan en zij hem probeerden op te tillen om hem naar bed te brengen. Dan schopte en stribbelde hij tegen en schreeuwde zo hard als hij kon. Vanaf het begin bleek alleen muziek te kunnen zorgen voor de enige rust in een voortdurend woedende storm.

In die eerste maand van een nachtmerrie waaraan nu pas een eind leek te komen, reed Tracy naar het winkelcentrum om de foto's die ze die zomer had gemaakt op te halen. Ze bekeek ze zittend in haar auto. Toen ze aankwam bij de foto waarop Holden stond met de paardenbloem, stortte Tracy voor het eerst sinds hij hen begon te ontglippen, in en huilde.

Het jongetje op de foto was uit hun leven verdwenen, alsof iemand 's nachts hun huis was binnengestormd en hem had ontvoerd. Op zich hadden ze nog steeds een kind in huis dat eruitzag als Holden, rook als Holden en in Holdens kamer sliep, maar wat Holden Holden maakte was na die zomer verdwenen. Het enige bewijsstuk dat hij ooit had bestaan, was de foto.

Holden met de paardenbloem.

Tracy bewaarde de foto in een envelop in haar bovenste la, weggestopt onder een stapel korte zomerbroeken en T-shirts. Ze keek er niet vaak naar, alleen maar op momenten dat ze Holden erg miste. Ze miste hem dan zo erg dat ze bijna geen adem meer kon halen zonder dat ze een paar minuten met het jongetje dat hij destijds was geweest alleen kon zijn.

Deze week zou de generale repetitie van *Belle en het Beest* plaatsvinden. De première was op de tweede vrijdag van maart, over een kleine week. Dan was vertrokken om Holden op te halen en dat betekende dat Tracy nog een uur alleen zou zijn. Ze had al een paar keer met Suzanne afgesproken om koffie te gaan drinken, en de laatste paar weken zelfs om samen in de Bijbel te lezen. Het was nog niet zo dat ze weer even dikke vriendinnen waren als vroeger, maar het ging weer die kant op. Suzanne had voor vandaag een afspraak met Randy, om over hun huwelijk te praten. Tracy bad al de hele dag voor haar.

Behalve wanneer ze aan Holden dacht. Holden praatte nog steeds op een eigenzinnige, vormelijke manier, wat bij lange na niet was zoals ze het graag zagen. Maar nu hij steeds beter met hen communiceerde vroeg Tracy zich af en toe af wat er van haar zoon terecht zou komen.

Een jaar geleden had ze nog gedacht dat hij altijd bij haar zou blijven, omdat hij niet kon werken en ook niet voor zichzelf kon zorgen. Maar sinds kort liet hij zien dat hij meer dingen zelf kon, zoals zijn tanden poetsen en flossen en zijn eigen spullen opruimen. Hij had vanochtend zelfs een boterham met pindakaas klaargemaakt. Betekende dat dat hij naar de universiteit zou willen en daarna een baan zou willen zoeken en op zichzelf zou gaan wonen? En hoe zou het verder gaan met zijn vriendschap met Ella? Tracy en Suzanne hadden ooit, in een ver verleden, op luchtige toon tegen elkaar gezegd dat Holden en Ella een leuk stel vormden, en daar grapjes over gemaakt. Maar Ella keek niet op die manier naar Holden, en Tracy was ervan overtuigd dat Holden naar Ella keek zoals hij had gedaan toen hij drie was. Ze was zijn beste vriendin, maar niet meer dan dat. Al vertoonde Holden minder ernstig autistisch gedrag, hij was nog steeds niet op één lijn te stellen met andere jongeren van zijn leeftijd.

Die middag kon Tracy het voor het eerst sinds Kerst geen dag langer, geen uur langer uithouden zonder dat ze de foto bekeek. Slaperig na een schooldag zat Kate naar een SpongeBob-video te kijken. Tracy liep onopvallend naar haar slaapkamer, trok de bovenste la van haar ladekast open en haalde de envelop tussen de kleding en de ruwe houten bodem uit. De envelop was ondertussen vergeeld en in de flap zaten een paar scheurtjes. Ze maakte de envelop open en haalde de foto eruit. Hij was enigszins verbleekt, maar Holdens glimlach deed nog steeds de verstarde beelden oplichten en zijn ogen dansten ook nog even levendig als destijds het geval was geweest.

Wat was er gebeurd? Was het door de vaccinaties gekomen, zoals sommige mensen geloofden? Of door iets wat in het eten had gezeten? Ze had specialisten tegen ouders horen zeggen dat ze geen paniek moesten zaaien over de inentingen die kinderen kregen. De vaccinaties beschermden de kinderen per slot van rekening tegen dodelijke ziekten. Maar de laatste tijd ging men ervan uit dat het waarschijnlijk beter was om er niet zo veel in één keer toe te dienen. In 1989 was er verandering gekomen in het vaccinatieprogramma; het was agressiever geworden. Misschien te agressief voor sommige kinderen – voor kinderen als Holden. Daar was moeilijk achter te komen.

Tracy liet de gedachte vervagen. Het deed er niet meer toe wat de reden was geweest of wie verantwoordelijk was voor het wegkapen van Holdens individualiteit. Het was gebeurd. De foto was er het bewijs van. Tracy hield hem iets dichter bij haar gezicht. 'Ik mis je verschrikkelijk, Holden,' fluisterde ze. Ineens hoorde ze achter zich voetstappen.

'Tante Tracy?' Kate stond achter haar. Haar blauwe ogen leken sprekend op die van Holden; ze keken even alert en levendig de wereld in als ooit bij Holden het geval was geweest.

'Hallo, schatje.' Ze liet de foto zakken. 'Is je film afgelopen?'

'Hij is saai.' Ze lachte even onweerstaanbaar. 'Ik wil liever dansen.' Ze keek om Tracy heen naar de foto. 'Dat deed Holden vroeger toch ook vaak? In de film doet hij bijna niets anders dan dansen.'

'Dat is waar.' Tracy wist niet goed of ze de foto weg moest leggen of ermee moest wachten tot Kate uitgesproken was. Ze had de foto nog nooit aan iemand anders laten zien, en het leek vreemd om dat nu wel te doen. Dat zou te vergelijken zijn met een invasie in de wereld waar alleen zij en haar zoon nog maar vanaf wisten.

'Wat is dat voor foto?' Kate kwam dichterbij en boog haar bruine gezichtje over de foto. 'Is dat Holden?' Ze keek op naar Tracy. 'Dat jongetje lijkt op de Holden uit de films.'

Tracy aarzelde, maar dat duurde slechts een moment. Ze moest niet zo raar doen. Wat gaf het als ze de foto aan Holdens nichtje liet zien? 'Ja, Kate, het is Holden toen hij drie was.'

Ze ging op haar tenen staan. 'Laat eens kijken, tante Tracy.'

Tracy hield de foto dichter bij Kate. 'Hij geeft me daar een paardenbloem.'

'O.' Kate grinnikte. 'Ik vind paardenbloemen mooi. Ze zijn geel.'

'Dat klopt.'

Kate bekeek de foto nog eens goed. 'Ja,' knikte ze. 'Dat moet Holden zijn. Dat jongetje heeft precies dezelfde ogen.'

Tracy wilde zeggen dat ze het daar niet mee eens was. Ze keek eerst naar de foto van haar zoon en toen naar Kate. 'Vind je?'

Kate knikte. 'Als je heel goed naar Holden kijkt heeft hij precies dezelfde ogen. En hij vindt dansen nog steeds leuk.'

'Is dat zo?' Kate was nog maar een paar maanden bij hen in huis, maar dankzij haar lieve karakter en argeloze bezorgdheid voor Holden, wist ze al precies wat ze aan haar neef had. Haar aanwezigheid deed Holden ongetwijfeld goed. Tracy had het idee dat de twee vaker met elkaar praatten dan ook maar iemand wist. 'Hoe weet je dat, Kate? Dat hij dansen nog steeds leuk vindt, bedoel ik?'

Kate giechelde. 'Dat heeft hij mij verteld. Hij danst met Ella als hij de Prins is.'

'O.' Dat had Tracy moeten weten. 'Heeft hij jou dat verteld?'

'Tuurlijk. Hij vertelt me alles.' De foto had voor Kate afgedaan. 'Kom, tante Tracy.' Ze pakte haar hand. 'Laten we gaan dansen! Mijn voeten beginnen al te trappelen.'

Tracy lachte. Kates aanwezigheid deed niet alleen Holden goed, maar hun allemaal. Haar hart liep over van vreugde en daardoor vulde ze hun huis met liefde en gelach. Het leed geen twijfel dat God Kate, Ella, Dan en haar gebruikte om over Holden te waken.

Ze stopte de foto weer in de envelop en verborg hem voor de zoveelste keer onder in de la. Er waren nog meer foto's en natuurlijk de film die ze zelf had samengesteld. Op veel verschillende manieren kon ze onthouden hoe Holden als klein jongetje was geweest. Maar deze ene foto, die ze hier in haar slaapkamer verborgen hield, zou altijd bijzonder zijn. Als ze de foto in haar hand hield, kon ze nóg ruiken hoe de lucht had geroken op die zomerdag, kon ze het glinsteren zien van het zweet op het voorhoofd van het jongetje, de opwinding horen in zijn stem. Ze kon dan nog de vage geur van zijn babyshampoo ruiken en het vleugje wasmiddel in zijn korte broek en T-shirt. Een paar minuten was ze dan daar, op de plek waar ze Holden was kwijtgeraakt.

De foto was belangrijk omdat hij haar troost bood, en omdat hij haar een reden gaf om te vertrouwen dat Holden nog ergens aanwezig was. Daar hadden ze de laatste tijd glimpen van opgevangen, en Kate... Kate had er meermalen meer dan een glimp van gezien. Tracy zuchtte en verliet de kamer. Achter een huppelende Kate aan liep ze door de gang. Ja, de foto bleef waar hij lag. Tracy kon geen vermist-posters in de buurt ophangen met de vraag of iemand de Holden had gezien die ze was kwijtgeraakt. Maar ze kon wel de foto van Holden met de paardenbloem bewaren, om er voortdurend aan te worden herinnerd dat ze niet mocht ophouden met bidden dat hij weer helemaal de oude zou worden.

Of dat ze naar zijn ogen zou mogen kijken zoals Kate naar ze keek.

30

Urenlang hadden ze scènes doorgenomen en gerepeteerd met het schoolorkest. Hele middagen waren ze bezig geweest met decors schilderen en toekijken hoe de voorstelling tot leven kwam. Maar nu was het dan eindelijk zover. Ella legde de laatste hand aan haar make-up. Over een halfuur zouden ze het podium op komen voor de première.

Ze zouden dit weekend drie keer optreden, en dat was minder dan de helft van het aantal voorstellingen dat de sectie drama van het Fulton anders altijd had gegeven. Nadat meneer Hawkins met een paar hoofdrolspelers de zangnummers had doorgenomen, had hij hen aangemoedigd om hun vrienden en vriendinnen uit te nodigen, flyers uit te delen en overal in de school posters op te hangen.

'We moeten ervoor zorgen dat alle kaarten voor de première verkocht zijn.' Zijn verwachtingen waren zo te horen niet hoog gespannen. 'Het is een geweldige voorstelling. Een van de beste die we ooit hebben gegeven. Als ze naar de première komen, zullen ze de voorstelling nog een keer willen zien en het doorvertellen aan hun vrienden en vriendinnen.' Hij vertelde hoe de zaken ervoor stonden, maar hij zei er niet bij hoe belangrijk deze voorstelling voor hemzelf was. De reden daarvan was niet zozeer dat ze geld verdienden voor de school, maar dat de kans groot was dat de leerlingen zijn zwanenzang zouden zien. Dat ze het wonder zouden meebeleven dat hij zich in de loop van de maanden had zien ontvouwen. En dat ze later zouden terugdenken aan deze... aan zijn laatste prestatie als dramadocent op het Fulton.

'Als dat niet gebeurt... als ze niet komen...' Zijn ogen glinsterden. 'Dan moeten jullie dit niet persoonlijk opvatten. Het is nu eenmaal zo dat niet iedereen van theater houdt.' Hij keek alle aanwezigen in het lokaal een voor een aan. 'Maar daar wordt het niet minder grandioos van.' Hij knikte langzaam. 'En wat jullie de afgelopen maanden als team hebben gedaan is geweldig geweest.'

Ella was er vrijwel van overtuigd dat hij het nu over Holden had. Holden was het middelpunt van de musical en iedereen was naar hem komen kijken. Hij was onmiskenbaar een andere jongen dan hij aan het begin van het schooljaar was geweest. Hij praatte nog steeds niet met de andere leerlingen, maar wel met haar. De hele week had hij al uitgekeken naar de première.

'Vrijdagavond om zeven uur, hè, Ella?'

'Ja, Holden, vanavond om zeven uur.'

'Ik ben de Prins.'

Ella lachte. Ze was bijzonder gesteld geraakt op Holden, en de laatste tijd vroeg ze zich steeds vaker af of het beter met hem zou blijven gaan en hij weer helemaal normaal zou kunnen worden. Soms bleef hij naar haar kijken en leken zijn mooie blauwe ogen iets te weerspiegel: hij geloofde dat alle mensen aardig waren en dat niemand ooit gemeen tegen hem had gedaan of hem had gepest. Op dat soort momenten, als hij zo aandachtig naar haar keek dat ze zich afvroeg of hij haar gedachten kon lezen, kreeg Ella bijna het gevoel dat ze verliefd op hem begon te worden. Op deze knappe vriend die ze al kende toen ze nog een baby was.

Maar als de verbetering niet doorzette, zou hij nooit meer in haar zien dan wat hij in haar had gezien toen ze drie jaar oud waren. Een relatie was op dit moment niet aan de orde. Absurd zelfs.

Ze trok haar eerste kostuum aan, de blauwe jurk, en bekeek zichzelf in de grote spiegel. Als ze deze rol zes maanden geleden had gespeeld, zou haar acteren oppervlakkig zijn geweest. Dan zou ze de manier waarop ze Belle gestalte gaf zonder enige diepgang zijn geweest. Maar nu was ze enthousiast over het personage. Het meisje was bereid de schoonheid te zien in iemand die door alle anderen aan de kant was geschoven. Als jonge vrouw droeg ze bij aan de gedaantewisseling van een jongeman met een hart van goud.

Ja, Ella kon zich in het personage Belle inleven en ze zou de rol spelen met alles wat ze in zich had. In het geval dat *Belle en het Beest* de laatste voorstelling was die het podium van het Fulton zou opluisteren, zou men deze in ieder geval nooit vergeten.

Ze liep snel van de kleedkamer naar het lokaal vlak achter het podium, waar het een drukte van jewelste was. De jongen die Lumière speelde, had problemen met het vlammetje op zijn kandelaar en iemand plakte de wijzers van de klok vast op Tickens. Een groep moeders had aangeboden te helpen met de kostuums en een van hen had nu naald en draad in de hand. 'Het klittenband doet niet wat het doen moet. Laten we de wijzers maar gauw vastnaaien.'

Meneer Hawkins zat daar vlakbij het script nog één keer door te nemen. Het scheen hem niet op te vallen dat er problemen waren met Tickens.

'Je weet wat ze zeggen.' De jongen haalde zijn schouders op. 'Een goed begin is...' Hij keek een langslopende dorpsbewoonster aan. 'Hoe gaat het ook alweer verder?'

'Het halve werk.' Het meisje giechelde.

'Wat is half werk?' Tickens wachtte, maar niemand gaf antwoord. 'Nou ja, het zal wel. Als ik maar goed begin.' Hij lachte om zijn eigen grapje en de vrijwilligster bleef bezig met naald en draad.

'Nog twintig minuten, jongens.' Meneer Hawkins stond onder druk – dat zag je aan zijn gezicht. Maar hij zei het op vriendelijke, geduldige toon. Als dit de laatste keer was dat ze een voorstelling op de planken brachten, was hun docent even vastbesloten om ervan te genieten als de hele cast.

Ella was eraan gewend dat het vóór iedere voorstelling achter de schermen een chaos was, vooral op de avond van de première. Maar Holden wist dat niet en daarom moest ze hem zien te vinden. Ella was bang dat deze warrige toestand ervoor zou zorgen dat hij de tekst en de melodie van zijn lied vergat. Hij deed nog steeds af en toe push-ups. Een keer tijdens de generale repetitie. *Maar laat dat alstublieft vanavond niet gebeuren, Jezus... vanavond niet alstublieft.*

Ze dacht dat ze wel wist waar ze hem zou kunnen vinden. De afgelopen week had ze Holden meer dan eens aangetroffen in de ruimte waar de voorwerpen lagen opgeslagen. Helemaal alleen was hij daar dan bezig de knopen van de verschillende kostuums te tellen. Ella rende een korte gang door en duwde de laatste deur links open. Daar trof ze hem inderdaad aan.

Holden had zijn kostuum aan en zag eruit als een echte Prins. Maar hij was niet bezig knopen te tellen; hij was met een denkbeeldige partner aan het dansen. Met zijn handen voor zich uit gestoken draaide hij sierlijk in het rond. Hij bleef staan en keerde zich om toen hij haar de ruimte binnen hoorde komen. 'Première.' Hij glimlacht en zijn ogen straalden. 'Vanavond om zeven uur.'

'Ja, dat klopt.' Ze stak hem haar hand toe en Holden pakte die vast. Ze hielden tegenwoordig regelmatig elkaars hand vast. Ella ging ervan uit dat hij de aanraking nu kon verdragen omdat het hem deed denken aan hun kindertijd, toen ze ook voortdurend elkaars hand vasthielden. Verder was Holden nog steeds overgevoelig voor alles wat met zintuiglijke waarneming te maken had. Die uitdrukking was ze tegengekomen toen ze op autisme googelde. Als de zintuigen van iemand met een stoornis in het autistisch spectrum te sterk werden geprikkeld, klapte hij of zij dicht of kreeg een woedeaanval.

Holden had in dat geval de gewoonte om zich op de grond te laten vallen en push-ups te doen. Zijn moeder had haar gisteren verteld dat ze dat mysterie ook hadden opgelost. Als hij push-ups deed wilde hij zijn vader bij zich hebben. Die onthulling maakte dat ze nog meer met Holden te doen had.

Ze bleef bij de deur staan, terwijl ze elkaar nog steeds bij de hand hielden. 'Je kunt goed dansen, Holden. Je hoeft niet meer te oefenen.'

'Oefenen voor de première.' Met neergeslagen ogen knikte hij, bijna verlegen. 'Ik ben een Prins. Vanavond om zeven uur.' Hij ving haar blik en begon te zingen. 'Eeuwenoud verhaal, steeds opnieuw bedacht... Altijd zo gegaan, altijd zo geweest...'

Ontroerd nam ze de lange jongen met zijn brede schouders, gave gezicht en altijd doordringende blauwe ogen in zich op. 'Ja, Holden.' Ze glimlachte. 'Je bent beslist een prins.' Ze voerde hem mee door de gang naar het lokaal waar alle anderen waren. Hij vond het nog steeds niet leuk als hij gedwongen werd zich te haasten, en hij vond het ook niet fijn om midden in een chaos te belanden. Daarom was Ella zo wijs om met hem achter in het lokaal te gaan zitten. De rust begon weer te keren; over tien minuten zou het doek opgaan.

Op dat moment werd Ella zich van iets bewust wat haar hart deed haperen. De wanden achter het toneel waren zo flinterdun, dat je een mensenmenigte gewoonlijk goed kon horen. Als het theater nu volliep moesten ze beslist iets horen.

Maar Ella hoorde niets. Helemaal niets.

Holden liet haar hand los en schoof onrustig heen en weer op zijn stoel. Hij voelde alles vaak beter aan dan andere mensen en dit was een van die momenten. Ella stopte haar teleurstelling diep weg. 'Het wordt vast leuk, Holden. Je zult het geweldig doen.'

'Vanavond om zeven uur.'

'Ja, dat klopt, Holden. Vanavond om zeven uur.'

Zijn ouders waren er vast al en haar moeder ook. Zelfs haar vader zou zijn best doen om aanwezig te zijn. Ella glimlachte bij de gedachte dat haar ouders samen tussen het publiek zouden zitten. Haar moeder en zij hadden de laatste tijd vaker met elkaar gepraat en Ella had het idee dat ze na afloop van de voorstelling ook weer met elkaar zouden praten, maar nu had ze het daar te druk voor. Holden had recht op haar volledige aandacht. Zo dadelijk zou zijn moment om te schitteren aanbreken. En als haar klasgenoten kwamen opdagen zoals ze hun had gevraagd tijdens de herdenkingsdienst voor Michael, dan zou dat betekenen dat er vandaag voor heel het Fulton een keerpunt werd bereikt.

Ze had erover gesproken met LaShante, maar haar vriendin had niet gehoord of ze kwamen. 'Ik heb het er nog met hen over,' zei ze. 'Soms heb ik het idee dat iedereen al is vergeten wat er met Michael is gebeurd.'

LaShante ging sinds de Kerst met Ella mee naar de kerk en ze hadden allebei voor de voorstelling van vanavond gebeden.

'Ik heb een verrassing,' had ze gisteren tegen Ella gezegd. 'Ik kan je niet beloven dat er iemand naar de voorstelling komt, maar ik heb wel een verrassing.'

Verrassing of niet, Ella deed alle mogelijke moeite om de teleurstelling op afstand te houden. Als er vanavond niemand kwam opdagen, zou de voorstelling eronder lijden. Het zou het definitieve einde betekenen voor het lesprogramma van de sectie drama en voor meneer Hawkins. Misschien had God andere plannen met hen dan ze hadden gehoopt.

Holden schoof heen en weer, minder op zijn gemak dan daarnet.

Ik mag niet ontmoedigd raken, God. Holden verdient beter. Helpt U me alstublieft. Ze rechtte haar rug en de glimlach die de laatste paar minuten was vervaagd, keerde terug.

'Het komt goed, Holden. Het komt allemaal goed.'

Hij knikte, maar hij wiegde van voor naar achter zoals hij deed als hij niet zeker van zijn zaak was. Toen grijnsde hij naar haar en zong heel zachtjes: 'Twee harten beminnen, twee levens beginnen...' Alleen zij kon hem horen, vooral omdat de andere leerlingen nog druk bezig waren. Ze pakten op het laatste moment nog een onderdeel van hun kostuum, frunnikten aan hun haar of zochten naar hun voorwerpen.

'Goed zo, Holden.' Ella hield haar hoofd schuin. Voelde hij hoe onzeker ze was... hoe ze bang was dat de zaal leeg zou zijn?

In Holdens ogen flikkerde hoop op. 'Ik heb gebeden.'

'Echt waar?' Ze hield van deze jongen met zijn zuivere hart! 'Je hebt voor onze voorstelling gebeden?'

Aarzelend keek hij even in de verte. Toen schudde hij zijn hoofd. 'Ik heb gebeden voor de stoelen.'

'Voor de stoelen? In de zaal?'

'Duizenddrieënvijftig stoelen.' Zijn antwoord kwam snel. 'Ik heb gebeden voor duizenddrieënvijftig stoelen.'

'Je hebt ze geteld?' Ella probeerde zich voor te stellen wanneer Holden tijdens de repetities tijd had gehad om alle stoelen in de theaterzaal te tellen. 'Echt waar?'

'Duizenddrieënvijftig.'

Ella had hem het liefst omhelsd, en hem beloofd dat God er vast en zeker voor zou zorgen dat alle stoelen in de zaal bezet zouden zijn als hij daarvoor had gebeden. Maar ze was niet zeker van haar zaak.

'Wat goed van je, Holden. Blijf maar bidden, goed?'

Hij aarzelde en even wekte hij de indruk dat hij weer verwarder was dan hij een hele poos geweest was. Toen stond hij op, liep naar de andere kant van het lokaal, pakte zijn rugzak en nam die mee naar zijn stoel naast haar. Hij ritste hem open en begon erin te rommelen. Hij was op zoek naar zijn flitskaarten, terwijl het meer dan een maand geleden was dat hij dat voor het laatst had gedaan. Ze waren waarschijnlijk helemaal onder in de rugzak terechtgekomen, maar hij kreeg ze uiteindelijk te pakken en begon ze weer helemaal als de oude Holden te sorteren.

'Holden...'

Hij luisterde niet naar haar en liet ook niet merken dat hij haar stem had gehoord.

'Holden, je hebt die kaarten niet nodig... Je kunt het. Je kunt tegen me praten.'

Het duurde even, maar uiteindelijk hield hij op. Hij pakte er een van de stapel en stopte de rest voorzichtig weer in zijn rugzak. Toen gaf hij de kaart aan Ella.

Verbaasd pakte ze hem aan. Het was niet de kaart die ze eerder te zien had gekregen. Op deze stonden heel veel muzieknoten en in het midden een hart. Er stonden geen woorden op, maar de boodschap was overduidelijk. 'Je houdt van muziek? Bedoel je dat, Holden?'

Hij glimlacht op een verlegen manier. 'Die is voor jou, Ella. Omdat harten zijn voor liefde.'

'Liefde voor muziek?' Ze wist eigenlijk niet of ze hem wel goed begreep. Een heerlijk gevoel nam bezit van haar, maar ze wilde toch zeker weten dat ze hem goed begreep. 'Harten houden van muziek?'

'Harten...' Hij keek haar recht aan. 'Harten voor jou, Ella. Harten zijn voor liefde.' Hij verstrengelde even zijn vingers met elkaar, terwijl hij de nervositeit die vat op hem probeerde te krijgen, probeerde te onderdrukken. 'Harten zijn voor liefde.'

Ella keek naar de kaart. Die zou ze altijd bewaren op een plek waar ze hem kon zien. Omdat ze er vrij zeker van was dat niemand ooit zo veel van haar had gehouden als Holden Harris op dit moment van haar hield. Hij hield zo veel van haar dat hij zich verzette tegen zijn gevoel van onbehagen, en haar precies vertelde hoe hij zich voelde. Ze knipperde met haar ogen om de tranen terug te dringen. 'Mag ik je een knuffel geven?'

'Nee.' Hij zag waarschijnlijk in hoe ironisch zijn antwoord was, want hij lachte even nerveus. Toen pakte hij haar hand vast. 'Belle en het Beest.'

Ze glimlachte naar hem. Ze hadden vanavond niets te vrezen. De musical die ze zo dadelijk zouden opvoeren, was een feest, een viering, en het was niet belangrijk wie daarbij aanwezig was. Ze hadden gebeden om een wonder en God had hun dat gegeven in de vorm van een lied. Uit Ella's research was gebleken dat geloof niet de enige verklaring was voor het feit dat er een doorbraak optrad bij iemand die in de besloten wereld van het autisme gevangen zat. God was Holden nabij, of hij nu in zijn eigen wereldje leefde of hier bij hen allemaal. In zijn eigen wereld hoorde hij de hele dag muziek en bad hij ieder uur voor iedereen. Hij koesterde mooie herinneringen en hij had een manier gevonden om in de buurt van zijn vader te zijn, al was de man duizenden kilometers ver weg op zee.

Ja, het ging goed met Holden.

Het wonder was niet voor Holden bedoeld, maar voor de mensen die van hem hielden.

En in dit geval had God hun de muziek gegeven als een middel om Holden te bereiken. De muziek en de herinnering aan hun vriendschap in een ver verleden. Ella hield Holdens hand iets steviger vast. De vriend naast haar had haar leven veranderd. Dankzij hem zou ze nooit meer dezelfde zijn, en dat gold verder voor iedereen die vanavond naar de voorstelling kwam kijken.

Zelfs als het merendeel van de duizenddrieënvijftig stoelen niet bezet was.

*

Tracy voelde zich heel vreemd toen ze die avond met Dan van de parkeerplaats naar het theater liep. Kate was al binnen.

Ze was al eerder met de ouders van een vriendinnetje meegegaan, zodat de twee meisjes programma's konden uitdelen. Ze waren later dan Tracy wilde, maar vlak voor de voordeur bleef ze opeens stilstaan, enigszins aan de kant om geen andere mensen in de weg te lopen. Ze wendde zich tot Dan. Ze hadden allebei hun zondagse kleren aan, omdat ze zich opgedoft hadden voor een voorstelling waarvan ze niet hadden gedacht dat ze die ooit te zien zouden krijgen.

'Weet je hoe ik me voel?' Ze hield haar hoofd een beetje scheef, het koele voorjaarsbriesje danste door de lucht om hen heen.

Dan moest zachtjes lachen. 'Als je op mij lijkt, ben je doodsbang.' De lach verdween van zijn gezicht. 'Stel dat het hem niet goed af gaat... Ik vind het een afschuwelijke gedachte dat we hem misschien in verlegenheid brengen.'

'Dan...' Opeens werd Tracy rustig en ze blaakte van zelfvertrouwen. 'Hij zal precies doen wat hij doen moet. Dat is hem tijdens alle generale repetities nog gelukt.'

'Dat weet ik... maar toch.' Hij scheen zich te herinneren hoe ze het gesprek was begonnen. 'En, hoe voel je je nu?'

Ze kwam dichter naar hem toe, sloeg haar armen om zijn middel en keek hem recht aan. 'Toen we Holden kwijtraakten, had ik altijd het idee dat iemand hem ontvoerd had. Dat hij ons was afgepakt.'

Dan knikte. 'Zo voelde ik dat ook.'

'Maar we konden er geen aangifte van doen dat hij vermist was en ook niet... en ook niet naar hem op zoek gaan, omdat...' Ze merkte dat het oude vertrouwde verdriet naar boven kwam, '... omdat hij er nog was. Omdat hij recht tegenover ons aan de eettafel zat.'

Haar man raakte haar gezicht aan terwijl hij luisterde. Hij was tegenwoordig veel attenter, alsof hij ook was teruggekeerd van een plek ver buiten haar bereik. Een plek veel verder weg dan Alaska.

'Wat ik maar wil zeggen is,' Tracy probeerde de juiste woorden te vinden, 'dat ik heel vaak... vaker dan ik me kan herinneren... het verlangen heb gehad om in de auto te stappen en weg te rijden, gewoon weg te rijden. Zo ver en zo snel als ik kon, om op zoek te gaan naar de jongen die we waren kwijtgeraakt.'

Het verdriet over de verloren jaren was zo groot, dat tranen haar zicht vertroebelden. Maar ondanks haar tranen zorgde het zweempje hoop dat ze had ervoor dat haar stem haperde. 'Maar vanavond... heb ik... het gevoel dat ik hier eindelijk ga doen wat ik al die jaren al heb willen doen.' Ze keerde zich om en knikte in de richting van de ingang. Twee tranen biggelden over haar wangen. 'Door die deuren naar binnen gaan om mijn zoon te zoeken.'

*

Iedereen die een aandeel had in de voorstelling, of dat nu op het podium of achter het podium was, was er klaar voor. Nooit van zijn leven was Manny Hawkins ergens zekerder van geweest dan hiervan. Deze voorstelling mocht dan misschien wel zijn laatste prestatie zijn, maar het zou de mooiste tot nog toe worden. Daarover bestond bij hem geen enkele twijfel. De afgelopen maanden had hij geleerd hoe waardevol een leven was, en hoezeer het de moeite waard was om iets ongebruikelijks te doen.

Ja, hij had veel geleerd van Ella Reynolds en Holden Harris. Die lessen zouden hem bijblijven, lang nadat de dramalessen op het Fulton waren afgeschaft. Hij was nu in staat om lief te hebben, en om verder te kijken dan iemands uiterlijk. Ook had hij leren bidden. Niemand bad zoals Holden Harris. Al dat op en neer bewegen van zijn armen... Manny begreep nu dat Holden dan aan het bidden was. Het had hem niet verbaasd dat de meeste jongeren die een aandeel hadden in de musical eraan mee waren gaan doen. Aan het eind van een repetitie of als een scène niet goed uitpakte, gaven ze elkaar een hand en baden ze in een kring tot God, terwijl eerder niemand die de lessen drama volgde, openlijk had toegegeven dat hij of zij in God geloofde.

Hij dacht aan het schoolbestuur en aan de waarschuwing die hij aan het begin van het jaar had gekregen. De schooldirecteur zou vanavond ongetwijfeld de voorstelling bijwonen en de lege plaatsen tellen. Het einde was in zicht, maar dat betekende niet dat hij zijn tijd niet kon uitdienen zoals Holden die uitdiende.

'Goed, jeugdige toneelspelers.' Manny merkte dat hij opeens een brok in zijn keel kreeg. Of het lesprogrammadrama nu bleef bestaan of niet, ze hadden dit jaar iets bereikt wat veel meer waard was dan een volle zaal. 'Laten we in een kring gaan staan.'

De jongeren leken de bitterzoete sfeer in de zaal aan te voelen. Ze maakten geen grapjes en lachten en praatten ook niet onderling. Nog vijf minuten, dan ging het doek op, en alle ogen waren op Manny gericht. Hij wachtte tot ze allemaal in de kring stonden. Holden en Ella gingen er als laatsten tussen staan, maar ze deden mee, en Holden volgde net als alle andere studenten de aanwijzingen op. Manny keek naar hem en herinnerde zich heel even hoe Holden aan het begin van het schooljaar had gekeken. Manny had zich er sterk tegen verzet dat Holden toekeek tijdens het lesuur drama. Zijn gedrag was vreemd en grillig geweest en hij bezat destijds geen enkel vermogen om te communiceren.

De gedaanteverwisseling was even opzienbarend als wat ze zo dadelijk op het podium zouden zien gebeuren.

Manny knikte naar Ella. Op het Fulton waren nog niet vaak leerlingen voorgegaan in gebed voordat een musical begon. Maar vanavond liep het anders. Ella rechtte haar rug. 'Laten we bidden,' zei ze op heldere, rustige toon. 'God, we weten dat U bij ons bent, en dat U hier iets heel bijzonders hebt gedaan.' Ze zweeg even, en Manny zag de lege zaal voor zich die op hen wachtte aan de andere kant van het doek. Hij kuchte een paar keer om te voorkomen dat hij instortte en begon te huilen. Ella bad verder met een zelfvertrouwen dat ze niet van zichzelf had. 'Wat er ook gebeurt... Hoe de avond ook uitvalt, we hebben gewonnen. Als team, als enkeling, en als mensen die geloven in iets wat groter is dan we zelf zijn. Ga ons alstublieft voor, God. En we dragen deze voorstelling op aan de leerling die ons heeft geleerd hoe we in het onmogelijke moeten geloven, God. Holden Harris.' Ze zweeg even om haar emoties onder controle te krijgen. 'We dragen de voorstelling van vanavond aan hem op. In Uw naam, amen.'

Manny schoot vol, en hij wist niet goed wat hij na Ella's gebed nog zou moeten zeggen. Maar het was gebruikelijk dat Manny op de première-avond het podium op kwam, voordat de eerste noot van de ouverture werd gespeeld. Hij zou opkomen en het publiek welkom heten, zij het summier. Hij zou zijn best doen om de ogen van de directeur en alle andere leden van het schoolbestuur te mijden, terwijl hij hun vertelde dat de voorstelling die ze zo dadelijk te zien zouden krijgen, in één woord een wonder was.

Manny haalde nog een keer diep adem. *Geef me kracht, God. Help me omwille van de leerlingen om positief te blijven.* Hij stak zijn hand op, ten teken dat de leerlingen stil moesten zijn. 'Eerste akte, ga klaarstaan achter de coulissen.' Hij trok zijn gestreepte stropdas en zijn mooiste witte overhemd recht. 'Ik zal het kort houden.' Hij liep tegen een lichte helling op en deed de deur open. Het duurde een paar seconden voordat zijn ogen waren gewend aan het gedempte licht in de zaal, vooral toen hij in het licht van een schijnwerper kwam te staan. Maar nog terwijl hij probeerde te bevatten wat hij nu voor zich zag, barstte er in de zaal een applaus los. Het was niet het applaus van een paar rijen mensen die uit beleefdheid klapten.

Het was een indrukwekkend, oorverdovend, donderend applaus.

Met knikkende knieën bleef Manny staan. Hij ging er prat op dat hij altijd kalm bleef, dat hij zelfs in een jaar als dit wist om te gaan met de niet-denkbeeldige drama's op het Fulton. Maar hij kon niets doen om zijn tranen te bedwingen. Hij stond nog niet helemaal bij de microfoon, maar hij kon geen stap meer verzetten, kon niet verwerken wat hij voor zich zag.

De zaal was uitverkocht.

Nee, meer dan uitverkocht. Er was niet één stoel waarop niet een leerling of een ouder zat, en er waren drie extra rijen stoelen achter in de zaal en langs de zijmuren neergezet. Hij liet zijn ogen over het publiek dwalen en zag jongeren die nog nooit een voorstelling op het Fulton hadden bijgewoond: skaters, cheerleaders, leden van de science club, van de debatvereniging. En halverwege de rechterkant van de zaal zat een groep jongeren, van wie Manny had gedacht dat hij ze nooit in dit gebouw zou zien.

Jake Collins en zijn vrienden.

Ze droegen in plaats van sporttruien een traditioneel overhemd. En toen het publiek steeds harder begon te klappen stonden Jake en Sam als eersten op. Anderen volgden hun voorbeeld, totdat de hele zaal stond. En Manny begon te begrijpen dat dit niet het einde was. Op het Fulton zou het lesprogramma drama na vanavond niet geschrapt worden. Op dat moment vonden Manny's betraande ogen pas de zitplaatsen onder aan het podium. Daar zaten de orkestleden klaar om in te zetten.

Eén stoel was leeg, de stoel van Michael Schwartz op de voorste rij van de fluitspelers, maar naast de lege stoel zag Manny een nieuw gezicht. Het was voor hem geen verrassing, en hij wist ook dat het meisje een natuurtalent was. De orkestleider had versteld gestaan van haar vorderingen in zo'n korte tijd. Hij glimlachte naar het meisje, dat nooit fluit gespeeld zou hebben als het dit jaar anders was gelopen.

LaShante Wilson.

Grijnzend hief ze bij wijze van groet haar glanzende fluit. Als reactie knikte hij haar toe en hij zwaaide naar alle anderen, naar iedereen die op de afschuwelijke dag vier maanden geleden Ella's toespraak had aangehoord. Michaels dood had hun dus toch geraakt. Ze waren hier omdat ze het zich hadden aangetrokken. Omdat ze elkaar nodig hadden, wie ze ook waren of waar ze ook voor opkwamen.

Het werd uiteindelijk weer rustig in de zaal en Manny liep naar de microfoon. Op weg daarnaartoe zag hij Holdens ouders. Ze zaten op de tweede rij en maakten een gelukkige, zij het nerveuze indruk. Dat kon Manny begrijpen, maar ze hoefden zich geen zorgen te maken. Ze zouden zo dadelijk geen groep jongeren te zien krijgen die een jongen van het speciaal onderwijs een gunst bewees.

Ze zouden zo dadelijk hun zoon te zien krijgen.

Manny glimlachte, ook al trilden zijn handen. Hij kon het moment bijna niet afwachten dat hij de reactie van zijn leerlingen drama zou zien. Zittend achter de coulissen zou hij hen zien optreden voor een volle zaal. Hij kon alleen maar uitbrengen dat hij iedereen bedankte voor zijn komst.

'En nu,' Manny maakte een weids gebaar in de richting van het doek, 'presenteer ik u Disneys *Belle en het Beest*.'

31

Ze werden erg zenuwachtig toen ze merkten dat ze voor een overvolle zaal moesten optreden, en dat gevoel verflauwde tijdens de voorstelling geen moment. Tijdens iedere akte, ieder lied, iedere tekstregel had Ella kippenvel op haar armen. De cast en de orkestleden probeerden over te komen alsof ieder moment een bijzonder zeldzaam geschenk was. Het moest een vertoon van dankbaarheid zijn aan de mensen die hadden besloten op deze avond bijeen te komen, of dat nu was ter ere van Michael Schwartz, het Fulton, of van God die nu misschien meer voor hen betekende.

Maar wat voor reden ze er ook voor hadden gehad, ze waren hier om Holden Harris te zien, de enige leerling die van iedereen hield.

Ze ving LaShantes blik aan het begin van de eerste akte en de twee glimlachten naar elkaar. Wat zou het mooi zijn als Michael op de een of andere manier kon zien hoe zijn liefde voor muziek was overgegaan op een meisje die anders misschien nooit had ontdekt dat ze er talent voor had. Ze waren al halverwege de tweede akte toen ze tussen de scènes in voor Holden begon te bidden. Hij zat in zijn eentje op een stoel achter de coulissen en als er geen muziek te horen was, wiegde hij van voor naar achter, precies zoals hij had gedaan toen ze hem voor het eerst had ontmoet.

Laat het vanavond alstublieft niet gebeuren, God. Zorgt U er alstublieft voordat hij niet onbereikbaar wordt.

Ze moest LaShante inseinen. Als de fluitspelers *Eeuwenoud verhaal* tijdens de gedaantewisseling eerder konden inzetten dan normaal, dan kwam het wel goed met Holden. De eerste paar minuten hoefde ze niet op te komen. Daarom rende ze terug naar het klaslokaal en krabbelde een paar woorden op een briefje voor haar vriendin. Toen ging ze op zoek naar een van de jongens die voor de verlichting zorgden. 'Pak aan en geef het aan LaShante, het meisje met het zwarte haar dat fluit speelt op de voorste rij.'

De jongen stelde geen vragen. Hij was verdwenen voordat ze naar de coulissen terugliep. Holden zat daar nog steeds, in zijn eentje in het donker. 'Nog maar een paar minuten, Holden. Dan komt jouw belangrijke lied.'

Hij hield zijn blik op het podium gericht, waar de scène met Gaston ten einde liep.

'Ben je er klaar voor?' Ze ging op haar hurken naast hem zitten. Haar gele jurk waaierde uit rond haar enkels.

Deze keer keek hij haar aan. 'Eeuwenoud verhaal.'

'Ja, precies.' Ze had niet veel tijd meer. Ze pakte zijn hand even vast en kneep er zachtjes in. 'Ik zie je zo dadelijk op het podium.'

Hij glimlachte. 'Belle en het Beest.'

Ella kende haar tekst goed genoeg om niet uit haar rol te vallen en haar optreden was beter dan ooit. Toch was ze zich er ondertussen scherp van bewust dat zo dadelijk de scène met Holden aan de beurt was. *Zorg er alstublieft voor, God, dat LaShante het briefje krijgt.* De tijd leek sneller te verstrijken dan normaal en opeens was het moment daar. Gaston dook op om het beest neer te steken en viel toen dood neer. Het Beest lag naar adem snakkend op de grond.

'Nee!' riep Ella uit. 'Verlaat me niet… alsjeblieft.' Snel en moeizaam ademend viel ze op haar knieën. Haar borst ging op en neer terwijl ze treurde om het verlies van haar vriend. 'Je mag me niet in de steek laten.' Ze ging rechtop zitten, haar aandacht volledig op het gezicht van het Beest gericht. 'Ik… ik houd van je.'

Op dat moment begonnen de spookachtige geluiden van de gedaanteverwisseling. Een gordijn dat versluierd werd door rook omhulde hen en maakte er een geheimzinnig moment van. Het Beest kroop achter het gordijn en verdween log achter de coulissen. Nu was Holden aan de beurt. Op dit moment moest hij zich bij haar op het podium voegen, maar hij was nergens te bekennen.

'Holden,' riep ze zacht de mistige duisternis in. 'Waar ben je?'

Op datzelfde moment zette de hele sectie blaasinstrumenten de melodie in van *Eeuwenoud verhaal* – Holdens lievelingslied. En voordat ze nog één seconde kon verspillen aan paniekgevoelens over wat er verkeerd kon gaan, dook Holden op uit de mist.

Hij glimlachte, zijn ogen strak op die van haar gericht. 'Ik ben er,' fluisterde hij.

'Goed zo.' Ze bleef zacht praten. De lampen gloeiden op, de gedaantewisseling was voltooid.

Vlak bij haar stond Holden en hij zag er oogverblindend uit in zijn wit met gouden kostuum, zijn borst vooruit. Er straalde kracht en vriendelijkheid uit zijn ogen, van zijn gezicht. Al die keren dat ze dit nummer hadden gerepeteerd, had Holden nooit de tekst uitgesproken die hij volgens het script moest uitspreken. Maar er was nog geen einde gekomen aan de wonderen die God vanavond verrichtte. Holden raakte even haar schouder aan. 'Ik ben het, Belle. Zie je het niet? Ik was eigenlijk de Prins... al die tijd al.'

Ella's lippen weken uiteen, en ze wist even niet goed of ze haar naam wel zou kunnen noemen, laat staan haar tekstregels uitspreken. Het was alsof Holden geen rol meer speelde, maar haar iets over zichzelf vertelde. Dat hij eigenlijk was zoals hij nu voor haar stond, niet de jongen die ze vorig jaar herfst had ontmoet. Ze streek de kreukels uit haar jurk en probeerde te bedenken wat ze nu moest zeggen. De muziek speelde ondertussen door. LaShante en de toneelknecht hadden gedaan wat ze had gevraagd, en nu... nu bood de muziek Holden de kans om te schitteren.

Kom op, Ella, houd je aandacht erbij. 'Je... je bent het echt! Ik kan het niet geloven.' Ze stak haar handen uit om die van Holden vast te pakken.

Op dat moment begon hij te zingen. 'Eeuwenoud verhaal...'

Toen zij moest inzetten, gebeurde er in het publiek iets wat ze geen van allen bedacht of ingestudeerd hadden. De aanwezigen begonnen te klappen, steeds harder te klappen. Het orkest scheen te begrijpen dat Ella tijd nodig had, want het speelde de acht maten muziek nog een keer.

Maar wat gebeurde er nu met Holden? Hoe zou hij reageren op het donderende applaus? Ze keek hem onderzoekend aan, maar hij kwam alleen maar zo dicht bij haar staan dat ze zich begon af te vragen of hij van plan was haar te kussen. Maar op het laatste moment raakte hij met zijn wang licht haar wang aan en zei vlak bij haar oor: 'Het komt goed, Ella. Wacht op de muziek.'

Tot op dit moment had Ella niet kunnen zeggen of Holden nu acteerde of niet, maar nu zag ze het verschil. Op dit moment acteerde hij niet, op dit moment was Holden zoals hij in werkelijkheid zou kunnen zijn. De Holden die hij op een gegeven moment ook zonder de muziek zou kunnen worden. Het applaus nam geleidelijk af en het orkest zette weer in waar ze opgehouden waren met spelen. Ella ging rechterop staan en haalde een keer diep adem voordat ze begon te zingen. Ze keek Holden glimlachend in de ogen terwijl hij haar sierlijk in het rond deed wervelen.

De andere leden van de cast voegden zich bij hen. Tickens, Lumière en Babette zwierden midden op het podium om Ella en Holden heen. '... Belle en het Beest.' Holden zong de laatste regel, en Ella wist dat ze dat moment nooit meer zou vergeten.

Ella vroeg zich af of alle aanwezigen huilden zoals zij, alsof ze de boodschap die Holden zingend overbracht aan het verwerken waren. Aan het begin van het schooljaar hadden ze het bij het verkeerde eind gehad. Iedereen had een verkeerde kijk gehad op Michael Schwartz en ook op Holden. Het was moeilijk geweest om verder te kijken dan de vreemde aanblik die Holden bood, zijn eigenaardige gedragspatronen en zijn non-verbale manier van communiceren. Maar nu...

Nu was iedereen in het gebouw er getuige van dat er met Holden Harris een wonder was gebeurd. Hij had de muziek altijd in zich gehad, maar nu hadden ze het lied gevonden dat erbij paste. Holdens lied. En vanavond konden ze allemaal zien dat Holden Harris niet alleen maar een jongen was die worstelde met autisme. Hij was voor iedereen op het Fulton een vriend en dat niet alleen – hij was echt een prins.

Daarin zou Ella blijven geloven zolang ze leefde.

*

Suzanne kon niet ophouden met huilen. Ze wist niet goed of ze overspoeld werd door emoties omdat er op het podium een heel wezenlijke gedaanteverwisseling plaatsvond, of omdat haar man tijdens de pauze naast haar was komen zitten. Wat hem hier had gebracht, kon haar niet schelen. Vanavond voelde ze iets wat ze jarenlang niet meer had ervaren.

Ze kreeg weer hoop.

En dat kwam door Holden Harris. Door de uitwerking die hij had gehad op hun gezin. De musical liep ten einde en Holden en de cast kregen een staande ovatie die bijna vijf minuten duurde. Suzanne wilde ondertussen niet denken aan alles wat ze waren misgelopen doordat ze zich jaren geleden als vrienden van de familie Harris hadden teruggetrokken. Ja, Holden had een handicap waardoor bepaalde dingen voor hem onmogelijk waren.

Maar gold dat niet op de een of andere manier voor iedereen?

Wat zouden ze er allemaal van hebben geleerd als ze contact hadden gehouden met Tracy, Dan en Holden? De jongens gingen dan misschien nog steeds naar catechisatie en Randy was dan misschien niet vervreemd van zijn gezin. En zij zou er misschien niet haar uiterste best voor hebben gedaan om er goed uit te blijven zien. Met Holden in de buurt werd het pijnlijk duidelijk dat de meest adembenemende schoonheid van binnenuit kwam.

Toen de voorstelling was afgelopen, bedankte meneer Hawkins hen opnieuw voor hun komst. Daarna mengden de leden van de cast zich onder het publiek om omhelsd en gefeliciteerd te worden, maar Suzanne zocht maar een van hen daarvoor op.

Haar dochter Ella.

Zodra ze haar had ontdekt aan de andere kant van de zaal raakte ze even Randy's arm aan. 'Ik ben zo terug.' Ze moest hard praten om boven het geroezemoes van de menigte uit te komen. Hij knikte, en voordat ze zich omkeerde om naar de andere kant van de zaal te lopen, zag ze dat Dan Harris op haar man af kwam en hem een vriendschappelijke klap op de schouder gaf. 'Randy, wat is dat lang geleden.'

Dat was ook weer een wonder – dat Dan Randy had gevonden, voordat de laatste gauw via de achterdeur verdween. De kans bestond dat die twee vanavond na de emotionele voorstelling waarvan ze allemaal getuige waren geweest, met elkaar in gesprek zouden raken.

Suzanne baande zich een weg door de menigte, een rode roos met lange steel in haar hand geklemd. Ella was omringd door mensen die haar gelukwensten, en naast haar stond Holden, die er nog steeds helemaal als een prins uitzag. Hij had een andere blik in zijn ogen en hij maakte geen oogcontact met iedereen die zich om hem heen verdrong, maar hij bleef met geheven hoofd als een soort beschermheer naast Ella staan.

Suzanne bevond zich nog maar een halve meter bij Ella vandaan. Toch zag Ella haar nog steeds niet en heel even was ze daar blij om. Nu ze naar Ella en Holden keek, was het alsof ze weer voor zich zag wat ze had bedacht in de tijd dat ze drie jaar oud waren. Dit was toch waarover Tracy en zij altijd hadden gedroomd: dat Ella en Holden samen een leuk stel zouden vormen, en dat ze elkaar zouden steunen en bemoedigen en aantrekkingskracht zouden uitoefenen op iedereen om hen heen?

En nu gebeurde hier tegen alle verwachting in bijna precies wat ze hadden gehoopt. Ze bleef naar Holden kijken, naar zijn vriendelijke gezicht. De kans was groot dat hij nooit helemaal aan zijn autistische wereldje zou weten te ontkomen en dat deze twee nooit samen zouden uitgaan. Toch wist Suzanne dat Ella hield van de vriend die ze in Holden had gevonden.

Ze zou van hem houden zo lang ze leefde.

Suzanne moest zich nog een klein stukje door de menigte dringen voordat ze naast haar dochter stond. 'Ella...'

Ella keerde zich om en aarzelde hooguit een seconde voordat ze haar moeder in de armen vloog. 'Was het niet fantastisch? Holdens wonder? Heb je gezien wat er is gebeurd?' Ella zweeg even, maar eigenlijk niet lang genoeg om op adem te komen. 'Holden was... hij begreep helemaal wat wij samen op het podium moesten doen.'

'Ik heb het gezien.' Er prikten tranen in Suzannes ogen. Ze overhandigde de roos aan haar dochter en gaf haar een zoen op haar wang. 'Ik ben trots op je, Ella. Het was alsof... Je was een levensechte Belle. Jouw liefde en de muziek... Ik denk dat God daarvan gebruik heeft gemaakt om voor Holden een wonder te bewerken.'

Ella keek stralend op naar de jongeman naast haar. Hij

wekte de indruk dat hij zich helemaal niet bewust was van al die mensen om hem heen; zijn blik was op een rustige plek ergens ver weg gericht. Maar toen Ella zijn arm aanraakte, keek hij haar aan. Zij was de enige in de zaal met wie hij contact wilde hebben. 'Herinner jij je mijn moeder, Holden?'

Zijn blik ging naar Suzanne en even later gingen zijn mondhoeken omhoog. 'Ja.' Hij moest zijn stem verheffen om zich verstaanbaar te maken boven het geroezemoes uit van alle mensen die nog steeds in de zaal stonden. 'U zat met Ella op de schommel.'

Suzanne was sprakeloos van verbazing. Er was Holden niets ontgaan, hoewel hij in een stille eigen wereld was gaan wonen, buiten hun bereik. Toch had hij alles gehoord, gezien en onthouden. 'Ja, dat klopt.' Ze lachte naar hem. 'We spreken elkaar straks nog, goed?'

'Straks.' Hij keek weer naar de muur het verst bij hen vandaan, maar bleef pal naast Ella staan.

'Mam...' Het enthousiasme in Ella's stem viel weg. 'Het spijt me dat ik geen tijd heb gemaakt om met je te praten. Misschien... misschien kunnen we opnieuw beginnen.'

'Dat lijkt me fijn.' Suzanne merkte dat er een traan over haar wang rolde. 'Ik houd van je, Ella. Het spijt me dat ik zo veel heb gemist. Ik wil veranderen. Ik wil dat je gaat zien hoe ik werkelijk ben.'

Ella glimlachte en het licht keerde terug in haar ogen. Ze keek even naar Holden en toen weer naar haar moeder. 'Ik denk dat dat voor velen van ons geldt.'

Meer bewonderaars wilden even iets tegen Ella zeggen, in de gelegenheid gesteld worden om een foto van haar te maken of haar te feliciteren. Suzanne liep daarom tussen de mensen door terug naar de plek waar haar man nog steeds in gesprek was met Dan. Tracy stond bij hem in de buurt; Suzanne ging op haar af en de twee vrouwen omhelsden elkaar. 'Holden was fantastisch.'

'Ik had nooit gedacht... Het was net een droom.'

'Het was een wonder.'

'Ja.' Tracy keek naar hun echtgenoten en toen weer naar haar vriendin. 'En God is nog niet klaar met Zijn werk.'

Daarna begonnen ze weer over de musical, de volle zaal en hoe hoog bij hen allemaal de emoties waren opgelopen bij het laatste nummer. Dit was niet de juiste plek om het over haar huwelijk met Randy te hebben, of ze in therapie moesten gaan om te proberen de problemen op te lossen. Voor nu was het voldoende dat Tracy gelijk had. God had hier vanavond een wonder verricht en Hij was nog niet klaar. Met Holden niet en ook niet met haar.

*

Holden was blij met wat hij zag. Hij kon iedereen zien, alle leerlingen en de ouders en docenten, en hij wist dat God zijn gebeden had verhoord. Hij wist zo veel dat hij al aan het bidden was sinds de voorstelling was afgelopen. Af en toe zei hij iets tegen Ella, maar op dit moment was hij aan bidden.

Jezus, kijk naar alle blije harten in deze zaal. Dat is precies waar ik voor heb gebeden. Duizenddrieënvijftig stoelen. Er waren vanavond alleen meer dan duizenddrieënvijftig mensen, omdat tweehonderdelf mensen stonden. En dat betekent dat twaalfhonderdvierenzestig mensen allemaal blij waren. Er klonk weer muziek die hem meevoerde naar de plek waar hij het gelukkigst was.

Ik weet, God, dat U bij me was vanavond, en dat U ook hierna nog bij me zult zijn. Omdat U mij mijn vriendin Ella hebt gegeven. En daar is mijn hart. Op het podium, in het klaslokaal voor de dramalessen en op mijn bank als ik naar onze film kijken. Samen met Ella. En nu heeft misschien iedereen zijn hart op de juiste plek.

Hij was nog steeds aan het bidden toen zijn nichtje Kate

naar hem toekwam en aan zijn mouw trok. 'Kate, wat ben jij vanavond een mooie prinses,' zei hij, en zij moest het hebben gehoord, want ze giechelde en haar hele gezicht lachte.

'Jij bent de mooiste prins, Holden. De allermooiste.'

'En jij bent het beste nichtje.'

'Ik kan je horen, Holden.' Kate sloeg haar armen om zijn middel. 'Ik hoor je, ook als verder niemand je hoort.'

Ze huppelde weg om op zoek te gaan naar Holdens moeder. Even later kwam ze met zijn vader en moeder terug.

'Ik ben trots op je, jongen. Je was op het podium precies zoals je zijn moest.' Zijn vader gaf hem een klapje op zijn arm. Het dreigde Holden te veel te worden, maar hij hield zich goed. Dit was zijn vader. Thuis van het vissen. 'Dank u wel, pa. Dank u wel dat u hier was.'

Zijn moeder zei niet veel omdat ze huilde, maar Holden vond dat niet erg. De tranen op haar gezicht waren tranen van blijdschap. Holden wist het verschil. Toen ze wegliepen met de belofte dat ze achter in de zaal op hem zouden wachten, maakte Holden zijn gebed af.

En daarom, Jezus, dank ik U voor deze avond. Omdat ik mijn hele leven hiervoor heb gebeden. Ik weet dat U me hoort omdat U vanavond overal was: op de voorste rij, achter in de zaal en op het podium. Hij dacht even na. *Kunt u aan Michael vertellen dat we hem missen? Ik weet dat U van me houdt. Uw vriend, Holden Harris.*

Hij moest nog één ding doen, iets wat hij al wilde doen sinds Ella hem er voor de voorstelling om had gevraagd. Nu er minder mensen om hen heen stonden keek hij haar aan. 'Ella?'

Zij keerde zich naar hem om. 'Ja, Holden?'

'Mag ik je een knuffel geven?'

Haar glimlach veranderde in een mooie lach. 'Ja... ja, natuurlijk.'

Er klonk op de achtergrond geen tromgeroffel toen hij Ella in zijn armen trok en haar een knuffel gaf. Mooie, melodieuze muziek vulde de zaal. Het was nu alleen wel anders dan anders, omdat Ella met hem mee wiegde. En dat kon maar één ding betekenen: Ella kon de muziek ook horen. Maar dat had hij al die tijd al geweten.

Van de auteur

Voor al mijn trouwe lezers
Drie jaar geleden speelden mijn kinderen mee in een musical van het Christelijk Jongerentheater (CJ). Tijdens een repetitie viel mij op dat achter in de zaal een jongen zat die zwijgend van voor naar achter wiegde en helemaal geen contact maakte met de andere jongeren. Om zijn privacy te beschermen zullen we hem Samuël noemen. Samuëls moeder zat niet ver bij hem vandaan en zij vertelde mij later dat uur dat haar zoon autisme had.

'Hij communiceert niet verbaal,' zei ze tegen me. 'Zijn zus speelt mee in de musical en daarom zijn we hier tijdens iedere repetitie.' Na een korte stilte voegde ze eraan toe: 'We bidden iedere dag of er iets mag gebeuren waardoor hij niet meer in zichzelf zit opgesloten.'

Samuël was toen tien jaar en in de acht weken die daarop volgden, viel het ons allemaal op dat er iets veranderde bij de jongen. Hij bleef niet in een hoekje zitten wiegen, opgesloten in zijn eigen wereldje, maar hield zijn hoofd rechtop en schoof iets dichter naar de andere jongeren toe. Wanneer zij een lied instudeerden, knikte Samuël in de maat van de muziek met zijn hoofd, onmiskenbaar in de ban van de muziek.

Tijdens de daaropvolgende repetitie van het CJ was Samuël niet meer zoals hij eerder was. Hij kon aanwijzingen opvolgen en op een basaal niveau communiceren – goed genoeg om deel te mogen uitmaken van het team dat achter de schermen zijn steentje bijdroeg.

'We kunnen het bijna niet geloven,' zei zijn moeder tegen me. 'Iedere dag komt hij iets verder uit zijn eigen wereldje. Het kan niet anders of dat komt door de muziek.'

Na een onderbreking van een jaar speelden onze kinderen weer mee in een voorstelling van het CJ. Dat was in de tijd rond Kerst en het ging om de musical *Scrooge*. Ik had het zo druk gehad met schrijven dat ik niet zo vaak repetities had bijgewoond, maar toen ik op de avond van de première plaatsnam in de zaal, kon ik niet geloven wat ik zag. Tussen de dorpsbewoners die een voor een in ouderwetse Engelse kostuums zingend en onderling pratend opkwamen, liep Samuël.

De jongen die niet had kunnen praten trad op!

In de pauze zocht ik zijn moeder op en we hadden allebei tranen in onze ogen. 'Het is een wonder,' zei ze tegen me. 'God heeft de muziek gebruikt om ons onze zoon terug te geven.'

Op dat moment wist ik dat ik een boek zou schrijven over een autistische jongen die uit zijn uit eigen wereldje werd getrokken dankzij de kracht van een lied. Op die manier gebeurde dat met Samuël en op die manier gebeurde het ook met Holden Harris.

Heel behoedzaam en sensitief waagde ik het om te gaan schrijven over een 18-jarige jongen met een stoornis in het autistisch spectrum. Ik kwam er snel achter dat autisme een spectrumstoornis is omdat het ene geval nooit precies hetzelfde is als het andere. Sommige mensen functioneren op een vrij hoog niveau, bijvoorbeeld als ze het syndroom van Asperger hebben. Anderen, zoals Holden in deze roman, communiceren niet verbaal en vinden soms nooit een uitweg uit hun eigen wereldje.

Mensen met een stoornis in het autistisch spectrum hebben te kampen met overprikkeling van hun zintuigen. Te veel geluiden, te veel kleuren, te veel geroezemoes en zelfs een aanraking kunnen bij een autist een woede-uitbarsting of een paniekaanval teweegbrengen. Sommigen van hen hebben vanaf hun geboorte moeite met communiceren. Anderen ontwikkelen zich net als Holden normaal en gaan dan om een onverklaarbare reden opeens achteruit. Er is niet één levensverhaal van deze mensen hetzelfde.

Voor diegenen onder jullie die iemand met autisme kennen en hem of haar liefhebben – ik heb vaak voor jullie gebeden. In de tijd dat ik onderzoek verrichtte voor dit boek hoorde ik keer op keer dat jongeren met autisme op een speciale manier van anderen houden. Ze zijn aardig en oprecht en hun vreemde of andersoortige gedrag is vaak een heel authentieke uiting van emoties of gevoelens.

Ik ben me er ook scherp van bewust dat niet iedereen die van een autistisch kind houdt, ervoor bidt en zich met een dergelijk kind bezighoudt, zoiets wonderlijks zal ervaren als er met Holden gebeurde. De echt bestaande Samuël heeft echter model gestaan voor Holden, en ik weet dus zeker dat kinderen met autisme gedeblokkeerd kunnen raken. Sommigen maken verbazingwekkende sprongen voorwaarts en gezien de huidige verbetering in de behandeling van autisme is de toekomstverwachting voor alle betrokkenen hoopvol.

Als u niet op de een of andere manier rechtstreeks te maken hebt met autisme, hoop ik dat het verhaal over Holden eraan heeft bijgedragen dat u fijngevoeliger bent geworden ten opzichte van mensen in uw omgeving die anders zijn. Vriendelijkheid kan veel bijdragen aan onderling begrip, en ik heb zelf gemerkt dat ik daar verder mee kwam terwijl ik mét Ella geduld oefende met haar vriend Holden.

Ik had me ook nog niet eerder aan het onderwerp zelfmoord gewaagd en vond dat heel, heel moeilijk. Het leven is van God. Het is aan Hem om leven te geven en leven te nemen. Als jij of iemand van wie je houdt er moeite mee heeft enige zin te ontdekken in het leven, of als jij iemand kent die gepest wordt, maak dan alsjeblieft onmiddellijk melding van deze situatie. Als je het leven niet de moeite waard vindt, heb je hulp nodig. Maak een afspraak met een therapeut, ga naar de Spoedeisende Hulp of praat met iemand die je vertrouwt. Ik kon uiteindelijk alleen maar uit de voeten met Michaels zelfmoord door te laten zien dat hij op het laatste moment van gedachten veranderde.

Een van de ergste dingen van zelfmoord is dat het zo definitief is, maar daar hoeft het niet op uit te draaien. God wil dat wij allemaal het leven omarmen, niet omdat het een gemakkelijk, leuk of op zijn minst draaglijk leven is, maar omdat het ons door Hem is geschonken. Als jij vandaag gezond en wel wakker bent geworden, is Gods belangrijkste plan met jouw leven nog in de toekomst verborgen. God zegt in Deuteronomium tegen ons dat Hij ons voor de keuze stelt tussen leven en dood, zegen en vloek. 'Kies voor het leven!' is de boodschap van de Bijbel.

Ik bid dat jullie allemaal en ook degenen die jullie liefhebben, die keuze zullen maken.

Ik moest uiteindelijk ook nog inspelen op de gedachte dat je op vele manieren opgesloten kunt zijn in je eigen wereld. Het leven is te kort om niet jezelf te zijn bij de personages die God een plek heeft gegeven in jouw levensverhaal. Houd echt van elkaar, lach vaak en vind je leven in Christus. Verstop je niet en wees ook geen meeloper. Wees zoals God jou heeft gemaakt: een prachtige, unieke man of vrouw, en weet dat het altijd het beste is dat je je bij het maken van plannen laat leiden door je geloof in Hem.

Ik vind het altijd leuk om iets van je te horen. Stuur een bericht naar Office@KarenKingsbury.com en vermeld in de regel Onderwerp *Nieuw leven*. Ik kijk verlangend uit naar jullie feedback over dit boek.

Houd je ogen op het kruis gericht, lieve vrienden, en vergeet niet te luisteren naar de muziek.

Totdat we elkaar weerzien in Zijn licht en liefde,
Karen Kingsbury

Woord van dank

Er verschijnt geen boek als een team geweldige mensen met vele gaven dit niet mogelijk maakt. Om die reden bedank ik mijn vrienden bij Zondervan, die zich samen met een aantal mensen dat zich met overgave inzet voor de organisatie *Life-Changing Fiction*, hebben ingespannen om van *Bevrijdend lied* een goed boek te maken. Ik bedank vooral Moe Girkins, wiens inzet voor kwaliteit bij Zondervan zijn weerga niet kent, en Steve Sammons en Don Gates. Deze laatste twee zijn in de uitgeverswereld misschien wel de enigen die werkelijk begrijpen wat wij voor Gods Koninkrijk aan het doen zijn. En ik bedank natuurlijk vooral mijn toegewijde, briljante redacteur Sue Brower en mijn marketing manager Alicia Mey. Ook bedank ik de creatieve teams en het personeel van de afdeling verkoop van Zondervan die onvermoeibaar doorwerken om jullie dit boek in handen te geven.

Ik bedank ook mijn geweldige agent Rick Christian, directeur van Alive Communications. Rick, jij hebt altijd het beste met mij voorgehad. Als we het hebben over de hoogst mogelijke doelstellingen, zijn ze volgens jou altijd binnen bereik. Je bent een briljante manager van mijn carrière, en ik dank God niet alleen dat jij in mijn leven bent gekomen, maar ook omdat je mij als auteur hebt aangemoedigd en voor me hebt gebeden. Telkens wanneer ik een boek heb voltooid stuur je me een brief die ik eigenlijk zou moeten inlijsten, en als er iets belangrijks gebeurt ben jij de eerste die me belt. Bedankt daarvoor. Maar vooral ook het feit dat Debbie en jij voor mij en mijn gezin bidden maakt dat ik er iedere ochtend opnieuw vertrouwen in heb dat God de verhalen die bij me opkomen, leven zal inblazen. Bedankt dat je zo veel meer bent dan een fantastische agent.

Ik bedank natuurlijk vooral mijn echtgenoot, die me verdraagt als ik tegen een deadline aan zit en zonder morren Mexicaans haalt na een rugbywedstrijd als ik de hele dag bezig ben geweest met redigeren. Deze wilde rit zou zonder jou niet mogelijk zijn geweest, Donald. Dankzij jouw liefde blijf ik schrijven; dankzij jouw gebeden blijf ik geloven dat God een bedoeling heeft met deze bediening van *Life-Changing Fiction*. Bedankt voor alle tijd die je besteedt aan het bijhouden van het gastenboek op mijn website. Dat is een volledige baan, en ik ben er dankbaar voor dat jij je bekommert om mijn trouwe lezers. Ik kijk elke dag uit naar het moment dat je de reacties op de berichten aan me voorleest voordat je ze verzendt, en voldoet aan de verzoeken om gebed. Bedankt, schat, en ik bedank ook al mijn kinderen, die één lijn trekken, me groene ijsthee brengen en er begrip voor hebben dat mijn werkschema soms waanzinnig is. Ik vind het fijn dat jullie weten dat jullie voor mij belangrijker zijn dan welke deadline ook.

Ik bedank verder mijn moeder Anne Kingsbury, en mijn zussen Tricia en Sue. Mam, u bent een fantastische assistente die dag en nacht de post van mijn lezers sorteert. Ik heb meer waardering voor u dan u ooit zult beseffen. De reizen die we de laatste jaren samen hebben gemaakt, bezorgden ons altijd waardevolle momenten van samenzijn.

Tricia, een betere administratieve assistente had ik me niet kunnen wensen. Ik waardeer je loyaliteit en eerlijkheid, en de manier waarop je me betrekt bij iedere beslissing en de opwindende dagelijkse veranderingen op de website. Sinds jij je ermee bezighoudt ziet de website er heel anders uit en wordt hij veel vaker bezocht. De lezers worden daardoor beter geholpen om te groeien in geloof dan alleen door middel van een verhaal. Je mag weten dat ik altijd bid dat God je zal zegenen, en dat ik Hem dank voor jouw toegewijde hulp aan mij als auteur en voor je fantastische zoon Andrew. Hebben we het ook niet heel goed met elkaar? God laat alle dingen meewerken ten goede!

Sue, ik denk dat jij therapeute had moeten worden. In jouw huis, ver bij dat van mij vandaan, ontvang je iedere dag stapels brieven van lezers, die je ijverig beantwoordt met behulp van Gods wijsheid en Zijn Woord. Als lezers een reactie ontvangen van 'Karens zus Susan', hoop ik dat ze weten hoe intens je hebt gebeden voor hen en voor de antwoorden die je geeft. Je doet dat echt heel graag, Sue, en daarvoor bedank ik je. Je hebt een gave om met mensen om te gaan en voor mij is het een zegen dat ik daarvan gebruik mag maken.

Bijzonder dankbaar ben ik Tom McCorquodale. Nu jij in Californië werkzaam bent aan de universiteit, wil ik jou alleen maar laten weten dat ik altijd dankbaar zal zijn voor jouw gaven op marketinggebied en de goede manier waarop je allerlei dingen voor me regelde. Je hebt het motto van onze missie – 'Doe alles uit liefde voor en dienstbaarheid aan onze trouwe lezers' – goed begrepen. Ik hoop dat God je ook aan de universiteit zal zegenen en dat je mag blijven groeien als een gelovig man – dat laatste weet ik eigenlijk wel zeker. Gods plannen voor jou zijn onbegrensd.

Ook Randy Graves wil ik graag bedanken. Randy, jij en je gezin maken al ruim tien jaar deel uit van onze familie. Je was bevriend met mijn vader en mijn broer, en je hebt meegeholpen de kist te dragen toen we afscheid van hen moesten nemen. Je weet waar het om gaat bij de bediening van *Life-Changing Fiction*, en nu je mijn zaakwaarnemer en directeur van mijn eigen One Chance Foundation bent ben je volledig betrokken bij alles wat we doen. Wat een zegen dat ik je mijn vriend en medewerker mag noemen. Ik hoop dat God het ons toestaat om onze samenwerking op deze voet voort te zetten.

Mijn dank gaat ook uit naar Peggy Rider, het nieuwste lid van ons team. Je bent al jaren mijn vriendin, maar ik heb nu het gevoel dat God ons heeft samengebracht om een periode samen te werken. Aan ieder klein detail in de boeken over de familie Baxter is af te lezen hoe groot jouw inzet is geweest. Ik waardeer het dat het je zozeer aan het hart gaat.

Ik bedank ook nog mijn secretaresse Olga Kalachik die mij helpt mijn voorraden en de opslag daarvan op orde te houden, en die ons huis voorbereidt op marketingevenementen en researchbijeenkomsten die hier regelmatig plaatsvinden. Ik ben je dankbaar voor alles wat je doet om ervoor te zorgen dat ik tijd heb om te schrijven. Je bent geweldig, Olga, en ik bid dat God jou en je dierbare gezin zal blijven zegenen.

Ik bedank ook Will Montgomery voor de zorgvuldigheid en grote aandacht voor details in de laatste fases van het redigeren van dit boek. Ik ben blij dat we nog steeds vrienden zijn en door middel van dit sterke verhaal blijven meewerken aan de bevordering van Gods Koninkrijk.

Ik wil ook nog mijn vrienden bij Premier bedanken – Roy Morgan en zijn team, alsook mijn vriendinnen van *Extraordinary Women* – Tim en Julie Clinton, Beth Cleveland, Charles Billingsley, Angela Thomas, Matthew West, Jeremy Camp, Chonda Pierce en nog vele anderen. Het is heerlijk om deel te hebben aan alles wat God door jullie heen doet. Bedankt dat ik bij jullie familie mag horen.

Verder bedank ik mijn vrienden en familieleden die er altijd voor me zijn geweest en er ook altijd zullen zijn. Jullie liefde is een tastbare bron van troost waardoor we moeilijke tijden kunnen doorstaan, en we weten hoe gezegend we zijn dat jullie deel uitmaken van ons leven.

De meeste dank gaat uiteraard uit naar God Almachtig. U doet een verhaal opkomen in mijn hart en hebt daarbij nog talloze andere harten in gedachten, en dat is iets wat ik niet kan doen. Ik ben er dankbaar voor dat ik mijn kleine bijdrage mag leveren aan wat U doet! De gave hiervoor krijg ik van U. Ik bid dat ik er nog jaren gebruik van zal mogen maken op een manier die U eer en glorie brengt.

In Zijn licht en liefde,
Karen Kingsbury